国家科学技术学术著作出版基金资助出版

计算认知神经科学

吴　思　等◎编著

Computational
Cognitive Neuroscience

科学出版社
北　京

内 容 简 介

计算认知神经科学是一个新兴的、正在高速发展的交叉学科研究方向，主要用计算建模的方法来理解和阐明认知神经科学所关心的科学问题，与传统实验手段互为补充。该领域目前的科研进展还很初步，同时领域内相关专著很少。本书梳理了相关领域研究的国际进展，并基于国内高校和科研院所的优秀工作者在该领域的科研成果，为认知神经科学工作者进行计算建模提供参考，为有志于投身该领域的年轻学生指明潜在的研究方向，帮助其加深专业知识，同时也为广大的认知科学爱好者提供背景知识。

本书不仅可供心理学、社会学等专业的学者或学生参考，也适合对计算认知神经科学感兴趣的读者阅读。

图书在版编目（CIP）数据

计算认知神经科学 / 吴思等编著. —北京：科学出版社，2023.3
（认知神经科学书系 / 杨玉芳主编. 第二辑）
ISBN 978-7-03-075114-0

Ⅰ.①计… Ⅱ.①吴… Ⅲ.①计算—系统建模—应用—认知心理学—神经科学 Ⅳ.①B842.1-39

中国国家版本馆CIP数据核字（2023）第040636号

责任编辑：孙文影 崔文燕 / 责任校对：杨 然
责任印制：李 彤 / 封面设计：有道文化

科 学 出 版 社 出版
北京东黄城根北街 16 号
邮政编码：100717
http://www.sciencep.com

北京虎彩文化传播有限公司 印刷
科学出版社发行 各地新华书店经销
*

2023年3月第 一 版 开本：720×1000 1/16
2023年3月第一次印刷 印张：17 1/4
字数：320 000

定价：**168.00 元**
（如有印装质量问题，我社负责调换）

本书编撰委员会

主　编　吴　思

委　员　于玉国　俞连春　余　山

　　　　　肖　雷　陈爱华　吕宝粮

　　　　　郭大庆　张　涛　弭元元

丛 书 序

PREFACE TO THE SERIES

　　认知神经科学是 20 世纪后半叶兴起的一门新兴学科。认知神经科学将认知科学的理论与神经科学和计算建模等方法结合起来，探索人类心理与大脑的关系，阐明心智（mind）的物质基础。这是许多科学领域共同关心的重大科学问题，对这个问题的新发现和新突破，将会深刻影响众多科学和技术领域的进展，深刻影响人们的社会生活。

　　在心理学领域，人们曾经采用神经心理学和生理心理学的方法和技术，在行为水平上进行研究，考察脑损伤对认知功能的影响，深化了对脑与心智关系的认识。近几十年来，神经影像技术和研究方法的巨大进步，使得人们得以直接观察认知活动和静息状态下大脑的激活模式，促进了对人类认知的神经生物学基础的认识。另外，在神经科学领域，人们以人类认知的心理学理论模型和实证发现为指导，探索神经系统的解剖结构与认知功能的关系，有望攻克心智关系研究的核心和整体性问题。可见，认知科学与神经科学的结合，把这两个科学领域的发展都推进到了前所未有的崭新高度，开创了一个充满挑战与希望的脑科学时代。

　　认知神经科学对传统的认知心理学、生理心理学、神经心理学与神经科学进行相互交叉、综合集成。采用跨学科的研究方法和路径，不仅在行为和认知的层面上，而且可以在神经回路、脑区和脑网络等层面上探讨心智与脑的关系。这种探索不局限于基本认知过程，还扩展到了发展心理学和社会文化心理学领域。其中，基础认知过程研究试图揭示感知觉、学习记忆、决策、语言等认知过程的神经机制；发展认知神经科学将发展心理学与神经科学和遗传学结合起来，探讨人类心智的起源和发展变化规律；社会文化认知神经科学将社会心理、文化比较与神经科学结合，研究社会认知的文化差异及其相应的神经机制差异。

在过去的几十年中，认知神经科学获得了空前的繁荣和发展。在世界上，许多国家制定了脑科学发展的科学目标并投入了巨额经费予以支持。大规模的认知神经科学学术会议吸引着来自不同学科领域的众多学者的参与。以认知神经科学为主题的论文和学术著作的出版也十分活跃。在国内，学者们在这一前沿领域也做了很多引人注目的研究工作，产生了一定的国际影响力。

值得欣喜的是，国家层面对脑与认知科学的发展作了一系列重要的部署和规划。在新世纪之初即建立了"脑与认知科学"和"认知神经科学与学习"两个国家重点实验室，设立了 973 项目、国家自然科学基金重大项目等，对认知神经科学研究给予长期稳定的资助。《国家中长期科学和技术发展规划纲要（2006—2020年）》将"脑科学与认知科学"纳入国家重点支持的八大科学前沿问题。在 2016 年召开的全国科技创新大会上，习近平总书记指出，"脑连接图谱研究是认知脑功能并进而探讨意识本质的科学前沿，这方面探索不仅有重要科学意义，而且对脑疾病防治、智能技术发展也具有引导作用"[①]。"十三五"规划纲要强调，要强化"脑与认知等基础前沿科学研究"，并将"脑科学与类脑研究"确定为科技创新 2030 重大科技项目之一。在"十四五"规划纲要中，"人工智能"和"脑科学"等成为未来五年具有前瞻性和战略性的国家重大科技项目；纲要指出脑科学与类脑研究的重点方向是脑认知原理解析、脑介观神经联接图谱绘制、脑重大疾病机理与干预研究、儿童青少年脑智发育、类脑计算与脑机融合技术研发。

在脑与认知科学学科发展前景的鼓舞下，科学出版社和中国心理学会启动了"认知神经科学书系"的编撰和出版工作。目前已完成第一辑的出版和发行。国家对于脑科学发展的持续推动和支持，激励我们在前期工作的基础上继续努力，启动第二辑的编撰和出版工作，并根据新近提出的脑科学研究的重点方向，进一步选好书目和作者。科技图书历来是阐发学术思想、展示科研成果、进行学术交流的重要载体。一门学科的发展与成熟必然伴随大量相关图书和专著的出版与传播。作为国内科技图书出版界"旗舰"的科学出版社，于 2012 年启动了"中国科技文库"重大图书出版工程项目，并将"脑与认知科学书系"列入了出版计划之中。考虑到脑科学与认知科学涉及的学科众多，"多而杂"不如"少而精"。为保证丛

---

① 习近平同志在全国科技创新大会、两院院士大会、中国科协第九次全国代表大会上的讲话. 中国科学技术协会网站.（2016-05-30）. https://cast.org.cn/art/2016/5/31/art_358_31799.html[2022-06-14].

书内容相对集中，具有一定代表性，在杨玉芳研究员的建议下，书系更名为"认知神经科学书系"。

2013 年，科学出版社与中国心理学会合作，共同策划和启动了大型丛书"认知神经科学书系"的编撰工作，确定丛书的宗旨是：反映当代认知神经科学的学科体系、方法论和发展趋势；反映近年来相关领域的国际前沿、进展和重要成果，包括方法学和技术；反映和集成中国学者所作的突出贡献。其目标是：引领中国认知神经科学的发展，推动学科建设，促进人才培养；展示认知神经科学在现代科学系统中的重要地位；为本学科在中国的发展争取更好的社会文化环境和支撑条件。丛书将主要面对认知神经科学及其相关领域的学者、教师和研究生，促进不同学科之间的交流、交叉和相互借鉴，同时为国民素质与身心健康水平的提升、经济建设和社会可持续发展等重大现实问题提供一定的科学知识基础。

丛书的学术定位有三。一是原创性。应更好地展示中国认知神经科学研究近年来所取得的具有原创性的科研成果，以反映作者在该领域内取得的有代表性的原创科研成果为主。二是前沿性。将集中展示国内学者在认知神经科学领域内取得的最新科研成果，特别是具有国际领先性、领域前沿性的研究成果。三是权威性。汇集国内认知神经科学领域的顶尖学者组成编委会，选择国内的认知神经科学各分支领域的领军学者承担单本书的写作任务，以保证丛书具有较高的权威性。

丛书共包括三卷，分别为认知与发展卷、社会与文化卷、方法与技术卷，涵盖了国内认知神经科学研究的主要方向与主题。在第一辑中，三卷共有 8 本著作出版发行。即将出版的第二辑，依然分为三卷，将有更多著作陆续出版。

丛书第一辑的编撰工作由中国心理学会出版工作委员会、普通心理和实验心理专业委员会两个分支机构共同组织。中国科学院心理研究所杨玉芳研究员任主编，北京大学吴艳红教授任编委会主任。清华大学刘嘉教授（时任北京师范大学心理学院院长）在丛书的策划和推动中曾发挥了重要作用。丛书的单册作者汇集了国内认知神经科学领域的优秀学者，包括教育部"长江学者"特聘教授、国家杰出青年基金获得者、中科院"百人计划"入选者等。在第二辑编撰工作启动时，我们对丛书作者队伍进行了扩充。

在丛书第一辑的编撰过程中，编委会曾组织召开了多次编撰工作会议，邀请丛书作者和出版社编辑出席。编撰工作会议对丛书写作的推进十分有益。它同时也是学术研讨会，会上认知神经科学不同分支领域的学者们相互交流和学习，拓展学术视野，激发创作灵感。这一工作制度，在第二辑编撰过程中继续实行。

科学出版社的领导和教育与心理分社的编辑对本丛书的编撰和出版工作给了高度重视和大力支持。丛书第一辑入选了"十三五"国家重点出版物出版规划项目，部分著作获得"国家科学技术学术著作出版基金"的资助。经过数年的不懈努力，已有 8 本著作正式出版，获得很好的反响。即将出版的第二辑，是近期完成并进入出版程序的著作。这一辑更新了著作的封面设计，将以崭新的面貌与读者见面。

希望丛书能对我国认知神经科学的发展起到积极的作用，并产生深刻和久远的影响。

丛书主编　杨玉芳

编委会主任　吴艳红

2022 年 6 月 12 日

前　言

　　计算认知神经科学是一个新兴的正在高速发展的、交叉学科研究方向，其主要目的是用计算建模的方法来理解和阐明认知神经科学所关心的科学问题，为传统实验手段提供互为补充的研究工具。该领域目前的科研进展还很初步，同时领域内也缺乏好的中文相关书籍供广大科研工作者和认知科学爱好者阅读、参考。

　　为了填补这个空缺，我们组织了国内高校和科研单位在该领域的优秀工作者，就领域研究的国际进展和国内进展撰写了这本书。我们希望这本书可以为认知神经科学工作者在计算建模方面提供参考，为有志于投身该领域的年轻学生指明潜在的研究方向和加深专业知识，也为广大认知科学爱好者提供背景知识。

　　本书共分为八章：第一章高效节能的神经元与神经网络的神经信息处理由于玉国、俞连春撰写；第二章神经网络的自组织临界态及其功能意义由余山撰写；第三章视网膜信息编码特征及计算机制由肖雷撰写；第四章多模态信息的整合机制及临床应用由陈爱华撰写；第五章基于脑电信号的情绪识别由吕宝粮撰写；第六章癫痫的神经计算模型及临床应用由郭大庆撰写；第七章认知计算的神经振荡模式分析及意义由张涛撰写；第八章复杂网络在神经计算中的应用由弭元元撰写。

目 录
CONTENTS

缩 略 语 表

AAC	amplitude-amplitude coupling	幅值−幅值耦合
AES	anterior ectosylvian sulus	前外侧裂沟
BG	Basal ganglia	基底节
BGCT	Basal ganglia-corticothalamic	基底节−皮层−丘脑
CFC	cross-frequency coupling	交叉节律耦合
CI	congruency index	一致性指数
CIP	caudal intraparietal sulcus	顶内沟区
CM	caudomedial auditory belt area	尾正中听觉带区
CMI	conditional mutual information	条件互信息
CP	choice probability	选择概率
Ctx	Cerebral cortex	皮层
CV	coefficient of variation	变异系数
DDI	direction discrimination index	方向鉴别指数
DEAP	database for emotion analysis using physiological signals	情绪脑电分析数据集
DI	displacement index	位移指数
DL/V4	dorsolateral area/V4	背外侧区 / 四级视觉皮层
DM	dorsomedial area	背内侧区
DMN	default mode network	默认模式网络
DTF	directed transfer function	定向传递函数
ECoG	electrocorticogram	皮层脑电图
EEG	electroencephalogram	脑电图
EMA	evolution map approach	演化映射法
EMD	empirical mode decomposition	经验模态分解
EPSP	excitatory postsynaptic potential	兴奋性突触后电位

ERP	event-related potential	事件相关电位
EZ	epileptogenic zone	癫痫病灶
FEF	frontal eye field	额叶眼动区
fMRI	functional magnetic resonance imaging	功能磁共振成像
GABAA	Gamma-aminobutyric acid A	伽马氨基丁酸 A 型
GABAB	Gamma-aminobutyric acid B	伽马氨基丁酸 B 型
gPDC	generalized partial directed coherence	广义部分方向一致性
GPe	globus pallidus external	苍白球外侧部
GPi	globus pallidus internal	苍白球内侧部
HB	homoclinic bifurcation	同宿分岔
IFG	inferior frontal gyrus	额下回
IMAAC	intrinsic mode amplitude-amplitude coupling	本征模态幅值-幅值耦合
IMF	intrinsic mode function	固有模式函数
IPS	interparietal sulcus	顶内沟
ITC	inferior temporal cortex	颞下皮质
LFP	local field potentials	局部场电位
LIP	lateral intraparietal area	顶内沟外侧壁
LTP	long term potentiation	长时程增强
MFG	middle frontal gyrus	额中回
MI	modulation index	调节指数
mPFC	medial prefrontal cortex	内侧前额叶皮层
MRI	magnetic resonance imaging	磁共振成像
MSTd	dorsal portion of medial superior temporal area	背侧内颞上区
MT	medial temporal area	内侧颞叶区
MVL	mean vector length	平均向量长度
PAC	phase-amplitude coupling	相位-幅值耦合
PAG	periaqueductal gray	中脑导水管周围灰质
PCMI	permutation conditional mutual information	排列条件互信息
PDC	partial directed coherence	部分定向相干
PMC	posteromedial cortex	后内侧皮层
PMI	permutation mutual information	排列互信息

PIVC	parieto-insular vestibular cortex	顶岛前庭皮层
PLV	phase locking value	相位锁定值
PPC	phase-phase coupling	相位-相位耦合
ROC	receiving operating characteristic curve	工作特征曲线
SAI	stratum album intermediale	中白质层
SAP	stratum album profundum	深白质层
SCFCA	spectral cross-frequency comodulation analysis	频谱交叉节律辅调节分析
SEED	SJTU emotion EEG dateset	上海交大情感电数据集
SGS	stratum griseum superficiale	浅表灰质层
SGI	stratum griseum intermediale	中灰质层
SGP	stratum griseum profundum	深灰质层
SGS	stratum griseum superficiale	浅表灰质层
SNIC	saddle-node on invariant circle	不变环上的鞍结分岔
SNPO	saddle node of periodic orbit bifurcation	极限环上的鞍结点分岔
SNr	substantia nigra pars reticulate	黑质网状部
SO	stratum opticum	视层
SPL	superior parietal lobule	顶上小叶
SRN	specific relay nuclei of thalamus	特定丘脑中继核
SSD	sensory substitution devices	感觉替代装置
STN	subthalamic nucleus	底丘脑核
STS	superior temporal sulcus	颞上沟
SWD	spike and wave discharge	棘慢波放电
SZ	stratum zonale	带状层
TE	transfer entropy	传输熵
TPJ	temporoparietal junction	颞顶交界区
Tpt	temporoparietal area	颞顶叶区
TRN	thalamic reticular nucleus	丘脑网状核
VD	vascular dementia	血管性痴呆
VFC	ventral frontal cortex	腹侧额叶皮层
VLPFC	ventrolateral prefrontal cortex	腹外侧前额叶皮层
VIP	ventral intraparietal area	顶内沟腹侧区
VPS	visual posterior sylvian area	视后裂区

第一章

高效节能的神经元与神经网络的神经信息处理

大量的神经元通过突触相互连接形成庞大的神经网络，大脑则由众多负责不同感知和认知功能的神经网络集群构成（而相当数量的神经胶质细胞、脑脊液等附属组织对神经网络起到了营养、结构支撑和代谢废物排泄等作用）。神经系统通过神经元内部的电信号以及突触之间的电化学信号传递信息，而产生和传输这些信号需要消耗大量的代谢能量。因此，大脑在进行信息处理时如何有效地利用能量是神经科学领域的一个重要的科学问题。

在本章，我们对高效节能的神经信息处理有贡献的可能因素和相关生物物理机制进行总结。这些因素涵盖离子通道的动力学特性、动作电位在轴突上的产生和传输过程、突触前神经递质的低概率释放、突触间的兴奋抑制平衡、神经元与神经集群的尺寸大小、最优噪声强度、皮层中的神经纤维布线、功能性连接的组织方式、编码策略和身体温度等。实验和理论的证据都表明，神经系统可能有效地利用这些机制，在处理神经信息过程中达到能量效率最大化。

有研究指出，在自然界长期进化过程中大脑所能获得的能量极其有限，这一限制导致的进化压力可能是大脑需要高效利用能量的驱动力。这样的驱动力可能迫使神经连接通过一种高度经济的形式组织起来，以便节省能量消耗以及减少空间占用等，也会使神经网络中的每个神经元需要独立编码信号的某种独立成分，以便以最少的神经元达到对输入信号的高效表征。这一能量效率最大化的基本策略或许会从根本上改变我们对数以百亿计（10^{11}）的神经元如何组织起来形成复杂的网络以生成自然界最强大、最智能化的认知过程的理解。

大脑独特的形态结构以及生理特征是为了满足生存的需要，是在自然选择的压力下通过漫长的进化而形成的。处理巨量信息必然需要消耗大量的代谢能量，这就要求大脑必须高效地利用这些能量。而这一点可以通过调整神经系统的形态与生理参数，在收益与支出之间进行权衡来实现。最终，我们的大脑从分子到网络层次都分别进化出了高效节能的信息处理方式。理解这些方式背后的信息处理机制不仅有助于我们理解大脑的计算与结构组织原理，还对如何构建新一代能量高效的人工智能技术有积极的启示作用。本章阐述近年来从微观分子层次的离子通道门控，到宏观层次的全脑功能性连接上的不同层次的证据，以展示自然界如何通过优化神经系统的设计来创造大脑这一高效节能的神奇计算机。

我们的大脑具有数以百亿计的神经元和数以百万亿计的神经连接，以及在毫秒尺度内进行信息编码和交换的惊人能力。正是如此巨大的并行处理能力使得视觉系统能在 100ms 内对复杂的图像信息进行编码（Rousselet et al.，2004）。近期对突触传递的研究表明，单个突触可以平均储存高达 4.7 bit 的信息。这意味着全脑可以在 1s 内交换 10^{15} bit 的信息——这和整个万维网的信息量处在同一个量级（Bartol et al.，2015）。

大量的信息流动是极其耗能的，事实上，人类的大脑只占据身体重量的 2%，但大脑的耗能在静息状态下占整个身体耗能的 20%，而这一比例在工作状态下可以高达 40%（Attwell & Laughlin，2001；Howarth et al.，2012；Kety，1957；Laughlin et al.，1998）。大脑皮层内超过 70% 的能量消耗直接来自皮层神经网络中信息在亚细胞层面的处理过程，比如动作电位产生过程中离子通道的开放和关闭、突触传递过程中神经递质的释放以及形成微功能性连接的皮层网络之间的同频率振荡活动等（Bear et al.，2015）。反过来，有限的能量资源在优化网络连接以及神经信号产生与传递方式的过程中可能起到外部限制因素的作用（Cherniak & Rodriguez-Esteban，2009；Laughlin，2001）。在每个单独的生理和形态参数的较大取值范围内，既能够高效地进行信息处理又能减少能量消耗的参数值，可能在进化上是最适的，因此也更容易通过自然选择保留下来。这一自然选择可能最终影响大脑在表征输入信号时所选择的编码策略（Laughlin et al.，1998）。因此，"使信息处理能力和能量消耗之比达到最大化"被认为是神经系统在面对自然选择的压力时遵循的基本原则。同时，神经系统对代谢能量效率的巨大需求可能在大脑的构建、功能、进化等方面起到不可忽视的优化作用（Niven & Laughlin，2008）。

如果自然选择的压力的确趋向使信息处理能力最大化并能使能量消耗最小化，我们就应该能从实验中找到相应的证据。这些证据可能包括（但不仅限于）对离子通道动力学特征、轴突上钠离子和钾离子通道分布、皮层中单个神经元形态等方面的最优化，以及通过收支平衡选择最经济的信息表征策略。这些最优化的参数和最经济的策略可以被视为神经系统向高效节能方向进化的痕迹。要评估乃至最终证明这些痕迹的存在，就需要同时了解它们对信号处理能力以及能量消耗的影响。整合相关的研究将会回答许多脑科学的基本问题，例如，为何大脑如此设计？皮层中的信息如何以及为什么以某种特定的方式进行处理？大脑的能效是否还有提升空间？

近来在这方面的研究取得了许多实质性的进展。本章，我们综述这些支持神经系统进行高效节能信息处理和计算的实验和理论证据，包括能量高效的动作电位产生过程中的最优化离子通道门控，能量高效的神经脉冲序列生成时的最优化神经网络大小，使用稀疏编码表征信息，最优化的皮层网络排布，将能量优先分配给重要的连接节点，等等。这些研究提供了很多证据，说明自然进化出来的大脑在能量的利用上的确达到了极高的效率，而且对外界输入信号很可能采取了稳定、可靠且信息最大化的表征策略。

第一节　能量高效的动作电位及通道动力学特性

动作电位（在皮层神经元中携带着神经信息的电信号）在啮齿类动物大脑中消耗了超过 20% 的灰质能耗（Harris & Attwell，2012；Howarth et al.，2012）。钠离子浓度在神经细胞外（大约 140mM）比细胞内（低于 10mM）要高，因此在细胞膜两侧形成了近 100mV 的电势差。在动作电位的产生过程中，大量钠离子在这一电化学梯度的驱动下迅速跨膜向细胞内流动。动作电位产生完毕后，细胞膜上的钠钾泵必须将流入细胞内部的钠离子通过主动运输送回细胞外，这一过程需要 ATP 的水解提供能量（1 个 ATP 对应 3 个钠离子的运输）。这一能耗在负责皮层间通信的长距离无髓鞘轴突上尤其突出（Lennie，2003）。由于每个动作电位携带信息的能力是有限的，要实现高效的信息传递，就要减少每个动作电位所消耗的能量。

动作电位的发生需要指向细胞内的钠离子电流来产生膜电位的上升支，同时需要指向细胞外的钾电流来产生膜电位的下降支。这两种相互拮抗的电流如果在时间上交叠得越多，那么就需要越多的钠离子流入细胞来产生动作电位。因此，最为高效节能的动作电位应该避免钠离子电流、钾离子电流在时间上的交叠。在经典的描述枪乌贼巨型轴突上的动作电位产生过程的 Hodgkin-Huxley（H-H）神经元模型中，钠离子电流和钾离子电流有大幅度的交叠［图 1-1（a）］，导致所需进入细胞内的钠离子高达理论最低值的 4—10 倍，甚至 10 倍以上（Hodgkin，1975）。然而，近期的一项实验研究（Alle et al.，2009）发现，在大鼠海马体无髓鞘苔藓纤维上，动作电位发生过程中进入颗粒细胞的钠离子并没有 H-H 神经元模型所估计的那么多［图 1-1（b）］。这一结果说明，真实的皮层神经元能够产生高效节能的动作电位——仅仅需要理论最低值 1.3 倍的钠离子，这一发现在其他团队的实验中（Carter et al.，2009）也得到了证实。

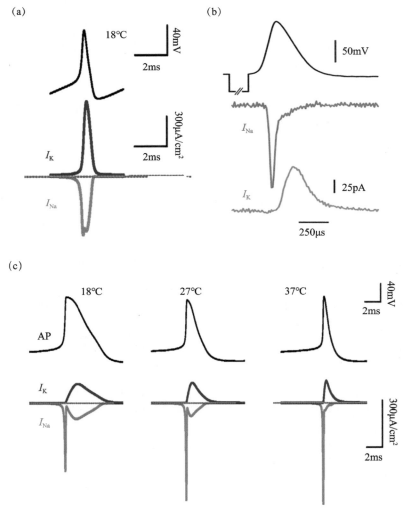

图 1-1　优化的通道动力学和温度促进皮层神经元动作电位的能量效率。（a）：18℃时经典枪乌贼巨型轴突 H-H 神经元模型的动作电位（上图）以及对应的钠离子电流和钾离子电流（下图）；（b）：大鼠海马体无髓鞘苔藓纤维上记录到的动作电位（上图）以及对应的钠离子电流和钾离子电流（下图）；（c）：皮层神经元 H-H 神经元模型在不同温度下的动作电位（上图）以及对应的钠离子电流和钾离子电流（下图）［（a）和（c）引自 Yu et al.，2012；（b）引自 Alle et al.，2009］

　　这说明动作电位在较高等的动物中要远比想象中的更加高效节能。之后的研究发现，在向外的钾电流被大量激活之前，相对完整的钠通道失活过程可能是能量高效的动作电位产生过程中的一个关键性因素（Carter & Bean，2009）。实验（Hasenstaub et al.，2010；Schmidt-Hieber & Bischofberger，2010）和理论研究（Sengupta et al.，2013a；Sengupta et al.，2010）还发现，适当的钠钾电导率比例以及更小的钠离子激活-失活时间常数都可能对能量高效的动作电位有所贡献。

　　考虑到冷血动物（如海洋环境中的枪乌贼，体温在6—18℃）和温血动物（如37℃中的啮齿动物）大脑之间超过20℃的温度差，玻尔兹曼-阿伦尼斯的热力学理论或者所谓的Q_{10}效应（Hodgkin & Huxley，1952）表明，离子通道的生化过程和动力学特性在这样的温度差之下将大不相同。确实，于玉国等的研究（Yu et al.，2012）发现，比起十几度的自然环境温度，温暖体温的存在将导致离子通道动力学特性的显著变化，包括钠离子、钾离子激活时间常数的大幅减少，动作电位上升相的速度提升，动作电位时程的缩短以及钠离子和钾离子电流交叠的大幅度减少［图 1-1（c）］，所有这些依赖温度的变化最终导致能量高效的动作电位。当温度位于37—40℃时，这样的动作电位产生的能耗接近理论最小值（De Jesus et al.，1973）。因此可以说，哺乳动物和鸟类在进化历程中形成的体内37℃左右的恒温调节机制是脑内神经元动作电位产生和传输过程中高效节能的一个有效机制。同时，稳定的体温可能非常有利于提高神经系统的可靠性以及编码的精确性（Rinberg et al.，2013）。

　　温度对于动作电位产生以及传递过程的影响在早些时候有过报道（Bolton et al.，1981；De Jesus et al.，1973；Lang & Puusa，1981；Lowitzsch et al.，1977），但温度对动作电位能量效率的影响直到2012年才得到明确解析（Yu et al.，2012）。虽然单个动作电位的耗能随着温度升高而降低，但温度的上升也会促使动作电位发放率升高。这就导致神经元响应外界刺激发放的总耗能（即发放率乘单个动作电位的能量消耗）随温度的变化是非单调的，先随温度升高而减小，之后又随温度升高而增大。最终，神经信号的能量效率最高的状态在36—42℃（Yu et al.，2012）。然而，对于枪乌贼之类的无脊椎动物来说，信息传递和能量效率（定义为信息率与能量消耗的比值）都在 Loligo［霍奇金（Hodgkin）等在实验中采用的枪乌贼种类］的典型生活温度范围（10—26℃）达到最大化。这或许表明冷血动物会适应环境温度，以提高能量效率（Wang et al.，2015）。

　　在不同的物种之间，动作电位的代谢能耗或许有着很大差异。森古普塔等（Sengupta et al.，2010）用包含相关离子通道性质（密度、单通道电导、激活/失活动力学特性、电压门控性等）的神经元单舱室模型，将脊椎和无脊椎动物神经元发放动作电位的能耗做了比较。研究发现，哺乳动物神经元（如丘脑-皮层中间神经元、海马体中间神经元、小脑颗粒神经元等）产生动作电位的能耗和理论预测的最小值很接近，而枪乌贼巨轴突和螃蟹的运动神经元轴突产生动作电位的能耗则远大于该最小值（图 1-2）。哺乳动物神经元中产生动作电位的能量消耗要远远小于非脊椎动物神经元的能量消耗。因此，除温度外，在从非脊椎动物到哺乳动物的进化过程中，通道的动力学特性或许会达到一种最优化状态以减小动作电位的能耗。

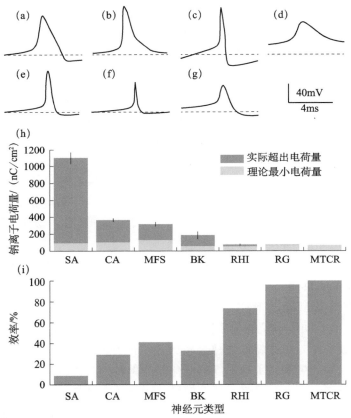

图 1-2　脊椎动物和无脊椎动物神经元模型中计算得到的动作电位能量消耗。（a）—（g）：通过神经元单舱室模型模拟得到的枪乌贼巨轴突（SA）、螃蟹运动神经元轴突（CA）、老鼠快速发放神经元（MFS）、蜜蜂 Kenyon 细胞（BK）、大鼠海马中间神经元（RHI）、大鼠颗粒细胞（RG）以及大鼠丘脑皮层中继细胞（MTCR）上动作电位的形状。虚线表示每个神经元模型的静息电位。（h）：对应上述每种动作电位实际进入细胞的钠电荷量（深灰色，单位：nC·cm^{-2}）和产生每种动作电位理论上进入细胞的最小钠电荷量（浅灰色）。误差棒表示改变 ±5% 的最大通道电导所引起的改变。（i）：每种模型动作电位的效率。误差棒表示改变 ±5% 的最大通道电导所引起效率的改变（Sengupta et al.，2010）

第二节　动作电位产生和传输的轴突电缆能量方程

上述所有与动作电位相关的能量估计值都是通过计算进入细胞的钠离子数目得到的，这种方法在估计动作电位沿轴突传递过程中所耗能量时是不准确的。近期，有学者（Ju et al., 2016）根据经典的 H-H 神经元模型，推导出了适用于描述动作电位在皮层神经元轴突和树突上传导的完整电缆能量方程：

$$\int_{t=0,x=0}^{t=T,x=L}\frac{\partial^2 E}{\partial x\partial t}\mathrm{d}x\mathrm{d}t = (2\pi a)\int_{t=0,x=0}^{t=T,x=L}[g_{\mathrm{Na}}^{\max}m^3h\left(V(x,t)-V_{\mathrm{Na}}\right)^2 + g_{\mathrm{K}}^{\max}n^4\left(V(x,t)-V_{\mathrm{K}}\right)^2$$

$$+ g_{\mathrm{L}}\left(V(x,t)-V_{\mathrm{L}}\right)^2 - G_aV(x,t)\frac{\partial^2 V(x,t)}{\partial x^2}]\mathrm{d}x\mathrm{d}t \tag{1-1}$$

$$\tau_m\frac{\mathrm{d}m}{\mathrm{d}t} = -m + m_\infty, \tau_m = \frac{1}{\alpha_m+\beta_m}, m_\infty = \frac{\alpha_m}{\alpha_m+\beta_m} \tag{1-2}$$

$$\tau_h\frac{\mathrm{d}h}{\mathrm{d}t} = -h + h_\infty, \tau_h = \frac{1}{\alpha_h+\beta_h}, h_\infty = \frac{\alpha_m}{1+\mathrm{e}^{(V+60)/6.2}} \tag{1-3}$$

$$\tau_n\frac{\mathrm{d}n}{\mathrm{d}t} = -n + n_\infty, \tau_n = \frac{1}{\alpha_n+\beta_n}, m_\infty = \frac{\alpha_n}{\alpha_n+\beta_n} \tag{1-4}$$

$$\alpha_m(V) = \phi\cdot\frac{0.182\cdot(V+30)}{1-\mathrm{e}^{-(V+30)/8}} \tag{1-5}$$

$$\beta_m(V) = -\phi\cdot\frac{0.124\cdot(V+30)}{1-\mathrm{e}^{(V+30)/8}} \tag{1-6}$$

$$\alpha_h(V) = \phi\cdot\frac{0.028\cdot(V+45)}{1-\mathrm{e}^{-(V+45)/6}} \tag{1-7}$$

$$\beta_h(V) = -\phi\cdot\frac{0.0091\cdot(V+70)}{1-\mathrm{e}^{(V+70)/6}} \tag{1-8}$$

$$\alpha_n(V) = \phi\cdot\frac{0.01\cdot(V-30)}{1-\mathrm{e}^{-(V-30)/9}} \tag{1-9}$$

$$\beta_n(V) = -\phi\cdot\frac{0.002\cdot(V-30)}{1-\mathrm{e}^{(V-30)/9}} \tag{1-10}$$

$$\phi = Q_{10}^{(T-23)/10} \tag{1-11}$$

其中，E 是能量，膜电容 C_m=0.75μF/cm²；$g_{\mathrm{Na}}^{\max}$、$g_{\mathrm{K}}^{\max}$ 和 g_{L} 分别是每单位膜面积

的最大钠电导、最大钾电导和漏电导；V_{Na}、V_K 和 V_L 分别是钠通道、钾通道和漏通道的反转电位。门变量 m、h 和 n 是无量纲激活和失活变量，它们描述了钠通道和钾通道的激活和失活过程。运用该方程可以精确地计算出动作电位沿不同几何形状的轴突传递时的能量消耗。基于这一方程得出的结果显示，常规通过计算钠离子来估计动作电位产生和传导过程耗能的半定量方法大大低估了电缆模型中严格计算出来的能量消耗值（差距可达 20%—70%）。其中 $G_a = a/2R_a$，a 是半径，R_a 是轴向电阻，ϕ 是温度影响因子。

　　根据计算，动作电位沿轴突传导时，每单位长度所需能量比起单舱室模型要多出 15%。由于沿轴突的钠电导造成的高能耗，动作电位在长轴突上传递时比起短轴突需要更多能量。这些能量随着轴突分支的情况、离子通道的分布、动作电位的传导性质等不同将有很大变化（图 1-3）。i_{stim} 是刺激信号。

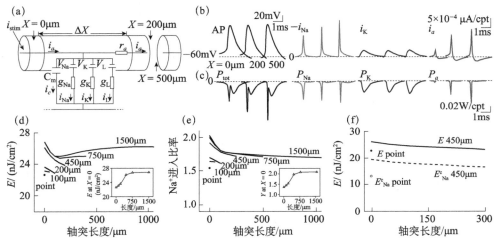

图 1-3　轴突长度对动作电位能耗和效率的影响。（a）：H-H 轴突电缆模型，其中轴向电流 i_a 在均匀的圆柱体内流过轴向电阻 r_a。膜电流分别由 i_C，i_K，i_{Na} 和 i_L 组成。（b）：均匀轴突在动作电位产生处的动作电位（黑色），钠电流 i_{Na}（红色，倒置钠离子电流），钾电流 i_K（蓝色）和轴向电流 i_a（绿色）（直径为 1.5μm，长度为 1000μm），在 X 为 0、200 和 500μm 处分别记录。（c）：总能量消耗功率（黑色，$P_{tot} = P_{Na} + P_K + P_a + P_L$）。（d）：不同长度的轴突（相同直径，在 60Hz，37℃）传导动作电位的单位膜面积上的能量。注意，轴突越长，相同长度轴突的耗能越多（插图，AP 起始部位的能量消耗也随长度增加而增加）。（e）：消耗的钠离子总量和理论所需钠离子进入最小值的比率（γ）随轴突长度的分布。注意，轴突越长，γ 值越高（动作电位起始部位的 γ 也随长度增加而增加）。（f）：基于钠离子的能耗计算同电缆能量方程的结果对比（Ju et al.，2016）

　　另外，根据轴突电缆能量方程的计算，皮层神经元轴突的能量消耗率与空间容量之间的函数关系符合 3/4 次方的异速增长规律（图 1-4）。该值和动物中发现的异速增长规律（基础代谢率和躯体质量的关系）相吻合（Martin，1981）。

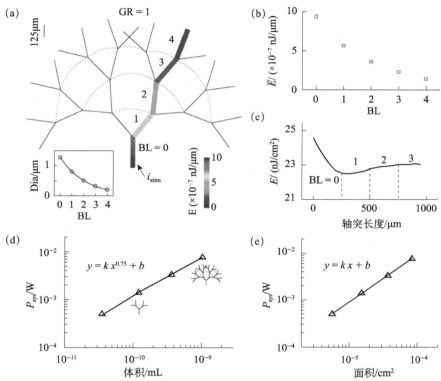

图 1-4　轴突分支树中动作电位相关能耗的分布。（a）：具有四层分支（BL）的轴突分支树的颜色编码示意图。颜色表示每个动作电位每单位长度的能量成本。在 BL= 0 时，在分支末端的刺激电流（250μA/cm²，1s）引发动作电位（4Hz，37℃）。插图描述了分支直径随分支层级增加而指数下降。（b）：每个 BL 的每单位长度动作电位的平均能量成本随着（a）中所示的轴突分支树中的 BL 的增加而降低。误差线表示标准偏差。（c）：沿着（a）中所示的轴突分支树的每个动作电位每单位膜面积的能量成本的分布。（d）：当动作电位在 37℃以 4Hz 传播时，轴突分支系统中能量消耗功率与体积的对数-对数图。（e）：轴突分支系统中针对膜表面的能量消耗功率的对数-对数图（Ju et al.，2016）

第三节　神经网络信息处理高效节能的若干方面和机制

有学者（Howarth et al.，2012）在大鼠新皮质中通过测量在不同信号传递过程中 ATP 消耗的分布情况，发现突触间传递占用了单个神经元 ATP 消耗量的一半以上。当动作电位到达突触末端时，每个突触将以囊泡的形式释放神经递质（每个囊泡大约包含 104 个神经递质分子）。而激发一个这样囊泡释放率为 0.25—0.5，并且低释放率的情况在皮层中更为常见。这一低释放率不仅仅允许突触具有较大的动态范围，而且能在节约能量的情况下达到信息存储的最大化（Goldman，2004；Varshney et al.，2006；Zador，1998）。我们设想存在多个递质释放区域，其中每个区域都有一定的概率向突触后膜释放一个突触囊泡，那么低释放率将促进传递的信息和消耗的能量之比达到最优化。

令人惊奇的是，理论计算（Harris et al.，2012）表明，最优释放率越低，单个轴突与同一个突触后神经元形成的突触连接越多。针对皮层和海马区突触的研究证实，这是由释放率和释放区域数量之间的关系决定的（Branco et al.，2008；Hardingham et al.，2010）。

此外，莱维和巴克斯特（Levy & Baxter，2002）提出了另一个关于低释放率可以减少能量消耗的观点。他们指出，突触消耗的能量会被浪费在那些不可能由突触后神经元继续传递的信息上，因为抵达这些突触的信息频率比细胞能够传递的最大信息频率还要高。这一观点基于这样一个事实，即一个皮层神经元的树突上通常会接收大约 8000 个突触传递来的信息。莱维和巴克斯特认为突触的有效传递将减少能量浪费，然而他们预测的理想释放率并不取决于细胞接受的突触输入的数量（Harris & Attwell，2012）。

有学者对单个神经元大小（用膜面积或离子通道的数量来表征）对神经元能量效率的影响进行了细致的研究（Schoenberg et al.，1975；Teka et al.，2016）。电学意义上的神经元尺寸大小关联膜面积的改变，进而影响膜电容大小，由此影响动作电位的产生，最终导致神经信息储存和传递能力的改变。理论上来讲，较小的神经元（具有更少的离子通道）消耗的能量更少，但由于离子通道开关本身的随机特性，离子通道的减少会导致跨膜电流的随机涨落增加（Steinmetz et al.，2000）。这种所谓的离子通道噪声会带来神经元对外来刺激响应的不确定性，并且能引发自发动作电位、破坏信息处理的可靠性等问题（White et al.，2000）。因此，在能量效率最大化的驱使下，信息处理和能量消耗两者之间的权衡会在很大程度上影响神经元的大小。

施赖伯等（Schreiber et al.，2002）首次使用计算模型研究了钠离子、钾离子通道产生的分级电位，展示了能量效率与神经元大小的关联。最优化的离子通道数量将使分级电位的能量效率达到最大。此最优值取决于多种因素：信号能耗的相对幅度（跨通道的电流）、维持系统的固有能耗、输入信号的可靠程度、外加的噪声源以及上下行机制的相对能耗等。之后的研究在可激发神经细胞上也得出了类似的结果，即可激发神经元上优化的钠离子、钾离子通道数目能在利用最小能量的情况下通过动作电位对信息进行高效率传递（Sengupta et al.，2013a；Yu & Liu，2014）。有趣的是，在神经元模型中，增大膜面积会提高信息效率，但能量效率却是单调下降的。其原因可能是在模型计算中没有考虑到维持系统的基础代谢能耗。施赖伯等（Schreiber et al.，2002）的计算模型提出，基础代谢能耗会随着神经元体积增大而增大，这使得神经元能量效率会随着膜面积增大存在一个最优解，如果不考虑基础代谢能耗，能量效率基本会随着神经元体积增大而单调下降。

在动作电位的产生过程中，向内的钠离子电流使得膜电位从静息状态上升到峰值。如果不考虑钾离子电流的参与，我们便可将神经元看作一个双稳系统。这样，引入随机通道动力学的 H-H 方程便能简单地由一维随机 Langevin 方程来近似描述其动力学过程（Schreiber et al.，2002）。受此观点的启发，我们构建了一个简单模型，即用一个粒子在脉冲驱动力和噪声扰动下穿过壁垒的过程来模拟动作电位的产生。然后，我们分析导出神经元在响应脉冲信号时的发放率以及没有信号时的自发发放率。基于单个神经元的这两项特征，我们衡量了单个神经元在脉冲样突触信号的刺激下，信号检测率与能量消耗之间的比值。结果显示，该值可通过改变离子通道的数量达到最大化（Yu & Liu，2014）。

系统的大小同样也能限制神经网络的能量效率。我们分析了一个典型的神经网络在接受强度均匀分布的阈下输入和阈上输入时表现出的能量效率［图 1-5（a）］。通过推导互信息［图 1-5（b）和（c）］、能量消耗［图 1-5（d）和（e）］和网络大小的关系，我们发现具有一定数量神经元的神经网络能够使单位信息传递时的能量效率达到最大化，并且对于阈下输入和阈上输入都是如此［图 1-5（f）和（g）］。这些结果揭示集群编码中的一个普适性规则，即神经元应该足够多，使其在有噪声存在的情况下也可以实现信息的可靠传递；同时神经元数量又不能太多，以减少系统耗能（Yu et al.，2016）。

在上述神经网络中我们同样发现，信号检测率和能量消耗之间的比值要达到最大，那么单个神经元上的离子通道数量和神经网络中的神经元数量都要取最优值（Yu & Liu，2014）。这一结果表明，神经系统可以在不同尺度上优化其尺寸大小以使能量效率达到最大。

我们可以推测，神经系统既然需要从环境中接收信号输入，那么神经系统就可能通过调整自身而以能量最高效的方式对周围的环境做出响应。因此，具有一定特征的刺激就能够让神经元以较小的离子电流发放动作电位，进而消耗更少的能量（Forger et al.，2011）。有研究（Schreiber et al.，2002）发现，具有时间上双峰分布的刺激可能最有效地引发分级神经元产生能量最高效的响应。对于同时接受兴奋性和抑制性突触输入的单个脉冲发放神经元来说，其动作电位的能耗可以通过两种输入电流的平衡来降低（这一点将在兴奋抑制平衡部分讨论）（Sengupta et al.，2013b）。

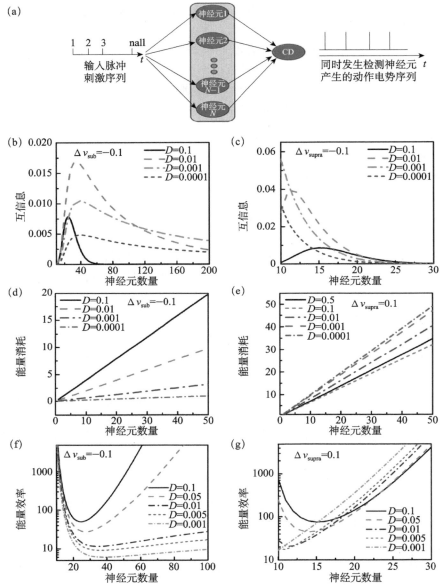

图 1-5 优化的神经元数量使网络中能量效率最大。（a）：进行脉冲输入检测的神经元网络。网络前层由双稳神经元构成，每个神经元接受相同的刺激。CD 为同时发放的检测神经元，阈值为 θ，当这两个神经元同时接收到来自前层的发放数量达到或超过 θ 后发放一个动作电位。（b）和（c）：最优神经元数量使每个神经元的互信息最大化，其中（b）为阈下输入，（c）为阈上输入。（d）和（e）：网络的能量消耗与神经元数量的依赖关系，其中（d）为阈下输入，（e）为阈上输入。（f）和（g）：最优的神经元数目使网络的能量效率最大化（定义为互信息和能量消耗之比，以 η 表示），其中（f）为阈下输入，（g）为阈上输入（Yu et al., 2016）

另外，神经系统的背景噪声也可能与神经元的响应相互作用，以提高神经元输出的能量效率。神经元可以被视为高度非线性的信息处理器件。有研究发现，在一个最优噪声强度下，神经元等非线性器件可以响应阈下信号而产生高信噪比的输出（Adair，2003）。这一现象被称为随机共振（Gammaitoni et al.，1998），它被认为在许多方面都有利于神经系统的信息处理（Durand et al.，2013；McDonnell & Ward，2011）。最近在随机双稳态神经元模型上的理论分析也证实，一定程度的噪声能提高神经元处理信息时的能量效率（Yu & Liu，2014）。

在网络尺度上，除了随机共振，阈上随机共振可能也是促进能量效率提升的机制之一。阈上随机共振是一种噪声增强信号传递的形式，它发生在具有相同阈值和独立噪声的非线性并行设备中。有关阈上随机共振的研究发现，输入信号和背景噪声的特定统计分布都能最大化神经系统的编码能力（McDonnell & Stocks，2007）。因此，一定程度的背景噪声可以通过随机共振或阈上随机共振促进输入的信号传递。

第四节　神经网络突触兴奋抑制平衡和稀疏编码

在大脑皮层中，神经元接受成千上万的微弱兴奋性突触输入，这些兴奋性输入又被抑制性中间神经元产生的抑制性突触电流平衡（Abeles，1991；Shadlen & Newsome，1998）。单个皮层神经元的胞外记录显示，这种平衡驱使膜电位发生阈下波动，引起动作电位序列的高度可变性（Shadlen & Newsome，1994）。同时，平衡的突触电流会减小神经元放电率的时间常数，这会增强神经元响应的时间敏感性和高频特性（Destexhe et al.，2003），从而提升神经元响应效率（Rudolph et al.，2007；Wehr & Zador，2003；Wilent & Contreras，2005；Wolfart et al.，2005）。在培养的皮层神经元、麻醉的大鼠、觉醒状态的猴子以及电脑模型上的实验发现，兴奋抑制平衡能在神经网络中形成临界动力学状态下的雪崩行为（Poil et al.，2012；Shew et al.，2009；Yang et al.，2012）。在这个临界点上，亚稳态的数量（Haldeman & Beggs，2005）、输入刺激的动态范围（Beggs，2008；Shew et al.，2009）以及皮层神经网络的信息传递和储存能力（Shew et al.，2011）都能达到最大化。

根据自组织临界理论，生物脑的局域神经网络通过突触可塑性形成的兴奋抑制平衡可能有助于神经元网络维持在一个动力学的理想状态。具体来讲，较高的兴奋-抑制比会导致超临界态：神经元高度激活，神经元之间的脉冲信号高度相关。相反，较低的兴奋-抑制比则会导致次临界态：整体上的神经元活性降低，神经元间的脉冲信号更加随机并且相关性下降（Yang et al.，2012）。对信息处理过程来说，前者情况中高度相关的脉冲信号会降低信息熵，而后者则增加信息熵，不过这一熵值的增加是随着总信息量的降低而出现的。最终，只有一个适中的兴奋-抑制比才能促进最优化的信息传递（Shew et al.，2011）。然而，由于神经活动水平的提升以及能量需求会随着兴奋-抑制比例的增加而单调上升，因此，通过互信息和能量消耗之比来表征的能量效率应该会在一个临界的兴奋-抑制比状态下达到最大化。

另一个兴奋抑制平衡能促进皮层能量效率的例子来自森古普塔等（Sengupta et al.，2013b）的研究。他们分别使用三种不同的突触输入（兴奋性输入、平衡的突触电导、平衡的突触电流）评估了突触输入对于单个的 H-H 神经元信息编码和能量消耗的影响。他们发现，平衡的突触电流比起另外两种输入可以引发更少的动作电位（也就消耗更少的能量），而动作电位序列的信息率却是维持不变的。所以说，平衡的突触电流不仅有益于信息传输，还有益于提高编码效率。这一结果意味着平衡电流引发的动作电位可以更加有效地携带信息（图 1-6）。因此，平衡的突触电流能够减少能量消耗并且提高编码效率，最终提高动作电位序列的能量效率。

进化使大脑形成了能快速、准确、低代价地表征自然输入信号的策略，一些理论计算和实验研究表明，大脑只用最少的神经元去表达、重建与存储自然图像中的每一项独立特征，而且神经元的发放率也保持在较低水平，此即稀疏编码。来自不同物种的大量证据都表明神经系统存在这一编码模式（Hromádka et al.，2008；Poo & Isaacson，2009；Vinje & Gallant，2000）。稀疏编码具有多种计算上的优势，包括提高联想记忆的储存能力、赋予自然信号以特别的结构、以低级皮层处理更易理解的方式来表征复杂的信息等（Olshausen & Field，2004；Willshaw et al.，1969；Kanerva，1993）。更为重要的是，稀疏编码能够减少代谢消耗。巴洛（Barlow，1961）曾经引入"脉冲经济效益"的概念，他认为神经编码在进化过程中应该会最小化其表征的信息熵，并且利用越来越低的发放率来达到同等的编码效率。莱维和巴克斯特（Levy & Baxter，1996）进一步将能量消耗引入动作电位的经济效益，并且证明，对于任何一个给定的平均发放率，神经网络中都应该存在一个最优化发放率，以使能量效率达到最大。根据这一能量效率假说，阿特韦尔和劳克林（Attwell & Laughlin，2001）估计了皮层神经元在传递信号时所需的能量，他们发现全脑的神经元发放率处在一个较低水平。基于他们的发现，伦尼（Lennie，2003）提出，皮层中在任何时刻都只有 2% 左右的神经元是被高度激活的。这样，由于哺乳动物皮层实际存在的能量限制，稀疏编码可能是一个必要策略。

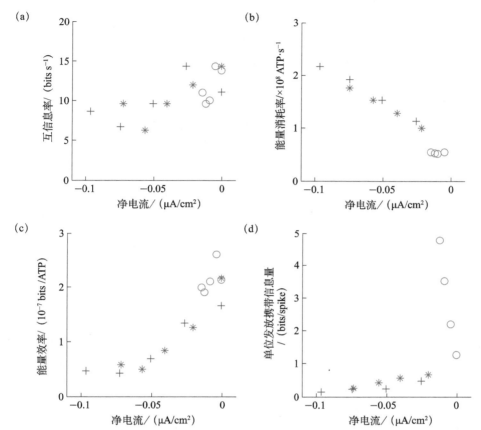

图 1-6　平衡的突触输入对单个神经元能量效率的影响。(a)：三种输入条件下神经元的互信息率。(b)：三种输入条件下神经元的能量消耗率。(c)：三种输入条件下神经元的能量效率。(d)：三种输入条件下神经元平均每个动作电位携带的信息量。图中 "+" 表示仅有兴奋性电流输入，"*" 表示突触电导的平衡输入，"○" 表示突触电流的平衡输入。对比仅有兴奋性输入和突触电导平衡输入的情况，突触电流平衡输入产生的动作电位序列能够达到相同的信息率，但是消耗更少的能量，并且能量效率和平均每个动作电位携带的信息量更大。为简明起见，仅采用了输入对照为 0.05 时的数据（Sengupta et al.，2013b）

　　值得注意的是，有效的编码策略和兴奋抑制平衡存在高度关联（Denève & Machens，2016；Poo & Isaacson，2009）。于玉国等在啮齿类动物嗅球内僧帽-颗粒细胞网络的等比例放大计算模型中研究了树突-树突信息处理过程（Yu et al.，2014）。他们发现通过兴奋和抑制的相互作用，两种基本的计算机制涌现出来：通过兴奋抑制平衡实现的对于嗅觉输入的稀疏编码，以及由非兴奋抑制平衡导致的侧向抑制。这样，理想的突触兴奋和抑制能够产生高度的稀疏性和网络响应的不相关性，以增强能量效率（Nawroth et al.，2007）。

在大脑皮层中，神经元根据不同的功能性质组织成多个脑区。远距离地连接神经元是很耗费能量的，因为这不仅导致信号传递的延迟和衰减（Rall et al., 1992），还需要一定的体积（Mitchison，1991）和代谢能量来支持信号沿着轴突的传播（Attwell & Laughlin，2001）。因此，在功能相同的多种神经元组织模式之中，最具进化适应性的组织方式应该是将互相连接的神经元尽量靠在一起。这一原则解决了许多关于大脑组织的疑问（综述请见 Chklovskii & Koulakov，2004），例如大脑皮层中灰质和白质的分隔（Murre & Sturdy，1995；Ruppin et al.，1993）、视觉皮层区域的分割（Mitchison，1991），以及轴突和树突的分支角度等（Cherniak，1992；Chklovskii，2000；Chklovskii & Stepanyants，2003）。这些例子反过来也印证了神经系统或许会通过最优化组织方式达到能量高效。因此可以猜测，高等动物的神经系统会在最小化能耗以及允许多个神经环路互相形成有价值的拓扑结构或功能性连接之间达到均衡（Bullmore & Spoms，2012）。

大脑消耗大部分的能量来实现突触间的信息传递，这一过程和血液的动态变化相耦合使相应的神经活动能在功能性磁共振中显示出来。活体正电子扫描成像显示，脑区之间连接度越高，能量代谢消耗越大（Logothetis et al.，2001）。这一发现支持了脑功能连接中枢的能量效率假说。分析显示，连接中枢的能量效率在背侧楔前叶、小脑以及皮层下结构中比在皮层中枢更高（Tomasi et al.，2013）。

这些结果预示着大脑能量消耗和功能性连接的高度耦合。基于体素的能量消耗和血液信号波动的幅度成比例这一假设，托马西等（Tomasi et al.，2013）通过计算研究预测，Hopfield 网络中的葡萄糖代谢以及功能性连接的度（degree）在体素之间存在幂律关系。而正电子扫描结合磁共振的共扫描结果的确发现，基线水平的葡萄糖代谢量和功能性磁共振幅值之间存在线性关系，而与全局或局部功能连接之间的度存在幂律关系。这些结果和一些先前的研究显示（Achard et al.，2006；Laughlin & Sejnowski，2003），神经网络依赖一种精心构建的小世界网络结构，以实现低能耗、高效率的信息交流（Bassett & Bullmore，2006；Eguiluz et al.，2005；Watts & Strogatz，1998）。

本 章 小 结

本章，我们总结了从微观水平到宏观水平的一些生理学和形态学上的参数以及策略，展示了它们如何提高神经系统的信号传递效率并降低能耗。大量证据表明，这些参数能够通过信息传递和能量消耗之间的权衡实现最优化，最终使得神经系统的能量效率达到最大化。这些最优化的参数和策略是神经系统进化的痕迹，它们支持了大脑进化是在能量限制下进行的，以及发达的大脑应该尽可能地高效利用能量等假说（Niven & Laughlin，2008）。

我们在此总结的研究工作不仅展示了能量消耗对神经系统的进化具有显著影响，也揭示了大脑回路的深层次组织原理。这一认识能帮助我们更好地理解大脑的构建和运作方式。这些关于大脑回路能量效率的研究还可能帮助我们建立起统一的脑理论（Friston，2010；Sengupta et al.，2016），并对能量高效计算器件的设计有启发作用（Suzuki et al.，2013；Zhao et al.，2016）。尽管已经取得了一些进展，但这一课题还需要更多的研究工作。例如电缆理论中，神经元树突被大部分认为是被动的电流收集器，但它们实际上是高度非线性的复杂计算部件（Euler & Denk，2001；London & Häusser，2005）。在典型的神经元中，树突实际上消耗了动作电位传递所需能量的14%（据估计，超过70%的总能量被消耗在无髓鞘细胞轴突上的动作电位传导和突触传递过程）（Howarth et al.，2012）。然而，树突以何种机制有效地参与信号的传递还并不清楚，还需要未来进行更多的研究。另外，很多研究揭示了脑功能连接的小世界网络特性，这一特性和许多类型大脑疾病中功能性连接的能量效率降低有密切关系（Liu et al.，2008；Ponten et al.，2007；Stam et al.，2007；Wang et al.，2009）。在多种大脑疾病的异常代谢和连接障碍方面，我们或许应该对该变异的起源和机制给予更多关注（Bélanger et al.，2011；Deco & Kringelbach，2014；Fornito et al.，2015；Yun et al.，2006）。

参 考 文 献

Abeles, M.（1991）. *Corticonics*：*Neural Circuits of the Cerebral Cortex*. Cambridge：Cambridge University Press.

Achard, S., Salvador, R., Whitcher, B., Suckling, J., & Bullmore, E.（2006）. A resilient, low-frequency, small-world human brain functional network with highly connected association cortical hubs. *The Journal of Neuroscience*, *26*（1），63-72.

Adair, R. K.（2003）. Noise and stochastic resonance in voltage-gated ion channels. *Proceedings of the National Academy of Sciences*, *100*（21），12099-12104.

Alle, H., Roth, A., & Geiger, J. R.（2009）. Energy-efficient action potentials in hippocampal mossy fibers. *Science*, *325*（5946），1405-1408.

Attwell, D., & Laughlin, S. B.（2001）. An energy budget for signaling in the grey matter of the brain. *Journal of Cerebral Blood Flow & Metabolism*, *21*（10），1133-1145.

Barlow, H. B. (1961) . Possible principles underlying the transformation of sensory messages. In W. A. Rosenblith (ed.), *Sensory Communication* (pp.217-234) . Cambridge: MIT Press.

Bartol Jr, T. M., Bromer, C., Kinney, J., Chirillo, M. A., Bourne, J. N., Harris, K. M., & Sejnowski, T. J. (2015) . Nanoconnectomic upper bound on the variability of synaptic plasticity. *eLife*, *4*, e10778.

Bassett, D. S., & Bullmore, E. (2006) . Small-world brain networks. *The Neuroscientist*, *12* (6), 512-523.

Bear, M., Connors, B., & Paradiso, M. A. (2015) . *Neuroscience: Exploring the Brain*. Philadelphia: Wolters Kluwer Health.

Beggs, J. M. (2008) . The criticality hypothesis: How local cortical networks might optimize information processing. *Philosophical Transactions of the Royal Society A: Mathematical, Physical and Engineering Sciences*, *366* (1864), 329-343.

Bélanger, M., Allaman, I., & Magistretti, P. J. (2011) . Brain energy metabolism: Focus on astrocyte-neuron metabolic cooperation. *Cell Metabolism*, *14* (6), 724-738.

Bolton, C., Sawa, G., & Carter, K. (1981) . The effects of temperature on human compound action potentials. *Journal of Neurology, Neurosurgery & Psychiatry*, *44* (5), 407-413.

Branco, T., Staras, K., Darcy, K. J., & Goda, Y. (2008) . Local dendritic activity sets release probability at hippocampal synapses. *Neuron*, *59* (3), 475-485.

Bullmore, E., & Sporns, O. (2012) . The economy of brain network organization. *Nature Reviews Neuroscience*, *13* (5), 336-349.

Carter, B. C., & Bean, B. P. (2009) . Sodium entry during action potentials of mammalian neurons: Incomplete inactivation and reduced metabolic efficiency in fast-spiking neurons. *Neuron*, *64* (6), 898-909.

Cherniak, C. (1992) . Local optimization of neuron arbors. *Biological Cybernetics*, *66* (6), 503-510.

Cherniak, C., & Rodriguez-Esteban, R. (2009) . Information processing limits on generating neuroanatomy: Global optimization of rat olfactory cortex and amygdala. *Journal of Biological Physics*, *36* (1), 45-52.

Chklovskii, D. B. (2000) . Optimal sizes of dendritic and axonal arbors in a topographic projection. *Journal of Neurophysiology*, *83* (4), 2113-2119.

Chklovskii, D. B., & Koulakov, A. A. (2004) . Maps in the brain: What can we learn from them? *Annual Review of Neuroscience*, *27*, 369-392.

Chklovskii, D. B., & Stepanyants, A. (2003) . Power-law for axon diameters at branch point. *BMC Neuroscience*, *4* (1), 18.

De Jesus, P., Hausmanowa-Petrusewicz, I., & Barchi, R. (1973) . The effect of cold on nerve conduction of human slow and fast nerve fibers. *Neurology*, *23* (11), 1182-1189.

Deco, G., & Kringelbach, M. L. (2014) . Great expectations: Using whole-brain computational connectomics for understanding neuropsychiatric disorders. *Neuron*, *84* (5), 892-905.

Denève, S., & Machens, C. K. (2016) . Efficient codes and balanced networks. *Nature Neuroscience*, *19* (3), 375-382.

Destexhe, A., Rudolph, M., & Paré, D.（2003）. The high-conductance state of neocortical neurons in vivo. *Nature Reviews Neuroscience*, *4*（9）, 739-751.

Durand, D. M., Kawaguchi, M., & Mino, H.（2013）. Reverse stochastic resonance in a hippocampal CA1 neuron model. In *2013 35th Annual International Conference of the IEEE Engineering in Medicine and Biology Society (EMBC)* (pp. 5242-5245).

Eguiluz, V. M., Chialvo, D. R., Cecchi, G. A., Baliki, M., & Apkarian, A. V.（2005）. Scale-free brain functional networks. *Physical Review Letters*, *94*（1）, 18102.

Euler, T., & Denk, W.（2001）. Dendritic processing. *Current Opinion in Neurobiology*, *11*（4）, 415-422.

Forger, D. B., Paydarfar, D., & Clay, J. R.（2011）. Optimal stimulus shapes for neuronal excitation. *PLoS Computational Biology*, *7*（7）, 1-9.

Fornito, A., Zalesky, A., & Breakspear, M.（2015）. The connectomics of brain disorders. *Nature Reviews Neuroscience*, *16*（3）, 159-172.

Friston, K.（2010）. The free-energy principle: A unified brain theory? *Nature Reviews Neuroscience*, *11*（2）, 127-138.

Gammaitoni, L., Hänggi, P., Jung, P., & Marchesoni, F.（1998）. Stochastic resonance. *Reviews of Modern Physics*, *70*（1）, 223.

Goldman, M. S.（2004）. Enhancement of information transmission efficiency by synaptic failures. *Neural Computation*, *16*（6）, 1137-1162.

Haldeman, C., & Beggs, J. M.（2005）. Critical branching captures activity in living neural networks and maximizes the number of metastable states. *Physical Review Letters*, *94*（5）, 58101.

Hardingham, N. R., Read, J. C., Trevelyan, A. J., Nelson, J. C., Jack, J. J. B., & Bannister, N. J.（2010）. Quantal analysis reveals a functional correlation between presynaptic and postsynaptic efficacy in excitatory connections from rat neocortex. *Journal of Neuroscience*, *30*（4）, 1441-1451.

Harris, J. J., & Attwell, D.（2012）. The energetics of CNS white matter. *Journal of Neuroscience*, *32*（1）, 356-371.

Harris, J. J., Jolivet, R., & Attwell, D.（2012）. Synaptic energy use and supply. *Neuron*, *75*（5）, 762-777.

Hasenstaub, A., Otte, S., Callaway, E., & Sejnowski, T. J.（2010）. Metabolic cost as a unifying principle governing neuronal biophysics. *Proceedings of the National Academy of Sciences*, *107*（27）, 12329-12334.

Hodgkin, A. L., & Huxley, A. F.（1952）. A quantitative description of membrane current and its application to conduction and excitation in nerve. *The Journal of Physiology*, *117*（4）, 500-544.

Hodgkin, J. A.（1975）. The optimum density of sodium channels in an unmyelinated nerve. *Philosophical Transactions of the Royal Society of London. B, Biological Sciences*, *270*（908）, 297-300.

Howarth, C., Gleeson, P., & Attwell, D. (2012). Updated energy budgets for neural computation in the neocortex and cerebellum. *Journal of Cerebral Blood Flow & Metabolism*, *32* (7), 1222-1232.

Hromádka, T., DeWeese, M. R., & Zador, A. M. (2008). Sparse representation of sounds in the unanesthetized auditory cortex. *PLoS Biology*, *6* (1), 124-137.

Ju, H., Hines, M. L., & Yu, Y. (2016). Cable energy function of cortical axons. *Scientific Reports*, *6*, 29686.

Kanerva, P. (1993). Sparse distributed memory and related models. In M. H. Hassoun (ed.), *Associative Neural Memories: Theory and Implementation* (pp. 50-76). Oxford University Press.

Kety, S. S. (1957). The general metabolism of the brain in vivo. In D. Richter (ed.), *Metabolism of the Nervous System* (pp. 221-237). London: Pergamon Press Ltd.

Lang, A., & Puusa, A. (1981). Dual influence of temperature on compound nerve action potential. *Journal of the Neurological Sciences*, *51* (1), 81-88.

Laughlin, S. B. (2001). Energy as a constraint on the coding and processing of sensory information. *Current Opinion in Neurobiology*, *11* (4), 475-480.

Laughlin, S. B., & Sejnowski, T. J. (2003). Communication in neuronal networks. *Science*, *301* (5641), 1870-1874.

Laughlin, S. B., van Steveninck, R. R. d. R., & Anderson, J. C. (1998). The metabolic cost of neural information. *Nature Neuroscience*, *1* (1), 36-41.

Lennie, P. (2003). The cost of cortical computation. *Current Biology*, *13* (6), 493-497.

Levy, W. B., & Baxter, R. A. (1996). Energy efficient neural codes. *Neural Computation*, *8* (3), 531-543.

Levy, W. B., & Baxter, R. A. (2002). Energy-efficient neuronal computation via quantal synaptic failures. *Journal of Neuroscience*, *22* (11), 4746-4755.

Liu, Y., Liang, M., Zhou, Y., He, Y., Hao, Y., Song, M., et al. (2008). Disrupted small-world networks in schizophrenia. *Brain*, *131* (4), 945-961.

Logothetis, N. K., Pauls, J., Augath, M., Trinath, T., & Oeltermann, A. (2001). Neurophysiological investigation of the basis of the fMRI signal. *Nature*, *412* (6843), 150-157.

London, M., & Häusser, M. (2005). Dendritic computation. *Annual Review of Neuroscience*, *28*, 503-532.

Lowitzsch, K., Hopf, H., & Galland, J. (1977). Changes of sensory conduction velocity and refractory periods with decreasing tissue temperature in man. *Journal of Neurology*, *216* (3), 181-188.

Martin, R. D. (1981). Relative brain size and basal metabolic rate in terrestrial vertebrates. *Nature*, *293* (5827), 57-60.

McDonnell, M. D., Stocks, N. G., & Abbott, D. (2007). Optimal stimulus and noise distributions for information transmission via suprathreshold stochastic resonance. *Physical*

Review E，*75*（6），061105.

McDonnell, M. D., & Ward, L. M.（2011）. The benefits of noise in neural systems: Bridging theory and experiment. *Nature Reviews Neuroscience*，*12*（7），415-425.

Mitchison, G.（1991）. Neuronal branching patterns and the economy of cortical wiring. *Proceedings of the Royal Society of London. Series B: Biological Sciences*，*245*（1313），151-158.

Murre, J. M., & Sturdy, D. P.（1995）. The connectivity of the brain: Multi-level quantitative analysis. *Biological Cybernetics*，*73*（6），529-545.

Nawroth, J. C., Greer, C. A., Chen, W. R., Laughlin, S. B., & Shepherd, G. M.（2007）. An energy budget for the olfactory glomerulus. *Journal of Neuroscience*，*27*（36），9790-9800.

Niven, J. E., & Laughlin, S. B.（2008）. Energy limitation as a selective pressure on the evolution of sensory systems. *Journal of Experimental Biology*，*211*（11），1792-1804.

Olshausen, B. A., & Field, D. J.（2004）. Sparse coding of sensory inputs. *Current Opinion in Neurobiology*，*14*（4），481-487.

Poil, S. S., Hardstone, R., Mansvelder, H. D., & Linkenkaer-Hansen, K.（2012）. Critical-state dynamics of avalanches and oscillations jointly emerge from balanced excitation/inhibition in neuronal networks. *Journal of Neuroscience*，*32*（29），9817-9823.

Ponten, S., Bartolomei, F., & Stam, C.（2007）. Small-world networks and epilepsy: Graph theoretical analysis of intracerebrally recorded mesial temporal lobe seizures. *Clinical Neurophysiology*，*118*（4），918-927.

Poo, C., & Isaacson, J. S.（2009）. Odor representations in olfactory cortex: "Sparse" coding, global inhibition, and oscillations. *Neuron*，*62*（6），850-861.

Rall, W., Burke, R. E., Holmes, W. R., Jack, J. J., Redman, S. J., & Segev, I.（1992）. Matching dendritic neuron models to experimental data. *Physiological Reviews*，*72*（suppl_4）：S159-S186.

Rinberg, A., Taylor, A. L., & Marder, E.（2013）. The effects of temperature on the stability of a neuronal oscillator. *PLoS Computational Biology*，*9*（1），e1002857.

Rousselet, G. A., Thorpe, S. J., & Fabre-Thorpe, M.（2004）. How parallel is visual processing in the ventral pathway? *Trends in Cognitive Sciences*，*8*（8），363-370.

Rudolph, M., Pospischil, M., Timofeev, I., & Destexhe, A.（2007）. Inhibition determines membrane potential dynamics and controls action potential generation in awake and sleeping cat cortex. *Journal of Neuroscience*，*27*（20），5280-5290.

Ruppin, E., Schwartz, E. L., & Yeshurun, Y.（1993）. Examining the volume efficiency of the cortical architecture in a multi-processor network model. *Biological Cybernetics*，*70*（1），89-94.

Schmidt-Hieber, C., & Bischofberger, J.（2010）. Fast sodium channel gating supports localized and efficient axonal action potential initiation. *Journal of Neuroscience*，*30*（30），10233-10242.

Schoenberg, M., Dominguez, G., & Fozzard, H. A.（1975）. Effect of diameter on membrane capacity and conductance of sheep cardiac Purkinje fibers. *The Journal of General Physiology*, *65*（4）, 441-458.

Schreiber, S., Machens, C. K., Herz, A. V., & Laughlin, S. B.（2002）. Energy-efficient coding with discrete stochastic events. *Neural Computation*, *14*（6）, 1323-1346.

Sengupta, B., Faisal, A. A., Laughlin, S. B., & Niven, J. E.（2013a）. The effect of cell size and channel density on neuronal information encoding and energy efficiency. *Journal of Cerebral Blood Flow & Metabolism*, *33*（9）, 1465-1473.

Sengupta, B., Laughlin, S. B., & Niven, J. E.（2013b）. Balanced excitatory and inhibitory synaptic currents promote efficient coding and metabolic efficiency. *PLoS Computational Biology*, *9*（10）, e1003263.

Sengupta, B., Stemmler, M., Laughlin, S. B., & Niven, J. E.（2010）. Action potential energy efficiency varies among neuron types in vertebrates and invertebrates. *PLoS Computational Biology*, *6*（7）, e1000840.

Sengupta, B., Tozzi, A., Cooray, G. K., Douglas, P. K., & Friston, K. J.（2016）. Towards a neuronal gauge theory. *PLoS Biology*, *14*（3）, e1002400.

Shadlen, M. N., & Newsome, W. T.（1994）. Noise, neural codes and cortical organization. *Current Opinion in Neurobiology*, *4*（4）, 569-579.

Shadlen, M. N., & Newsome, W. T.（1998）. The variable discharge of cortical neurons: Implications for connectivity, computation, and information coding. *Journal of Neuroscience*, *18*（10）, 3870-3896.

Shew, W. L., Yang, H., Petermann, T., Roy, R., & Plenz, D.（2009）. Neuronal avalanches imply maximum dynamic range in cortical networks at criticality. *Journal of Neuroscience*, *29*（49）, 15595-15600.

Shew, W. L., Yang, H., Yu, S., Roy, R., & Plenz, D.（2011）. Information capacity and transmission are maximized in balanced cortical networks with neuronal avalanches. *Journal of Neuroscience*, *31*（1）, 55-63.

Stam, C. J., Jones, B., Nolte, G., Breakspear, M., & Scheltens, P.（2007）. Small-world networks and functional connectivity in Alzheimer's disease. *Cerebral Cortex*, *17*（1）, 92-99.

Steinmetz, P. N., Manwani, A., Koch, C., London, M., & Segev, I.（2000）. Subthreshold voltage noise due to channel fluctuations in active neuronal membranes. *Journal of Computational Neuroscience*, *9*（2）, 133-148.

Suzuki, A., Uchizawa, K., & Zhou, X.（2013）. Energy-efficient threshold circuits computing mod functions. *International Journal of Foundations of Computer Science*, *24*（1）, 15-29.

Teka, W., Stockton, D., & Santamaria, F.（2016）. Power-law dynamics of membrane conductances increase spiking diversity in a Hodgkin-Huxley model. *PLoS Computational Biology*, *12*（3）, e1004776.

Tomasi, D., Wang, G. J., & Volkow, N. D.（2013）. Energetic cost of brain functional connectivity. *Proceedings of the National Academy of Sciences*, *110*（33）, 13642-13647.

Varshney, L. R., Sjöström, P. J., & Chklovskii, D. B. (2006). Optimal information storage in noisy synapses under resource constraints. *Neuron*, *52* (3), 409-423.

Vinje, W. E., & Gallant, J. L. (2000). Sparse coding and decorrelation in primary visual cortex during natural vision. *Science*, *287* (5456), 1273-1276.

Wang, L., Jia, F., Liu, X., Song, Y., & Yu, L. (2015). Temperature effects on information capacity and energy efficiency of Hodgkin-Huxley neuron. *Chinese Physics Letters*, *32* (10), 108701.

Wang, L., Zhu, C., He, Y., Zang, Y., Cao, Q., Zhang, H., & Wang, Y. (2009). Altered small-world brain functional networks in children with attention-deficit/hyperactivity disorder. *Human Brain Mapping*, *30* (2), 638-649.

Watts, D. J., & Strogatz, S. H. (1998). Collective dynamics of "small-world" networks. *Nature*, *393* (6684), 440-442.

Wehr, M., & Zador, A. M. (2003). Balanced inhibition underlies tuning and sharpens spike timing in auditory cortex. *Nature*, *426* (6965), 442-446.

White, J. A., Rubinstein, J. T., & Kay, A. R. (2000). Channel noise in neurons. *Trends in Neurosciences*, *23* (3), 131-137.

Wilent, W. B., & Contreras, D. (2005). Dynamics of excitation and inhibition underlying stimulus selectivity in rat somatosensory cortex. *Nature Neuroscience*, *8* (10), 1364-1370.

Willshaw, D. J., Buneman, O. P., & Longuet-Higgins, H. C. (1969). Non-holographic associative memory. *Nature*, *222* (5197), 960-962.

Wolfart, J., Debay, D., Le Masson, G., Destexhe, A., & Bal, T. (2005). Synaptic background activity controls spike transfer from thalamus to cortex. *Nature Neuroscience*, *8* (12), 1760-1767.

Yang, H., Shew, W. L., Roy, R., & Plenz, D. (2012). Maximal variability of phase synchrony in cortical networks with neuronal avalanches. *Journal of Neuroscience*, *32* (3), 1061-1072.

Yu, L., & Liu, L. (2014). Optimal size of stochastic Hodgkin-Huxley neuronal systems for maximal energy efficiency in coding pulse signals. *Physical Review E*, *89* (3), 32725.

Yu, L., Zhang, C., Liu, L., & Yu, Y. (2016). Energy-efficient population coding constrains network size of a neuronal array system. *Scientific Reports*, *6*, 19369.

Yu, Y., Hill, A. P., & McCormick, D. A. (2012). Warm body temperature facilitates energy efficient cortical action potentials. *PLoS Computational Biology*, *8* (4), e1002456.

Yu, Y., Migliore, M., Hines, M. L., & Shepherd, G. M. (2014). Sparse coding and lateral inhibition arising from balanced and unbalanced dendrodendritic excitation and inhibition. *Journal of Neuroscience*, *34* (41), 13701-13713.

Yun, A. J., Lee, P. Y., Doux, J. D., & Conley, B. R. (2006). A general theory of evolution based on energy efficiency: Its implications for diseases. *Medical Hypotheses*, *66* (3), 664-670.

Zador，A.（1998）. Impact of synaptic unreliability on the information transmitted by spiking neurons. *Journal of Neurophysiology*，*79*（3），1219-1229.

Zhao，C.，Li，J.，& Yi，Y.（2016）. Making neural encoding robust and energy efficient: An advanced analog temporal encoder for brain-inspired computing systems. In *Proceedings of the 35th International Conference on Computer-Aided Design* (pp. 1-6).

第二章

神经网络的自组织临界态
及其功能意义

大脑依赖海量神经元构成的网络进行信息处理。每个神经元的功能相对简单，但整体网络所涌现的信息处理能力非常强大。其中所蕴含的基本原理对于理解认知信息处理的脑机制非常关键。目前关于海量简单个体所组成的复杂系统中的涌现行为，最为深入的研究来自统计物理学，其中与大脑信息处理最为相关的领域之一是临界态系统的研究。临界态系统在信息处理的各个方面均有令人瞩目的优势。近年来脑科学的研究也证实，神经网络组织于临界态可能是大脑能进行高效信息处理的核心原因之一。本章中，我们将简要介绍临界态系统的基本知识，包括基本特征、研究方法与常用模型，并介绍将临界态体系方法用于实验脑研究以及计算神经科学所取得的进展，包括神经系统的临界态特征、临界系统对于脑信息编码与处理的意义，以及临界态理论对于阐明异常脑功能和脑状态的意义。

第一节　临界与自组织临界

一、临界态

自然界中的许多现象之所以复杂有趣，是因为这些现象往往是所谓的"涌现行为"，它们的起源是系统中数量众多的基本单元（element）之间的相互作用。在微观层面，相互作用的形式可以很简单，这些简单的相互作用叠加起来，在宏观层面决定了系统的行为。为了研究这一类现象背后的原理，统计物理学发展出一系列的概念和方法，揭示了众多深刻的规律。其中，对临界态的研究一直是一个非常活跃的分支。下面我们主要通过伊辛模型来介绍临界态的概念，以便之后讨论神经网络的临界态时读者易于理解。对于临界态的更加全面深入的介绍，有多本中英文专著可供参考（于渌等，2008；Binney et al.，1992；Christensen & Moloney，2005）。

（一）伊辛模型与临界态

正如在牛顿力学中人们常常通过忽略摩擦力、空气阻力等因素来研究动力学中最为基本的规律，再逐步增加必要的局限条件将简化的规律运用于更加接近实际的情况，在研究临界态时，我们也先从一个最简单的模型入手，通过省略所有不必要的条件，阐明从微观层面的相互作用到宏观层面的涌现效应，其间究竟哪些因素是最重要的。

伊辛模型提出的初衷是研究铁磁性物质自发磁性的来源（Ising，1925）。从经典（非量子）的观点来看，由于电子的自旋，每个金属原子都形成一个微弱的磁矩，如果这些微弱磁矩的方向是杂乱无章的，它们的作用会相互抵消，在宏观层面物质就不会显现磁性；相反，如果所有或者至少绝大部分微观磁矩的方向是一致的，那么这些数量众多的微弱磁矩将叠加起来，使宏观物质表现出磁性。为了符合这样一个物理图景，一个二维的伊辛模型将包含数量众多的微观元素，称为自旋（spin），所有自旋位于同一个平面（所以是二维模型），并组成一个规则的自旋点阵。为了简化起见，每个自旋有两个可能的状态（向上，记为 σ=+1；向下，记为 σ=-1）[图 2-1（a）]。一个重要的特性是每个自旋的状态会受到与它最为接近的自旋的影响，在网格点阵中，每个节点有四个最为接近的自旋。同时，假定自旋之间的相互影响都是正的，即相互影响的结果是使两个自旋的状态趋向于一致，换句话说，由于正相互作用的存在，两个状态相同的自旋会使系统的整体能量降低，从而更加稳定。定量来看，系统的能量 E 可以由公式 2-1 表达：

$$E = -\left(\sum_i h_i \sigma_i + \sum_{i<j} J_{ij} \sigma_i \sigma_j \right) \tag{2-1}$$

其中，σ_i 是第 i 个自旋的状态（+1 或-1），h_i 是外部环境施加于第 i 个自旋的磁场强度，J_{ij} 是自旋 i 与自旋 j 之间的相互作用。根据吉布斯-波尔兹曼分布，整个系统的微观构型是这样确定的：

$$p(\boldsymbol{\sigma}) = \frac{1}{Z} e^{\frac{-E(\boldsymbol{\sigma})}{T}} \tag{2-2}$$

其中，向量 $\boldsymbol{\sigma} = (\sigma_1, \sigma_2, \cdots, \sigma_N)$，表示系统中所有自旋状态的总和，即系统的微观构型，$p(\boldsymbol{\sigma})$是特定构型出现的概率，Z 为配分函数（partition function）：

$$Z = \sum_{\sigma} e^{\frac{-E(\sigma)}{T}} \qquad (2\text{-}3)$$

Z 也可以简单地理解为为了确保所有构型的概率加起来等于 1 而引入的一个归一化参数，T 代表系统的温度。由公式 2-2 可知，一个微观构型的能量越低，它出现的概率也就越大。

为了进一步简化，一般可以假定 h_i 均为零，所有的 J_{ij} 也都相等，这样结合上面的表达式，我们看到 $p(\boldsymbol{\sigma})$ 仅有一个参数 T。那么，温度 T 在这里是一个什么概念，又应当如何理解呢？我们知道物理学中的温度一般与系统的混乱程度有关，温度越高，混乱程度也越高。比如我们日常生活中的气温高低就反映了空气分子热运动的混乱程度。在伊辛模型中，T 同样表征了系统的混乱程度。结合公式 2-1 和公式 2-2 可以看到，在伊辛模型中，有效的相互作用强度是 J/T，温度越高，有效相互作用越小，自旋越倾向"各自为政"，整体呈现出混乱无序的状态 ［图 2-1（b）］；反过来，温度越低，有效相互作用越大，自旋的状态受到其他自旋状态的约束越明显，系统整体呈现出有序组织的状态 ［图 2-1（c）］。这个规律

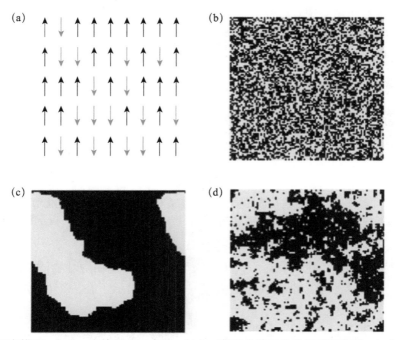

图 2-1　伊辛模型。（a）：自旋排列示意图；（b）：高温条件下的典型系统构型；（c）：低温条件下的典型系统构型；（d）：临界温度条件下的典型系统构型（Yu et al.，2014）

还可以从另外一个方面来理解，根据公式 2-2，如果有效的相互作用强度很低，那么微观构型之间的能量差别会很小，使得所有构形几乎以等概率形式出现，系统状态完全难以预测，即属于一个高度混乱的状态；而如果有效的相互作用强度很高，则大多数自旋状态一致的微观构型会明显具有更低的能量，从而以大概率出现，使系统主要位于这样一个高度有序的状态。从上面的描述可以看出，如果从解释宏观磁性的角度出发，高温情况下对应的无序状态就不具有宏观磁性，低温状态下的有序状态则对应能观察到宏观磁性的状态。

如果我们从直觉出发进行预测，从系统的无序状态（高温）到有序状态（低温），系统整体有序程度的变化应该是逐渐发生的。但伊辛模型的仿真和理论结果都说明真实情况并不是这样。如果以系统的宏观磁性 $M = \dfrac{1}{N} \sum_i \sigma_i$ 作为有序程度的度量（这样的度量一般称为序参量，即 order parameter），我们会发现随着温度的改变，M 的变化是高度非线性的，在一个特定的温度附近，M 迅速从 0（无序状态）改变至 1 或 -1 ［图 2-2（a）］。这样的从一种状态到另一种状态的迅速改变一般被称为相变，类似于水在一个大气压条件下在 0℃附近从固相变为气相[①]。在伊辛模型中，M 随着 T 的变化呈现出相变的特征，早已被大量实验证实，即在较低温度下铁磁性物质具有宏观磁性，如果将其加热，则可观察到在一个特定的温度附近，该物质失去宏观磁性，这一临界温度也被称为特定物质的居里温度或居里点。不同的物质由于其内部相互作用强度的不同，具有不一样的居里温度，比如铁的居里温度是 770℃。

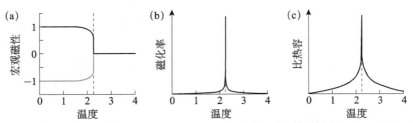

图 2-2　伊辛模型临界态的一些特殊性质。（a）：宏观磁性随温度改变的变化示意图；（b）：磁化率随温度改变的变化示意图；（c）：比热容随温度改变的变化示意图。临界温度由虚线标出（Yu et al.，2014）

统计物理学的大量研究显示，伊辛模型不仅解释了铁磁性物质宏观磁性的变化规律，由于这一模型非常简单，它还一般性地揭示了在一个由数量众多的相

[①]　这里所说的水的固-液相变是所谓的一阶相变。而二维伊辛模型在宏观磁性上体现的相变被称为二阶相变。其区别在于自由能的一阶导数和二阶导数是否连续。但这两种类型的相变在外界条件改变时，从一个状态迅速变化至另一个状态这一点上是相似的。

互作用的基本单元所构成的系统中，随着相互作用强度的改变，系统的宏观特性如何产生变化。模型中所显示的在有序与无序两种状态间的切换，除了在铁磁性物质加热或冷却的时候发生之外，还发生于数量众多的其他系统以及其他变化过程中。一般地，在这些系统中对应于有序和无序边界转换的参数条件被称为临界条件。相应地，临界条件附近的系统则被称为临界系统，或是说该系统位于临界态。位于有序相的系统因为相互作用较强，一般被称为处于超临界态。与之相反，位于无序相的系统因为相互作用较弱，一般被称为处于亚临界态。

（二）临界态的特殊性

临界态的特殊性不仅位于相变的附近，还伴随着系统宏观特性的一系列重要变化。其中一个本质的变化是在临界态系统的相关长度（correlation length）出现发散。粗略地说，相关长度指的是在一个特定的距离，在这个距离之内系统内两个基本单元的活动之间有相关性，而超出这个距离则相关性可以忽略不计。具体而言，在这里相关性 G 用公式 2-4 的指标来计算：

$$G(i, j) \equiv \left\langle (\sigma_i - \langle \sigma_i \rangle) \cdot (\sigma_j - \langle \sigma_i \rangle) \right\rangle \tag{2-4}$$

需要说明的一点是，虽然在伊辛模型以及很多实际系统（包括神经网络）中，直接相互作用是局域的，比如一个基本单元只与最临近的基本单元有相互作用 j，但是一个单元可以通过相互作用的传递对远方单元的活动产生影响。在亚临界系统中，直观上很容易理解其相关长度很短，因为基本单元间的相互作用很弱。距离稍远，两个基本单元的活动就几乎完全独立了。而在超临界系统中，表面上看距离很远的基本单元间的状态都是保持一致的，但是因为相关长度考虑的是基本单元状态波动之间的相关性，而不是状态本身的相关性，所以超临界系统中的相关距离其实很短。从公式 2-4 可以看出，真正计入相关性度量的部分是基本单元围绕各自平均状态的波动之间的相关性，这些变化大多数是由独立作用于各个基本单元的随机扰动引起的，在超临界系统整体高度有序的条件下，这些随机扰动很难传播至远方。基于这些原因，在亚临界态和超临界态，系统中的相关性都随着距离的增大以指数关系迅速衰减，在不远的距离之外相关性就低至可以忽略不计。

在临界系统中，相关性 G 随着距离 r 的变化不再是迅速衰减的指数关系，而是衰减的较慢的幂律关系：

$$G(r) \sim r^{-\eta} (\eta > 0) \tag{2-5}$$

这使得相关长度大大增加，实际上，可以认为无论间隔多远，两个基本单元的状态变化间总存在不可忽略的相关性。这一本质条件的变化带来了临界系统一个重要的无尺度特性。在一般的非临界系统中，不同空间尺度的变化之间没有紧密联系，可以分别加以研究。比如，研究海浪的运动规律就不需要考虑水分子之间的相互作用，因为后者的作用距离与海浪的尺度有很多数量级的差别。而在一个微观单元的活动相关长度与宏观现象的尺度接近的条件下，宏观尺度的现象会受到微观尺度局部扰动的影响，系统不再具有空间尺度完全分离的性质。临界态的这一特性，在伊辛模型中，体现在磁感化率在临界温度下发散［图 2-2（b）］，即系统的宏观磁性对于外界微小扰动的敏感性最强。

除了相关长度发散和对于微观扰动的敏感性最大化之外，临界态在系统构型的统计性质方面也有非常特殊的性质。从图 2-1 所示的在临界态、亚临界态和超临界态的典型系统构型中，我们可以看到明显区别。如果定义状态相同而且空间上联通的微观自旋集体为一个"磁畴"（domain），磁畴的尺寸 S 用其包含的自旋数目来刻画，那么 S 分布呈现明显的区别：在亚临界态，所有的磁畴都很小；而在超临界态，所有的磁畴都很大；只有在临界态下，同时存在较大、中等和很小的磁畴。如果用双对数坐标描绘 S 的分布，在临界态下可以得到一条直线，即此时 $P(S) \propto S^{-\alpha}$，是一个幂律分布。在伊辛模型中，此特性体现在比热容在临界温度下发散［图 2-2（c）］。

二、自组织临界态

临界态的研究解释了包括铁磁性物质的居里点、合金的结构、超导等众多物理现象。这一类现象的一个共同点是在类似温度这样的关键参数（control parameter，也称控制变量，）变化的过程中，系统在临界条件下出现相变。进一步的研究发现，在很多自然界现象中，也能观察到类似临界系统的特征，比如上述的幂律分布等。这些现象的存在引出如下问题：既然在伊辛模型之类的结构中，临界态需要通过精确的调控一个控制变量才能实现，这样在实验室中才能够做到的精确参数控制是如何在自然系统中实现的？这样的问题引出一个重要概念——自组织临界（self-organized criticality）。

自组织临界的基本思想并不复杂，如果把临界态作为系统动态演化的一个"吸引子"，即位于非临界态的系统倾向于向临界态演化，临界态系统则倾向于保持在这个状态，因此可以实现无须外界调控的、自发形成的临界态。

自组织临界的一个经典模型是"沙堆模型"（Bak，2013；Bak et al.，1987），如果我们缓慢地向地面扔沙子（比如一粒一粒地进行），足够长的时间之后，一个沙堆就会形成。而自组织临界的理论告诉我们，通过这个简单的外界驱动（缓慢扔沙子），最终我们会得到一个位于临界态的沙堆，并且会一直保持在这个状态附近。

　　这个过程是很容易直观理解的。我们知道，一开始的时候会形成一个坡度很平缓的沙堆，这个时候从沙堆中心位置扔下的沙粒更可能停留在较高的部位，从而缓慢地增加沙堆的坡度。而随着沙堆坡度的增大，扔下的沙粒更可能向下滑落，甚至在滑落过程中带动其他沙粒一同向下滑落，形成类似雪崩的"沙崩"，从而减小沙堆的坡度。沙堆模型显示，会存在一个特殊的坡度，当实际沙堆的坡度小于它时，沙粒不断累积，坡度会向它靠近；而当实际沙堆的坡度大于它时，落下的沙粒会引发大规模的"沙崩"，减小沙堆的坡度；重要的是，这个系统自发演化形成并保持的状态具有临界态的特性。当系统位于这个状态时，其中"沙崩"的大小分布（沙崩大小的定义是参与的沙粒的数目）呈幂律分布。注意这里的幂律分布和前面说到的在伊辛模型中磁畴大小的分布有着重要联系。具体而言，在沙堆模型中，具有很大坡度的系统一般会产生很多大的"沙崩"，类似于在低温状态的伊辛模型中主要形成较大的磁畴，所以坡度很大的沙堆是一个超临界系统。相反，坡度小的沙堆是一个亚临界系统。

　　从图 2-3 沙堆模型中可以看出，系统的主要控制变量是沙堆的坡度，随着外界不断地落下沙粒，这个变量发生改变。坡度改变的方向取决于落下的沙粒停留在沙堆上的趋势和形成"沙崩"离开沙堆，甚至导致已有沙粒离开沙堆的趋势两者之间的一个力量比较。当沙堆具有的一个特定坡度刚好能够平衡这两种趋势的时候，系统达到总体上的稳定状态。沙堆模型可以比较直观地说明临界态是一个平衡状态[①]，这样一幅图景也有益于我们理解临界点的存在，即为什么严格意义上的临界态不是一个较大的范围，就像平衡的天平只在两端物体的质量严格相等这么一个状态实现。类似地，在其他参数条件给定的情况下，临界态往往只在一个特定的控制变量取值上实现。

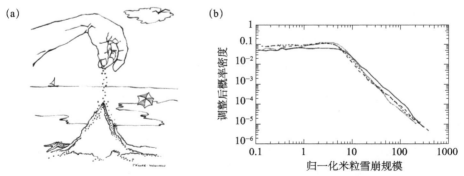

图 2-3　沙堆模型。（a）：沙堆建立的示意图；（b）：在米堆实验中实际测量得到的米粒雪崩规模分布，在尾部呈现幂律分布的特征（Bak，2013；Frette et al.，1996）

---

① 伊辛模型中的临界态也对应于自旋的热扰动与其他自旋对其的影响之间的一个平衡。

自组织临界过程中值得注意的另一个特点是存在两个过程在时间尺度上的分离，一个是较慢的、不断增加沙粒的外界驱动过程，另一个是沙堆坡度发生变化的一个较快的"沙崩"过程。这两个过程之间需要具有明显的隔离，也就是说一般的假定是可以认为"沙崩"过程中可以忽略外界驱动的影响。这也是众多自组织临界系统中的一个普遍规律。

最后，值得说明的是，沙堆模型给出的预测在实际的试验中得到了证实。研究人员在用米粒进行的实验中，发现最后在米堆能够自发稳定维持的坡度上，米粒滑落引起的雪崩过程符合理论预期的幂律分布（Frette et al.，1996）。

第二节　神经网络的临界态

上面我们讨论了临界态与自组织临界态的概念和基本内涵，我们在本节介绍相关的概念如何运用到脑科学的研究中，用于阐明神经信息处理的基本特征以及临界态在脑中的调控机制。

一、神经网络临界态的测量

首先，让我们直观地理解神经网络临界态的含义及其对应的活动特征。从伊辛模型建立的图景中我们知道，临界态对应在组成系统的基本单元之间存在一个不大不小的有效相互作用强度，从而实现系统处于各基本单元活动的独立性和系统整体的统一性之间的平衡。我们首先利用一个与神经网络类似的可兴奋系统模型阐明临界态在这一类系统中的具体含义，以及有哪些指标是其存在的有效证据，可以用于指导在实际的生物神经系统中对临界态的研究。然后，我们介绍在过去的研究中有关生物神经网络位于临界态的一些重要结果。

（一）临界分支模型与神经网络

对于临界态的研究发现，位于临界态的系统（包括模型）都可以归为几个较大的类别，即所谓的普适类（universality class）。同一类中的系统在临界态附近表现出高度相似的行为，比如某个序参量如何随着温度的变化而变化。这些行为可以用同样的一套参数（称为临界指数，critical exponent，因为这是一组作为指数出现在公式中的参数）来定量地刻画。不同普适类的系统拥有不一样的临界指数。决定普适类的因素往往是系统非常基本的性质，例如二维和三维的伊辛模型，因为系统的空间维度不同，所以就属于不同的普适类。另外一个大的普适类属于逾渗（percolation）模型系统。下面我们要介绍的与神经网络的关系更为接近的模型是定向逾渗（directed percolation）模型，也叫作临界分支（critical branching）模型。

在临界分支模型中，整个系统由相互连接的可兴奋单元（神经元）构成。不失一般性，我们假设各个单元是全连接的。系统的动态运行规则如下：每个基本单元有兴奋和不兴奋两种状态，下一个时刻（$T+1$）的状态由当前时刻（T）系统中的输入决定，具体而言，单元 i 接收的总输入是：

$$I = \sum_j c_{ij} s_j \tag{2-6}$$

其中，c_{ij} 是单元 i 和 j 之间的连接强度，s_j 是单元 j 在 T 时刻的状态（1 代表兴奋，0 代表不兴奋）。每个单元的输入独立地影响单元 i 在 $T+1$ 时刻的状态，具体而言，受到单元 j 输入的影响，单元 i 在下一个时刻的发放率是：

$$p_{i \leftarrow j} = \min(1, c_{ij} s_j) \tag{2-7}$$

最后，可以计算受到所有输入的影响，单元 i 在下一个时刻的发放率：

$$p_i = 1 - \prod (1 - p_{i \leftarrow j}) \tag{2-8}$$

不难看出，在这个模型中，与基本单元之间相互作用直接相关的参数是 c_{ij}，它起到了伊辛模型中 J_{ij} / T 的作用，在 c_{ij} 整体较大的系统中，神经元间的相互作用强；反之，则相互作用弱。理论分析和数值模拟证实，这个系统中确实存在临界态，并对应于 c_{ij} 的平均值处于一个合适的中间状态。准确地说，如果我们定义从一个神经元发出的所有连接的权重和为：

$$C_i = \sum_j c_i j \tag{2-9}$$

当所有神经元的 $C_i = 1$ 时，系统位于临界态。与之等价的一个条件是系统中神经元的连接矩阵 c_{ij} 的最大的特征值（也叫作这个矩阵的谱半径）等于 1。这样的条件有一个非常直观的解释，即平均而言，一个神经元的激活会在下一个时刻使得另一个神经元激活。如果我们定义一个参数 λ 等于 $T+1$ 时刻处于激活状态的神经元数量除以 T 时刻处于激活状态的神经元数量，上述的临界条件等价于 λ 的时间平均为 1。C_i 或者谱半径大于 1 对应超临界态，C_i 或者谱半径小于 1 对应亚临界态。

如果我们并不确切知道一个系统的结构，难以获得 C_i 或者谱半径的具体信息，如何能够判断一个系统是运行于哪个状态呢？λ 是一个可以实际测量的量，但是这样一个参数不足以判断系统是否运行于临界态。假设一个系统中各个神经元完全没有相互作用，它们各自随机进入兴奋／激活的状态，此时我们测量的λ也会很靠近1，不能与临界态相互区分。所以$\lambda=1$是临界态的一个必要但非充分的条件。

关于临界分支模型的研究表明，对于系统中神经元激活的连锁反应做统计分布，对于判断系统的运行状态能够提供非常有用的信息。这个情形和伊辛模型中磁畴大小的分布，以及沙堆模型中"沙崩"大小的分布有非常相似的地方。具体来说，在临界分支模型中，如果从完全不活跃的网络中，随机挑选一个神经元激活，然后观察这个扰动引发的连锁反应（cascade），即一个神经元的激活如何引起其他神经元的激活，把活动传递下去，一直到整个网络重新归于沉寂。参与这个连锁反应的神经元的个数计为这个连锁反应的规模S。这样的实验重复很多次，以计算S的分布。在超临界态，$\lambda>1$导致不断有更多的神经元加入连锁反应，最后往往形成较大的S；亚临界态的情况恰恰相反，$\lambda<1$导致网络中的活动很快消散，使得S很小；在临界态下，系统可以形成大小不一的连锁反应。模拟表明，临界态下S呈现幂律分布，其指数接近-1.5，即$P(s)\sim s^{-1.5}$。所以，定量地刻画连锁反应大小的分布对于临界分支模型来说，是一个重要的通过观察系统动态活动从而鉴别其所处状态的有用指标（图 2-4）（Shew & Plenz，2013）。

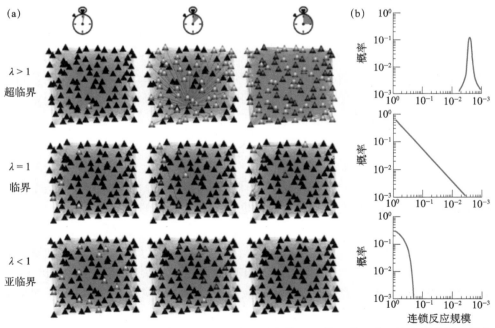

图 2-4 临界分支模型及其行为特征。（a）：在不同条件下，单元激活在网络中的传播。黑色三角代表一个个基本单元，黄色圆圈代表单元的激活，红色连线代表神经元之间的激活关系（Shew & Plenz，2013）。（b）：与三种条件相对应的连锁反应大小分布曲线示意图

（二）神经网络临界态的实验证据

上面介绍了利用神经网络中的连锁反应特性来评判网络状态是否位于临界的基本原理。利用这一原理，2003 年，美国国立精神卫生研究所的普伦茨（Dietmar Plenz）与当时在其研究组工作的博士后贝格斯（John Beggs）首次报道了真实的生物神经网络运行于临界态附近的实验证据，并提出了后续得到广泛采用的对神经网络临界态进行分析的一整套方法（Beggs & Plenz，2003）。在实验中，他们将大鼠的脑片置于一个专用的记录装置中。脑片中包含结构相对完整的神经网络，神经元之间可以进行接近生理环境的信息交互。整个脑片被放置于一个小的培养皿中，在与脑片接触的培养皿底部有 60 余个可以记录神经活动的接触位点，这样整个网络的活动模式可以通过分析这 60 余个记录位点的活动特点加以研究。通过将每个记录位点的信号在 1—100Hz 进行带通滤波，可以得到反应记录位点附近局部神经网络活动的场电位信号，也称局部场电位（local field potential，LFP）。在脑片的 LFP 信号中，一个典型的特征是不时出现幅度较大的负峰。这一特征是记录位点附近网络中的神经元进行较大规模同步放电所形成的。他们将这一信号作为网络中一个节点处于活跃状态的指标，进而研究了这种活跃状态如何在网络中进行传播。

具体而言，当网络中的各个位点记录的 LFP 信号出现一系列发生时间上相近的（都位于同一个数毫秒的时间窗口内或在相邻的几个时间窗口内）、较大的负峰时，这是一连串在神经网络中发生的连锁反应，并把这样的活动命名为"神经元雪崩"。根据上一节的介绍，如果能够观察到足够多的这样的连锁反应，将它们发生的规模（一般以反应当中涉及的记录位点的数目来衡量）加以统计，绘制其分布，就能够判断所观察的神经网络是否处于临界态。普伦茨和贝格斯的实验结果表明，脑片上出现的众多连锁反应，其分布很好地符合了临界态的理论预期，呈现出一个标准的斜率为-1.5 的幂律分布［图 2-5（a）］。这是首次在实验条件下观察到生物神经网络活动处于临界态，也开辟了利用临界态的理论框架和分析方法深入研究神经网络活动的新方向。

在此之后，众多的试验反复验证了这一发现。与最初在立体脑片上的试验不同，后续的试验在活体动物，包括大小鼠（Gireesh & Plenz，2008）、猫、猕猴［图 2-5（b）］等不同物种动物的脑活动记录中，都找到了类似的幂律分布。在动物实验之外，利用脑电、脑磁以及磁共振等研究手段对人进行的实验中，也发现了人脑网络活动于临界态附近的有力证据（Shriki et al.，2013）［图 2-5（c）］。这些结果提示，神经网络特别是皮层神经网络位于临界态可能是一个重要而普遍的规律。

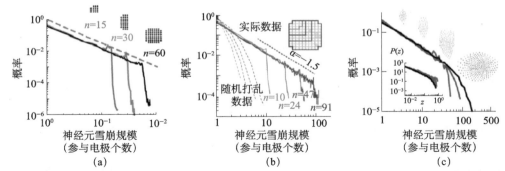

图 2-5　神经元雪崩的幂律分布规律。（a）：离体脑片实验结果；（b）：猕猴脑的实验结果；
（c）：人脑的实验结果（Beggs & Plenz，2003；Yu et al.，2011；Shriki et al.，2013）

　　上述对神经网络临界态的研究，大多分析的是神经网络处于非任务状态下的数据。最初在脑片上的记录刻画的是离体神经网络中自发的活动。后续对动物和人进行的实验记录也多处于麻醉或清醒的静息状态下，所以这些研究结果还不能推广到神经网络处于活跃的信息处理状态下的情况。这些研究中所发展出的一系列方法（如基于固定时间步长来划分网络中的连锁反应，并最终通过连锁反应的规模分布曲线来判定临界态等），并没有考虑在活跃的信息处理状态下是否适用的问题。这些分析手段近来被用于分析两栖类视觉皮层对于视觉输入的响应以及健康人在执行简单认知任务过程中的脑磁信号。得到的结果显示，在视觉刺激的初期以及认知任务过程中，网络状态短暂地偏离临界态（Arviv et al.，2015；Shew et al.，2015）。但这些研究留下了一个尚待回答的关键问题，即这样的偏离是否是网络状态的真实反映，还是传统分析方法不能直接运用于活跃的信息处理状态而产生的结果。最近的研究通过实际分析猕猴执行运动及认知任务过程中的神经网络活动，并结合神经网络模型的仿真，对此进行了深入的研究（Yu et al.，2017）。其结果显示，对于一个正在进行活跃信息处理的神经网络而言，其活动水平受到外界刺激等的显著调制，呈现出明显的非稳恒特点。通过神经网模型分析可以发现，对于一个临界态网络，如果受到外界刺激的影响使得活动水平显著上升，传统的固定时间窗口分析方法会使结果显示出超临界特征，即传统方法运用于非稳恒条件下并不适当，会导致与实际网络状态不符的结论。这一研究提出了自适应时间窗口的方法，即随着网络活动水平的改变，对分析中采用的时间窗口进行相应的调整。经过这一步骤，在网络模拟中，上述由于活动水平改变引起的表观超临界特征不再显现。重要的是，这一操作不会改变真实的非临界态，即如果以一个超临界的网络进行模拟，自适应时间步长的分析方法能准确显示网络处于超临界态。在对猕猴进行运动和认知等任务过程中的数据分析实际证实了理论模型的结果。作者首先确定任务相关的外界信号对所记录的神经网络活动产生了明显的调制，证实了所记录的区域的确涉及相关任务的执行。在此基础之上比较了自适应时间窗口对于实际数据临界特性的影响，结果发现与模型仿真的结果一致，在使用固定时间窗口的分析中，猕猴执行任务期间，网络状态呈现出对临界态的偏离（超临界），而使用自适应时间窗口有效地消除了非稳恒条件的影响，从而使得分析结果能够真实反映网络的临界态（图 2-6）。这是首次实证的研究，表明在执行受控的运动或认知任务中，真实大脑中神经网络位于临界态运行。这对于研究临界态的功能意义及其在疾病发生机理中的作用有重要的意义。同时，这一研究提出了对于传统分析方法的重要修正，有望促进临界态神经网络研究的进一步深入。

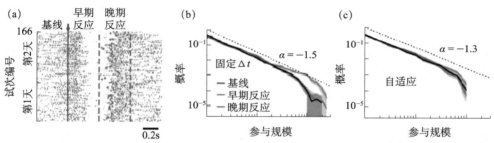

图 2-6　非稳恒条件下的临界态分析。（a）：认知任务导致的在猕猴大脑皮层中的网络活动水平的剧烈改变；（b）：传统的分析方法（固定时间窗口）提示网络活动位于超临界态；（c）：引入自适应时间窗口分析揭示网络实际运行与临界态（Yu et al., 2017）

二、神经网络临界态的调节及其功能意义

前面的介绍说明了在正常的生理条件下，神经网络运行于临界态附近似乎是一个普遍的规律。那么，在脑中这一状态的调节是由什么样的生物学机制来实现的？前面在沙堆模型中介绍的自组织临界的机制在神经网络中有没有对应的发现？最后，如果临界态是神经网络活动的一个普遍规律，其内在的功能含义是什么？换句话说，临界态对于神经网络中的信息处理能带来什么样的优势？

（一）临界态与兴奋抑制平衡

在前面的介绍中，我们说明了在神经网络中，临界态对应于网络活动既不过于活跃，也不过于沉寂。不难想到，这样的状态可能对应于网络中的兴奋抑制达到了一个平衡。在简单的临界分支模型中，神经网络中只具有兴奋性的神经元，网络状态由分支参数决定。当我们在网络中引入抑制性神经元，情况就会变得非常不同。这时，过多的兴奋性活动会同时激活大量的抑制性神经元，从而加强反馈抑制，最终使得网络活动水平下调。所以如果在网络的兴奋性和抑制性之间能够达到一个平衡，从而使网络中活动的传播具有在兴奋性网络中当分支参数为1时的稳定传播，就有可能实现临界态。这样的机制在神经网络的模拟中已经被证明是有效的，即一个兴奋抑制之间的相互强度在一个特定的范围内，网络活动能表现出明显的临界态特征。

对于这一假说的实验验证同样首先来自离体脑片上进行的试验（Shew et al.，2009），这主要由于在离体环境中，对兴奋抑制平衡的扰动可以通过药理学的方法较为容易地实现。在试验中，正常的脑片培养环境中得到的记录信号表现出临界态的特征，即神经元雪崩的规模分布最为接近一个斜率为 –1.5 的幂律分布。当向培养环境中施加特定的药物从而破坏网络中的兴奋抑制平衡时，研究人员观察到了符合预期的变化，显示网络状态明显偏离了临界点。首先，当培养环境中加入抑制性神经递质的主要受体 GABAa 受体的拮抗剂 PTX 后，网络活动呈现高度同步化，使得神经元雪崩的规模分布向右方聚集，呈现超临界状态。反之，如果向培养环境中加入兴奋性神经递质的主要受体 NMDA 受体的拮抗剂 DNQX 和 APV 之后，网络活动呈现高度去同步化，使得神经元雪崩的规模分布向左方聚集，呈现亚临界状态。其中的原理可以被非常直观地理解，加入 PTX 使得网络去抑制之后，网络中随机的活动都能通过连锁反应引起大规模的神经元雪崩，而小规模雪崩的发生概率大大降低。反过来，加入 DNQX 和 APV 阻断了网络中的兴奋性传入后，连锁反应被大大削弱，形成大规模神经元雪崩的可能性几乎不存在。这些有力的实验证据说明，在正常条件下，神经网络所表现出的幂律分布及其代表的临界态是由一个精细的生物学机制（即兴奋抑制平衡）调控的。这一方面说明了临界态的独特性（即并不是所有动力学网络系统都具有的平凡性质），更重要的是，临界态与兴奋抑制平衡为进一步理解神经网络的组织规则以及病理状态下临界态改变的可能原因提供了重要线索。

（二）临界态的调节与神经调质的可能关系

在实验中建立临界态与神经网络中的兴奋抑制平衡之间的关系是非常重要的一步，但是在上述离体研究中给兴奋抑制平衡的扰动方法带来了一个令人不易回答的问题：在离体实验中，研究人员可以通过施加兴奋性或抑制性神经递质受体拮抗剂的方法来选择性地调控网络中的兴奋抑制平衡，但是在在体环境（动物或人的完整的脑）中，这些人为合成的药物并不存在。换句话说，脑中并没有这样直接的兴奋抑制调节手段。那在生理条件下，脑内的兴奋抑制平衡又是如何调节，从而维持临界态的呢？

关于这一问题，一个重要的线索来自另外一个离体脑片上的实验（Stewart & Plenz，2006）。研究发现，对来自大鼠前额叶的脑片进行培养，培养环境中的多巴胺浓度对所培养的神经网络是否能维持于临界态有重要影响。具体而言，实验结果显示，如果向培养环境中加入多巴胺 D1 受体激动剂，加入药剂的浓度会直接决定网络的状态。当多巴胺 D1 受体激动剂的浓度过小或过大时，网络都呈现亚临界特征，只有在一个中等浓度条件下，网络中记录到的神经元雪崩才会表现出斜率为-1.5 的幂律分布。这一结果说明，虽然正常脑内并不存在直接阻断兴奋性或抑制性传递的物质，但类似多巴胺这样脑内广泛分布并且可以受很多生理过程调控的神经调质，很有可能起到调节网络中兴奋抑制平衡的作用，从而促进临界态的实现。

这一过程可能的机制在最近基于神经网络建模仿真的研究中得到了阐明（Hu et al.，2019）。在这一研究中，研究者建立了一个包含 1 万个神经元（其中 2000 个为抑制性神经元）的网络模型，其中的兴奋性突触具有短时程增强的特性，即突触强度随着突触前神经元活动水平的上升而增加。这一机制使得在对某一特定刺激反应的神经元群体内部连接强度上调，进而促进和保持群体内部的自激活动，使得在外界刺激消失后，该群体仍能够以高水平活动，把特定刺激的相关信息保留下来，形成工作记忆。为了研究网络临界态对于这一过程的影响，以及多巴胺调制在其中所起到的作用，研究者在模型中引入多巴胺的调节作用。根据以往实验的结果，设定多巴胺 D1 受体激活能够改变 NMDA 受体的活性，但兴奋性-兴奋性突触受这一影响较早，而兴奋性-抑制性突触受影响较晚。这使得网络可兴奋性随着多巴胺 D1 受体的激活水平呈现非单调的变化，即首先上升，在到达一定最大水平值后，随着多巴胺 D1 受体的进一步激活，网络可兴奋性下降。在中等多巴胺 D1 受体激活强度下，即在网络具有最高的可兴奋性条件下，网络活动具有临界态的典型特征，即神经元雪崩的规模曲线呈现-1.5 斜率的幂律分布。相应地，在较高与较低的多巴胺 D1 受体激活水平下，规模分布曲线呈现大于-1.5 的斜率，表现出典型的亚临界态特征。这首次从机理上阐明了多巴胺调制导致网络临界态改变的机制是通过对网络的可兴奋性进行调节。这些结果也很好地符合了上面介绍的离体脑片实验的观察。

此项研究的另一个重要结果是，网络的工作记忆能力随着网络临界态的变化呈现明显变化。在临界态下，网络的工作记忆能力最强，相应的自激反应所需要的刺激时长最短。这一结果首次从机理上阐明了工作记忆能力与网络临界态之间的关系。值得说明的是，工作记忆能力的损伤是精神分裂症中一个非常典型而核心的功能障碍，而前额叶多巴胺调控异常则是精神分裂症的重要致病原因。结合上述模型仿真的结果，我们可以提出一个富有吸引力的假说，即在精神分裂症中，多巴胺系统异常破坏了前额叶中的兴奋抑制平衡，进而干扰了网络的临界态，最终导致工作记忆能力的损伤。未来针对这一假说的进一步探索，有望验证临界态是否可以作为在网络活动层面对精神分裂症进行诊断和治疗效果评估的客观指标。

（三）短期突触可塑性与自组织临界神经网络

除了上面介绍的基于兴奋抑制平衡机制实现的临界态调节之外，脑内是否还有其他可能的机制促进了临界态的实现和维持？特别是前面提出的自组织临界的概念，即临界态是系统动态演化中的一个吸引子，是否可以通过一些简单规则的设定从而自发实现并稳定维持？

理论和建模仿真的研究说明，这样的可能性是存在的。具体而言，临界态有可能通过具有生物合理性的短时程突触可塑性自发地实现。在一个有代表性的研究中，研究人员发现在通常的整合发放神经网络中，只要加上一条简单的突触短时程抑制规则，就能使网络自发地向临界态演化（Levina et al.，2007）。在这样的短时程抑制规则中，每当一个突触传递过一个动作电位，其突触前细胞所具有的神经递质囊泡储备就有所下降，从而造成突触传递效率的降低，网络活动越剧烈，即突触上传递的动作电位越密集，则突触传递效率降低得越明显。另外，突触前细胞也在不断重新制造神经递质囊泡，从而补充神经传导造成的消耗。这一过程使突触传递效率不断得到恢复。这一恢复过程的效应在一段神经信号传递的空白期过后表现得最为明显。通过这样的变化规则，实时突触强度在网络中神经活动剧烈的情况下减小，而在网络中神经活动稀疏沉寂的情况下增大。这一简单的反馈控制机制就能使网络活动既不过于活跃，也不过于沉寂。研究发现，这一状态刚好对应了网络活动能够自发地保持在临界态附近（Levina et al.，2007）。

上述的突触短时程抑制只是实现神经网络自组织临界的可能机制之一，另有研究利用突触的短时程增强和短时程抑制的配合来达到同样的目的。不难想象，在脑中有可能多种调节机制并存，包括前面小节中介绍的基于神经调质的兴奋抑制平衡调节以及基于多种突触短时程可塑性的自组织调节。未来的研究将进一步揭示这些机制的共同作用如何使脑内的临界态得以实现并稳定地维持。

（四）神经网络临界态的功能意义

上述多方面的研究提示临界态是正常条件下神经网络的运行状态。那么这一状态对于信息处理这一神经系统的首要任务有什么帮助？在临界分支模型一节，我们已经从一个直观的角度为此提供了大致的答案，即临界态对应神经活动可以在网络中比较稳定地传播，而亚临界和超临界态分别对应神经网络的活动消散和活动爆炸，但都不利于信息的传递、保存和处理。下面我们进一步介绍临界态在具体信息处理环节的功能优势。

首先被提出的一个重要作用是临界态大大扩展了神经网络进行信息处理的动态范围（Kinouchi & Copelli，2006；Shew et al.，2009）。动态范围刻画了系统对于输入信息的表征能力。粗略地说，如果输入信号的强度能在很大范围内变化，而且系统的输入也能在很大的范围内相应地变化，从而实现对输入的表征，则该系统有较大的动态范围。直观上很容易理解为什么临界态的网络具有最大的动态范围；如果是亚临界的网络，因为很难被激活，所有比较弱的输入都不能有效地激活网络产生可分辨的输出（网络输出都近于零），所以网络对于弱的输入不能有效表征；反过来，对于超临界的网络，因为活动很容易"爆炸"，对于所有较强的输入都不能有效表征（网络输出都近于饱和）；只有位于临界态附近的网络，因为输入能够在网络中比较稳定地传播，既能表征比较弱的输入，也能表征比较强的输入，从而实现网络动态范围的最大化。这一结果首先从神经网络的建模仿真中得到了验证（Kinouchi & Copelli，2006），紧接着在实际的生物神经网络中获得了证实（Shew et al.，2009）。在实验中，离体脑片中神经网络的状态通过前面描述的药理学方法（施加 PTX，或 DNQX 和 APV）实现控制，通过一个刺激电极施加不同强度的电刺激作为网络输入，同时测量整个网络活动作为输出。与理论预期一致，实验发现临界态的脑片具有对于输入信号最大的动态范围，而受 PTX，或 DNQX 和 APV 处理的网络确实表现出明显缩小的动态范围，从而大大影响了其信息表征能力。

利用相似的实验，后续的研究进一步揭示，处于临界态的网络活动具有最大信息熵，从而能够更有效地利用网络活动表征和存储信息。同时，临界态的网络表现出最为多样化的同步活动模式，可以在网络层面实现灵活的功能结构重组等（Shew et al.，2011；Shew & Plenz，2013；Yang et al.，2012）。这些结果显示了神经网络处于临界态的重要功能意义。另外，这些发现为理解在疾病状态下脑功能的损伤提供了一个新的角度，即网络对于临界态的偏离可能使信息处理不能正常进行。后续在这一方向的探索有望阐明脑疾病导致脑功能损伤的神经网络机理，并为寻求相关疾病的有效干预手段带来新的启示。

本 章 小 结

本章，我们介绍了临界态的概念，神经网络处于临界态的实验证据，可能调节临界态的生理机制以及临界态对于神经系统的功能意义。

　　临界系统的研究在物理学中是一个非常成熟又非常活跃的分支。这一理论框架引入生物神经网络研究的时间相对短，但是已经为在网络层面理解神经系统的组织原则、状态调整、功能实现以及各种病理条件下的改变提供了新的富有启发的研究视角。我们有理由相信，随着这一领域的发展，临界态的理论和研究方法将为我们揭示更多的有关神经网络层面的涌现规律，从而有助于最终理解神经网络的动态行为如何支持脑中高效的信息处理。

<h2 style="text-align:center">参 考 文 献</h2>

于渌，郝柏林，& 陈晓松 .（2008）.*边缘奇迹：相变和临界现象* . 北京：科学出版社 .

Arviv, O., Goldstein, A., & Shriki, O.（2015）. Near-critical dynamics in stimulus-evoked activity of the human brain and its relation to spontaneous resting-state activity. *Journal of Neuroscience*, *35*（41）, 13927-13942.

Bak, P.（2013）. *How Nature Works: The Science of Self-Organized Criticality*. New York: Springer Science & Business Media.

Bak, P., Tang, C., & Wiesenfeld, K.（1987）. Self-organized criticality: An explanation of l/f noise. *Physical Review Letters*, *59*, 381-384.

Beggs, J. M., & Plenz, D.（2003）. Neuronal avalanches in neocortical circuits. *Journal of Neuroscience*, *23*（35）, 11167-11177.

Binney, J. J., Dowrick, N. J., Fisher, A. J., & Newman, M. E. J.（1992）. *The Theory of Critical Phenomena: An Introduction to the Renormalization Group*. Oxford: Oxford University Press.

Christensen, K., & Moloney, N.（2005）. *Complexity and Criticality*. London: Imperial College Press.

Frette, V., Christensen, K., Malthe-Sørenssen, A., Feder, J., Jøssang, T., & Meakin, P. Avalanche dynamics in a pile of rice.（1996）. *Nature*, *379*（6560）, 49-52.

Gireesh, E. D., & Plenz, D.（2008）. Neuronal avalanches organize as nested theta-and beta/gamma-oscillations during development of cortical layer 2/3. *Proceedings of the National Academy of Sciences*, *105*（21）, 7576-7581.

Hahn, G., Petermann, T., Havenith, M. N., Yu, S., Singer, W., Plenz, D., & Nikolić, D.（2010）. Neuronal avalanches in spontaneous activity in vivo. *Journal of Neurophysiology*, *104*（6）, 3312-3322.

Hu, G., Huang, X., Jiang, T., & Yu, S.（2019）. Multi-scale expressions of one optimal state regulated by dopamine in the prefrontal cortex. *Frontiers in Physiology*, *10*, 113.

Ising, E.（1925）. Report on the theory of ferromagnetism. *Zeitschrift Fur Physik*, *31*, 253-258.

Kinouchi, O., & Copelli, M.（2006）. Optimal dynamical range of excitable networks at criticality. *Nature Physics*, *2*（5）, 348-351.

Levina, A., Herrmann, J. M., & Geisel, T.（2007）. Dynamical synapses causing self-organized criticality in neural networks. *Nature Physics*, *3*（12）, 857-860.

Petermann, T., Thiagarajan, T. C., Lebedev, M. A., Nicolelis, M. A., Chialvo, D. R., & Plenz, D.（2009）. Spontaneous cortical activity in awake monkeys composed of neuronal avalanches. *Proceedings of the National Academy of Sciences*, *106*（37）, 15921-15926.

Shew, W. L., & Plenz, D.（2013）. The functional benefits of criticality in the cortex. *The Neuroscientist*, *19*（1）, 88-100.

Shew, W. L., Clawson, W. P., Pobst, J., Karimipanah, Y., Wright, N. C., & Wessel, R.（2015）. Adaptation to sensory input tunes visual cortex to criticality. *Nature Physics*, *11*（8）, 659-663.

Shew, W. L., Yang, H., Petermann, T., Roy, R., & Plenz, D.（2009）. Neuronal avalanches imply maximum dynamic range in cortical networks at criticality. *Journal of Neuroscience*, *29*（49）, 15595-15600.

Shew, W. L., Yang, H., Yu, S., Roy, R., & Plenz, D.（2011）. Information capacity and transmission are maximized in balanced cortical networks with neuronal aalanches. *Journal of Neuroscience*, *31*（1）, 55-63.

Shriki, O., Alstott, J., Carver, F., Holroyd, T., Henson, R. N., Smith, M. L., Coppola, R., Bullmore, E., & Plenz, D.（2013）. Neuronal avalanches in the resting MEG of the human brain. *Journal of Neuroscience*, *33*（16）, 7079-7090.

Stewart, C. V., & Plenz, D.（2006）. Inverted-U profile of dopamine–NMDA-mediated spontaneous avalanche recurrence in superficial layers of rat prefrontal cortex. *Journal of Neuroscience*, *26*（31）, 8148-8159.

Yang, H., Shew, W. L., Roy, R., & Plenz, D.（2012）. Maximal variability of phase synchrony in cortical networks with neuronal avalanches. *Journal of Neuroscience*, *32*（3）, 1061-1072.

Yu, S., Ribeiro, T. L., Meisel, C., Chou, S., Mitz, A., Saunders, R., & Plenz, D.（2017）. Maintained avalanche dynamics during task-induced changes of neuronal activity in nonhuman primates. *eLife*, *6*, e27119.

Yu, S., Yang, H., Nakahara, H., Santos, G. S., Nikolic, D., & Plenz, D.（2011）. Higher-order interactions characterized in cortical activity. *Journal of Neuroscience*, *31*（48）, 17514-17526.

Yu, S., Yang, H., Shriki, O., & Plenz, D.（2014）. Critical exponents, universality class, and thermodynamic "temperature" of the brain. In Plenz, D., & Niebur, E.（Eds.）, *Criticality in Neural Systems*（pp. 319-333）. Weinheim: Wiley.

第三章

视网膜信息编码特征及计算机制

　　神经元细胞是神经系统结构和功能的基本单位。我们的大脑里有数以百亿计的神经元，这些神经元之间形成丰富的突触连接来支配各种行为，赋予我们感知外部世界的能力。神经元通常以动作电位的形式传递信息。当神经元细胞把外界刺激转换成动作电位时，不仅仅是发生能量形式的转换，更重要的是把外界刺激所包含的信息也转移到神经元的动作电位之中，即产生编码（encoding）作用。如何将神经元的动作电位序列与行为相关的信息对应起来，这一直是神经科学研究的一个中心问题（Field & Chichilnisky，2007）。

　　视觉是人类和高等动物赖以认识客观世界的主要感觉之一。在输入大脑的全部感觉信息中，70% 以上与视觉信息有关，因此视觉神经系统的研究对于神经科学研究的发展具有重要意义。视网膜是视觉信息处理的第一站，视网膜光感受器细胞将视觉刺激转换成电信号形成输入，通过视网膜神经元网络进行初步处理后传递至视网膜输出神经元——神经节细胞，并形成动作电位，这样视觉信息就被转换为动作电位串，然后通过视神经进一步向视觉中枢传递。这些编码后的动作电位串对中枢视觉系统辨识外界视觉信息至关重要。一方面，对于视网膜解剖结构和功能特性，研究者已经有比较清楚的认识；另一方面，由于视觉刺激输入相对比较容易定义，相应的输出神经元的反应活动也比较容易记录，因此视网膜备受研究神经信息处理和信息编码科学家的青睐。

第一节　视觉通路和视网膜结构

一、视觉通路

　　视觉信息处理起始于眼睛，眼睛接收外界视觉刺激，并进行初级处理。眼球主要由眼球壁和眼球内容物两大部分构成。眼球壁从外到内的三层结构依次为纤维膜、血管膜和视网膜。血管膜由后向前分为脉络膜、睫状体和虹膜。光线经角膜、瞳孔、晶状体、玻璃体和房水折射后成像于视网膜。眼睛的功能类似能进行图像处理的智能摄像机：光线进入眼睛后首先被角膜折射，然后通过瞳孔（其大小由虹膜控制），再经过晶状体进一步折射后穿过玻璃体，最后投射到视网膜上（图 3-1）。视网膜之前的眼球结构的主要功能是调节光流的强度和将视觉刺激聚焦在视网膜上。

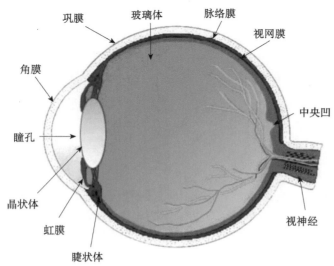

图 3-1　人类眼球结构简图（纵切面）（http://webvision.med.utah.edu/）

人类和高等动物的视觉通路结构如图 3-2 所示（Hannula et al., 2005）。外界视觉信号经视网膜初级处理后以动作电位串的形式向后级神经元进行传递。这些动作电位串通过神经节细胞的轴突，也称视神经或视束，经过视交叉，传到大脑中枢的许多部位。视束中的轴突大部分终止于丘脑外侧膝状体（lateral geniculate nucleus，LGN）进行视觉感知的信息处理。在哺乳动物中，经过视交叉后每一侧的视束包括来自同侧视网膜的未经交叉纤维和对侧视网膜鼻侧的交叉纤维，即鼻侧的神经节细胞交叉投射到对侧的外侧膝状体，而颞侧的神经节细胞都投射到同侧的外侧膝状体。视束中的一部分轴突则进入下丘脑、中脑前顶盖和视上丘，分别在生物节律、瞳孔大小与眼动控制以及视野边缘追踪中起重要作用。外侧膝状体携带视觉信息的神经元投射到位于后脑枕叶的初级视皮层（primary visual cortex，V1）。这一部分的投射至少分为三条通路，分别对颜色、运动、形状信息等进行分析处理（这三条通路并非完全独立，在不同水平上存在交叉性连接）。

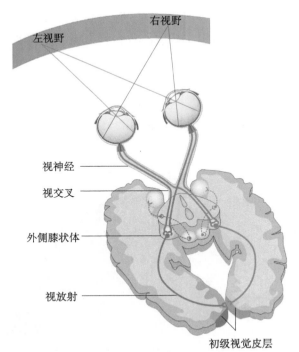

图 3-2　视觉通路简图。神经节细胞的轴突形成视神经。来自双眼的部分视神经纤维交合而成视交叉，由视交叉向后到外侧膝状体间的视神经纤维称为视束。每一视束包括来自同侧视网膜颞侧的不交叉纤维和对侧视网膜鼻侧的交叉纤维（Hannula et al.，2005）

二、视网膜的网络结构

　　视觉信息的初级处理在视网膜中进行。脊椎动物的视网膜在进化过程中相对保守，其结构基本类似。视网膜位于眼球壁的内层，是一层透明的薄膜，可分成外核层、外网状层、内核层、内网状层以及神经节细胞层。外核层主要包含视杆细胞和视锥细胞两类光感受器的胞体；光感受器和内核层细胞（不包括无长突细胞）之间形成外网状层；内核层主要包含水平细胞、双极细胞、无长突细胞以及网间细胞的胞体；内核层（不包括水平细胞）与神经节细胞层之间形成内网状层；神经节细胞层主要包含神经节细胞的胞体。在这三个细胞层之间还存在两个突触联系层：光感受器与水平细胞及双极细胞之间的突触连接形成外网状层，双极细胞及无长突细胞与神经节细胞层之间的突触连接形成内网状层。

　　视网膜光感受器在结构上可以分为三段：外段，其中的视色素吸收光；内段，含细胞核、离子泵、转运体、线粒体、核糖体和内质网；突触终末，向第二级神经元释放谷氨酸，并接受水平细胞的突触输入。光感受器包括视杆细胞和视锥细胞，其中视杆细胞细而长，外段为圆柱形；视锥细胞粗而短，外段为圆锥形。视杆细胞的外段富含色素，对光极其敏感，大约是视锥细胞的几千倍。在晚上，视杆细胞起主要作用；在白天，视杆细胞基本饱和，视锥细胞则发挥主导作用。视杆细胞和视锥细胞不是均匀分布在整个视网膜中：在外周部位，视杆细胞的数目要远多于视锥细胞；在中心部位，视锥细胞的数量更多、密度更高，中央凹处没有视杆细胞存在。这个分布特征使得外周视网膜具有较高的光敏感度，中心部位则具有较高的视觉锐度。

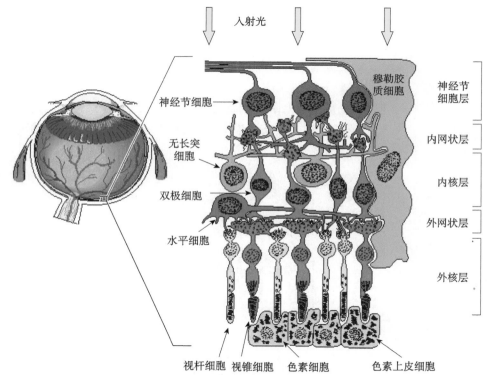

图 3-3 视网膜神经元及突触连接结构简图。（Malmivuo & Plonsey，1995）

此外，视网膜内还存在两类与视觉信息处理没有直接关系的细胞——穆勒胶质细胞和色素上皮细胞（Newman & Reichenbach，1996）。穆勒胶质细胞属于神经胶质细胞，其主要功能是通过调节神经细胞间隙的化学环境和电流分布来维持视网膜胞外环境的稳定性。色素上皮细胞负责吸收散射的光线来提高视觉系统的质量。

视觉信息在视网膜中的传递过程如图 3-3 所示，光线入射的方向和信息处理传输的方向是相反的。光刺激首先穿透视网膜，由视网膜远端的光感受器细胞

（视杆细胞和视锥细胞）将光信号转换成电信号，然后传递至双极细胞，双极细胞将其处理过的电信号传递至视网膜唯一的输出神经元——神经节细胞，最后视觉信息由神经节细胞以动作电位的形式传送到更高级的视觉中枢。另外，在外网状层和内网状层，水平细胞和无长突细胞作为视网膜的中间神经元，在视觉信息传输和处理过程中进行侧向调控。

　　视网膜神经元网络主要包含两条并行的通路结构：给光通路（ON pathway）和撤光通路（OFF pathway），它们分别对给光刺激和撤光刺激敏感（图 3-4）。给光通路和撤光通路在外核层没有差别，它们的分叉始于双极细胞。在光照条件下，光感受器（视杆细胞和视锥细胞）的膜电位超极化，会减少兴奋性递质谷氨酸的释放；而在无光照条件下，光感受器去极化，谷氨酸的释放量增多。根据对光点刺激的反应形式，双级细胞可以分为给光中心型和撤光中心型两种类型。给光中心型细胞表达代谢型谷氨酸受体，这种受体介导抑制性反应，它通过 G 蛋白和第二信使起作用，使得细胞上阳离子通道关闭，而使细胞超极化。因此，在光照条件下，谷氨酸释放减少，降低了代谢型谷氨酸受体的激活水平，阳离子

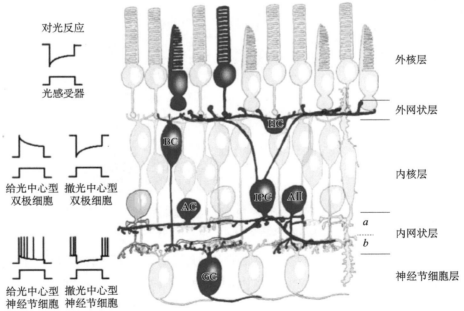

图 3-4　视网膜给光通路和撤光通路。左边一列电位变化图反映了各级细胞的电活动特性：其中光感受器细胞和双极细胞为分级型神经元，而神经节细胞为发放型神经元。HC：水平细胞；BC：双极细胞；AC：无长突细胞；AⅡ：AⅡ型无长突细胞；GC：神经节细胞；IPC：网间细胞。其中双极细胞通常可分为给光中心型双极细胞和撤光中心型双极细胞；神经节细胞可以分为给光中心型、撤光中心型以及给光-撤光中心型神经节细胞（Shen & Jiang，2007；Tian，2004）

通道开放，使得这种给光型双极细胞产生去极化。撤光中心型双极细胞与光感受器之间的突触联系由离子型谷氨酸受体介导。在黑暗中，谷氨酸的释放量增多，激活离子型谷氨酸受体，撤光中心型双极细胞去极化。给光中心型双极细胞和撤光中心型双极细胞分别将信号传递至给光中心型神经节细胞和撤光中心型神经节细胞，从而形成了给光通路和撤光通路。在哺乳动物的视网膜中，除了给光中心型神经节细胞和撤光中心型神经节细胞外，还广泛存在给光-撤光中心型神经节细胞，这类细胞同时接收给光通路和撤光通路的输入。

三、视觉通路的"瓶颈"结构

　　神经节细胞是视网膜唯一的输出神经元，我们的所有视觉经历都来自神经节细胞的动作电位。在灵长类动物中连接视网膜和大脑皮层的视神经包含约 1.1×10^6 根纤维，神经节细胞的数目在整个视觉信号通路中是最少的。如表 3-1 所示，光感受器的数目是神经节细胞数目的近百倍，外侧膝状体相应的神经节细胞数也大于视网膜中神经节细胞的数，而视皮层中相应神经节细胞的数则数百倍于视网膜神经节细胞的数（Barlow，1981）。视觉通路上神经元数的分布就形成了视觉通路的"瓶颈"结构。蛙相对于哺乳动物来说具有相对简单的视觉系统，视神经经过视交叉投射到顶盖，之后继续投射到视中枢，其视觉系统没有外侧膝状体。与哺乳动物类似，蛙的神经节细胞的数量也远小于光感受器细胞数量，牛蛙视网膜大约有 100 万个光感受器细胞，却仅有 50 万个神经节细胞，后级视顶盖上有约 80 万个神经元（Lettvin et al.，1959）。鸟类如成年鸭的视网膜神经节细胞的数目约为 1.7×10^6 个，光感受器细胞的数量约为 6.3×10^6 个（Rahman et al.，2007），光感受器细胞与视网膜神经节细胞数量的比例在 4 : 1 至 5 : 1，推测后级视顶盖神经元数目也会多于神经节细胞。

表 3-1　猴视觉通路中各阶段神经元的数目（Barlow，1981）

视觉通路相关结构			神经元数目 /100 万
视网膜	光感受器	视杆细胞	100
		视锥细胞	2.6
	神经节细胞		1.1
外侧膝状体背核			1.1—2.3
视皮层	V1 区第 IV 层		50—84
	V1 区其他层		89—151
	其他视皮层区		518
其他视觉相关区域			481

视觉通路中的这种"瓶颈"结构可能源于进化过程中眼部运动的需要，从而在物理性上限制了视神经束的粗细。这样的解剖结构从某种程度上决定了视网膜的主要功能之一就是将外界初级视觉形象进行高度压缩处理，产生一个与视神经有限容量能力相匹配的映射。由于这种特性决定了整个视觉系统的功能特性与信息处理方式，因而很多神经科学家的研究集中在视网膜是如何高效地将外界丰富多彩的视觉图像编码成动作电位序列的。

第二节　神经信息编码

一、神经信息编码理论

神经元活动如何编码信息一直是神经科学领域的基本问题之一（Field & Chichilnisky，2007）。动作电位是神经信息传输的基本单位，神经元放电序列以一定的方式揭示了刺激信号的一些特性，或者说编码了关于刺激的"有关信息"。以往的研究主要运用放电频率来描述在特定刺激模式下神经元的活动。越来越多的研究工作表明神经元放电序列的其他特性也参与了信息编码。在中枢神经系统中，神经元可以通过两类编码理论进行信息编码：一类是单个神经元编码（single neuron coding）理论，主要包括频率编码假说（rate coding hypothesis）和时间结构编码假说（temporal structure coding hypothesis）。例如，在许多感觉系统里，加大刺激强度会使感觉神经元放电频率增大。单个神经元编码方式还因为冲动发放的起始时间、发放的时间模式以及冲动持续的时间等不同而不同（Thorpe et al.，2001）。另一类是神经元群体编码（population coding）理论，主要包括独立编码假说（independent coding hypothesis）、神经元集群编码假说（neuron assembly coding hypothesis）、协同编码假说（coordinated coding hypothesis）等。

（一）单个神经元编码理论

单个神经元编码理论只考虑单个神经元的放电活动，强调神经信息可以由单个神经元的放电活动编码。关于单个神经元编码理论存在两种主要的假说：频率编码假说和时间结构编码假说。

1. 频率编码假说

20 世纪初期，阿德里安（Lord Adrian）和索特曼（Yngve Zotterman）的研究发现，蟑螂腿上感觉神经元的放电频率随悬挂在肌肉上刺激重量的增加而增大，因此他们认为大多数神经元通过动作电位放电频率进行信息的编码和传递。人们也广泛地接受神经元的放电频率可以编码刺激信息，即频率编码假说。频率编码假说认为，在一个神经元所发放的动作电位序列中唯一重要的特征就是该序列的平均放电频率。动作电位序列是一个复杂的时变信号，它包含一系列动作电位的发放时间。依据频率编码假说，一个复杂的动作电位序列等同于一个特定的值（平均放电率），因此神经系统内部信息的编码和解码过程就变得非常直接——使神经元动作电位的发放频率与描述刺激特征的参数成比例，从而完成对刺激信息的编码。统计神经元特定时间内发放动作电位的个数，即可完成对刺激信息的解码。

在感觉系统中，感觉神经元利用放电频率编码某些刺激特征。感觉细胞都具有感受野（receptive field），感受野是指在这个位置上适当的刺激能够引起该神经元反应的区域。在视觉系统中，对于给光中心型神经节细胞，当一个光点投射到感受野中心时，其放电频率会增大，并且光点亮度越强，放电频率越大；同时，如果光点投射到感受野外周，其放电频率会减小；当光照覆盖整个感受野中心和外周时，其放电频率没有显著变化；对于撤光中心型神经节细胞，其反应相反（图 3-5）（Mann，2011）。在听觉系统中，神经元的放电频率会随着声音刺激的频率和强度而发生改变。同样地，在其他感觉系统中，神经元的放电频率也随着某些刺激特征的改变而变化。

由于得到了许多实验结果的支持，频率编码假说被人们广泛接受并逐渐成为理解神经系统信息处理的基础理论。不过，频率编码假说已经越来越受到挑战。首先，它不能解释视觉系统的快速反应能力。例如，灵长类动物的皮层神经元能够对一些复杂刺激比如脸、食物和某些三维图像做出快速反应，从刺激给出到神经元发生反应的时间只有 100ms 左右。但是，视觉信息从光感受器传递到这些神经元必须经过至少 10 层的突触传递，这就意味着每个阶段的处理时间都不应超过 10ms。而皮层神经元的放电频率很少超过 100Hz，也就是说，单个皮层神经元在这一反应过程中只能发放 0 或 1 个动作电位，这就排除了单个神经元利用两个动作电位之间的时间间隔来估计即时放电频率的可能（Thorpe et al.，2001）。其次，仅仅通过单个神经元的平均放电频率编码并不能最大限度地体现神经元放电序列可能包含的所有信息。另外，依据频率编码假说，神经元只能以放电频率的高低来编码刺激的某个特征，因此很难对包含多个特征的刺激进行编码。这显然与神经系统的信息处理所表现出来的灵活性和适应性不符。

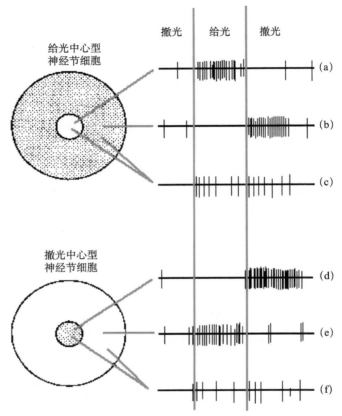

图 3-5　视网膜给光中心型神经节细胞和撤光中心型神经节细胞对光反应特性。（a）和（d）：仅仅感受野中心撤光和给光刺激时的放电活动。（b）和（e）：仅仅感受野外周撤光和给光刺激时的放电活动。（c）和（f）：感受野中心外周同时撤光和给光刺激时的放电活动（Mann，2011）

2. 时间结构编码假说

　　时间结构编码假说并不否认神经元的平均放电频率对信息的编码能力，但这种假说认为神经元动作电位序列的时间结构可以携带除了平均发放频率编码的信号以外的其他信息。首先，动作电位序列的时间结构可以编码与刺激的时间结构有关的信息，比如随时间变化的刺激强度（Bair & Koch，1996；Mechler et al.，1998；Xiao et al.，2014）。加博尔视标（Gabor patch）是一种特殊类型的正弦光栅，其亮度在与光栅运动方向垂直的方向上依据高斯函数变化。研究清醒短尾猿的中颞叶（middle temporal，MT）神经元在加博尔视标下的响应发现，当加博尔视标在神经元的偏好方向上匀速运动时，神经元的放电活动没有表现出明显的时间结构［图 3-6（a）］；如果加博尔视标的运动方向具有明显的时间结构（在偏好方向与偏好方向的反方向之间随机地置换），同一个神经元的响应如图 3-6（b）所示，此时神经元的放电活动表现出明显的时间结构（时间精度达到 2—3ms）（Buracas et al.，1998）。由此可见，动作电位序列的时间结构携带了与刺激的时间结构相关的信息。此外，动作电位序列的时间结构还携带了与刺激的其他特征相关信息，比如刺激的空间模式。有研究表明，在与刺激的空间模式相关的信息中，相当一部分（约 50%）信息可以由视皮层神经元动作电位序列的时间结构而不是平均放电频率来编码（McClurkin et al.，1991）。

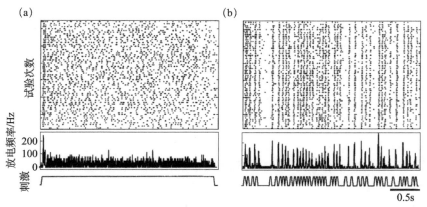

图 3-6　动作电位序列的时间结构携带了与刺激的时间结构有关的信息。（a）：当刺激在一个短尾猿中颞叶神经元的偏好方向上匀速运动时，神经元的响应没有表现出明显的时间结构。（b）：当刺激具有时间结构时，神经元的响应表现出明显的时间结构（Buracas et al.，1998）

（二）神经元群体编码理论

早期信息处理的生物学研究在很大程度上依赖利用微电极记录技术在单个神经元上所测得的电学反应，但神经元作为独立的活动单元所提供的信息是非常有限的。越来越多的证据显示单个神经元的放电活动不太可能独立高效地编码所有神经信息，理由主要包括（Sakurai，1999）：①重复施加完全相同的刺激，神经元的响应［例如平均放电频率和动作电位时间间隔（inter-spike-interval，ISI）序列］不会完全相同，这意味着依靠单个神经元的放电活动对神经信息进行编码不可靠；②神经元并不是特异地只能被某一种特定类型的刺激激活，因此很难判断一个处于活跃状态的神经元所携带的信息属于哪种类型的刺激；③神经元之间在进行信息传递时，单个神经元活动的突触后效应很弱，往往不足以引发突触后神经元的放电，另外，突触传递本身也容易受到各种因素的影响；④信息的种类不可胜数，但神经元的数量却是有限的。有研究（Hopfield，1995）在数学上证明了单细胞记录不可能揭示神经系统的编码原理。基于此，有研究者认为神经信息可以被多个神经元共同编码，这就是神经元群体编码理论。神经元群体编码理论主要包括独立编码假说、神经元集群编码假说和协同编码假说。

微电极单细胞记录技术显然不能满足对神经元信息编码的研究需要，如果想深入了解神经系统的编码原理，就必须对多个神经元的群体活动进行探索。正因如此，多个神经元同步记录的相关技术得到了不断开发与应用，多电极记录技术为更好地了解视觉信号在视网膜神经节细胞中的加工传递过程提供了可能。它通过对一定视觉刺激作用下多个神经节细胞电活动的同步记录，可以研究神经节细胞如何协同作用对视觉信号进行编码和传递。多电极记录技术的应用在推动神经元群体编码理论发展的同时，也促进了对这些编码形成的具体环路机制的研究。

1. 独立编码假说

独立编码假说的主要观点是，尽管许多神经元参与了对同一个特定刺激模式的编码，但每个神经元在此过程中均独立编码信息，其活动不受其他神经元的影响。这就好比一场选举，每个神经元都相当于一个投票人，选举的结果（神经元群体所编码的信息）依赖于对大量选票的统计结果，但每个投票人的投票行为都是独立的，不受其他投票人投票行为的影响。

有实验研究结果（Georgopulos et al.，1986；Schwart，1994）有力地支持了这种假说：在初级运动皮层（primary motor cortex，M1），对物体运动方向的预测可以通过考察大量神经元的活动来实现，但每个神经元只为它所偏好的运动方向"投票"（Georgopoulos et al.，1986；Schwartz，1994）。如图 3-7 所示，运动的方向和运动幅度分别成为构成一个空间矢量的两个参数；相应地，运动神经元也可以由一个矢量来表示，矢量的方向和幅度分别代表了神经元的运动方向选择性和刺激诱导的放电频率。群体中每个神经元对刺激的响应都可以由一个矢量唯一地表示，这些矢量的加和则反映了神经元群体对运动轨迹的编码（Georgopoulos et al.，1986）。

2. 神经元集群编码假说

神经元集群编码假说的主要观点是，在时间上活动相关的神经元所组成的动态神经元集群可能是编码的基本单位。人们在对大脑皮层和海马体的研究中发现，神经元之间突触连接的选择性增强使得群体神经元的活动产生相关性，从而快速地形成一个功能单位，这样的功能单位即神经元集群，它具有两个主要性质（Sakurai，1999）：①同一个神经元可以隶属不同的神经元集群。也就是说，编码不同信息的神经元集群之间可能存在交叠。神经元集群的这个性质让一个神经元可以同时参与不同信息的表达与处理，这就使得神经系统可以利用数量有限的神经元高效地处理和编码信息。②神经元集群是由灵活的功能性突触连接起来的临时性结构，可以动态地建立、分解、再建立。同步化放电使神经元之间的兴奋性突触连接得到强化，非同步放电则使神经元之间的兴奋性突触连接得到削弱。上述两个性质如图 3-8 所示。

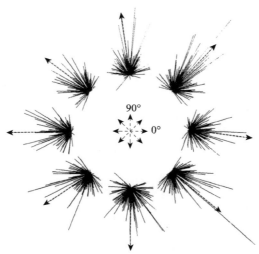

图 3-7　M1 区运动神经元的群体编码方式。图中每簇线段均代表 M1 区中 1 组运动神经元的方向矢量，其中每个线段的方向表示相应神经元的最佳运动方向，而线段长度则反映神经元在相应 8 个方向运动中的放电频率；对于每个方向，通过对单个矢量的加和产生群体矢量，而这个群体矢量所指示的方向就代表运动方向（Georgopoulos et al.，1986）

（a）神经元集群之间存在部分重叠

（b）神经元集群动态重组

图 3-8　神经元集群的两个主要性质。（a）：同一个神经元可以隶属不同的神经元集群；（b）：神经元集群可以动态地建立、分解、再建立（Sakurai，1999）

在视网膜中，神经节细胞可以通过中间神经元（水平细胞、无长突细胞）横向调制作用形成一种模式的神经元集群——同步放电群体。有研究结果表明（图3-9），虎蝾螈视网膜神经节细胞可以通过不同的组合方式形成多个同步放电群体（Schnitzer & Meister，2003）。在同步记录的 44 个神经节细胞中，分别有 143 个（黑暗环境下）和 99 个（棋盘格刺激下）这样的同步放电群体被发现。很显然，同步放电群体在数量上可以远远超过所考察的神经节细胞的总数。由此可知，单个神经元可以在不同的任务中动态地参与多个不同放电群体的编码活动所形成的放电模式，这些放电模式编码了视觉刺激的特定信息，其复杂及精确程度远远超过单个神经元活动的编码效果。

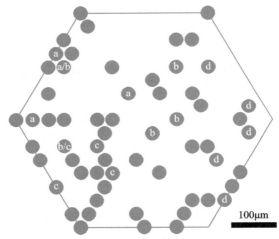

图 3-9　黑暗环境下产生的同步放电群体以及每个群体中的神经节细胞在空间上的位置。图中每个圆圈代表一个细胞。属于同一个放电群体的细胞用同一个字母标识，用两个字母标识的细胞则同时参与了两个放电群体（Schnitzer & Meister，2003）

3. 协同编码假说

协同编码假说的主要观点是，在刺激所携带的信息中，至少有一部分被神经元之间的协同放电活动编码。神经元之间的协同活动可以运用相关性分析进行衡量，定义如下：

$$c_{xy}\left(m\right)=\begin{cases}\dfrac{\displaystyle\sum_{n=0}^{N-|m|-1}x_{n}y_{n+m}}{R} & m\geqslant 0 \\[4mm] c_{yx}\left(-m\right) & m<0\end{cases} \tag{3-1}$$

其中，$R=\sqrt{\sum_{i=1}^{N}x_i^2\sum_{i=1}^{N}y_i^2}$。式中，$x_n$为信号序列 x 在 n 时刻的值，而y_{n+m}表示信号 y 在 $n+m$ 时刻的值；$c_{xy}(m)$则定义为序列 x 与序列 y 以 m 为时延的相关性，这反映了信号 x 对 m 时刻后的信号 y 的总体影响。R 表示归一化系数。

如图 3-10 所示，在对猫视网膜和外膝体神经元的研究中发现，当给光区域分别覆盖两个神经元的感受野而连接两个感受野的中间区域处于无光照状态时，在每个神经元上均能记录到一定频率的放电活动，但两个神经元放电活动的互相关函数呈平坦特性，这就意味着两个神经元的放电活动不相关。如果给光区域同时覆盖两个神经元的感受野和连接两个感受野的中间区域，记录结果显示单个神经元的放电活动没有太大的改变，但两个神经元的放电活动之间呈现出明显的协同现象（Neuenschwander & Singer，1996）。相关研究发现相同类型的相邻视网膜神经节细胞之间具有协同放电的趋势，并且这种协同放电在多种刺激模式下均存在，并且占所记录到的动作电位的大多数。有研究发现，协同放电可能与视网膜的某些特定功能有关，例如颜色识别和运动检测（Schwartz et al.，2007）。此外，当多个前级神经元的动作电位同时到达突触后神经元时，由于空间整合作用，这些动作电位所产生的兴奋性突触后电位（EPSP）会同时叠加，在这种情

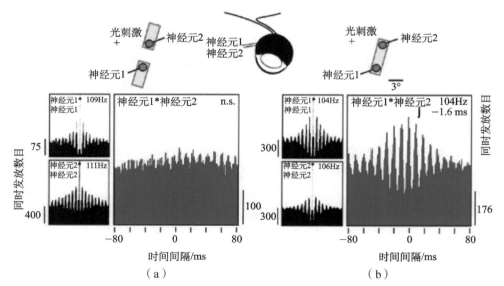

图 3-10　神经元之间的协同放电。（a）：当给光刺激分别覆盖两个神经元的感受野而两者之间的区域不被刺激覆盖到时，即使两个神经元的活动具有相似的特性，两者之间也不具有协同性；（b）：当刺激连续覆盖到两个感受野之间的区域时，两个神经元的活动呈现协同现象（Neuenschwander & Singer，1996）

况下突触后神经元到达阈值所需要的时间明显比时间整合时要短（Konig et al.，1996）。当前级神经元发生协同放电的时候，突触后神经元产生动作电位的阈值也会降低（Azouz & Gray，2000）。可见，协同放电会使突触间的信息传递变得更加有效和节能。

为此，有人提出将相关神经元所产生的动作电位序列进行组合，形成不同的放电模式，则由群体放电模式所编码的视觉信息量将大大增加。已有实验证明，视网膜神经节细胞间存在同步放电现象，这种同步放电存在于视网膜对不同视觉刺激的反应中。当视网膜处于一定的刺激模式之下，邻近的或功能相似的神经元之间的放电活动可能随机形成同步化。然而，迈斯特等（Meister et al.，1995）对虎蝾螈神经节细胞群体的反应进行分析发现，这些神经元之间的同步化放电概率远远大于随机形成同步化的概率。这种同步化放电在多种刺激状态下均存在，并且占所记录得到的动作电位的大多数，提示同步化放电可能作为一种特定的编码形式存在于视网膜神经元网络中。基于对多电极同步记录数据的分析，人们发现，同步放电并非局限于两两成对的神经节细胞之间，也存在于多个神经元组成的神经元群体中。在被考察的标本中，神经元之间可以通过不同组合方式形成多个同步化放电群体，这种动态群体甚至可以在数量上远远超过标本中所有被考察神经元单体的总数。由此可知，单个神经元在不同的任务中动态地参与了多个不同群体的编码活动所形成的放电模式。这些放电模式编码了视觉刺激的特定信息，其复杂及精细程度远远超出单个神经元活动的编码结果。在每个组合中单个神经元的放电都具有不同的感受野特性，因而传达有关刺激位置的不同信息。这样组合起来的放电模式所对应的感受野明显小于单个神经节细胞放电所代表的感受野，因而对群体信号的解码将能得到更为详细的空间信息（Schnitzer & Meister，2003）。

大量实验证明，神经元之间可能通过同步化放电对刺激信息进行编码，同时，越来越多的实验结果提示感觉神经系统中群体神经元的时序发放编码（temporal rank-order coding）模式可能携带重要的刺激相关信息（van Rullen et al.，2005）。正因如此，多个神经元同步记录的技术得到了不断开发与应用。多电极记录的应用在促进编码理论发展的同时，也促进了对视觉系统其他信息处理方面的进一步研究。

二、神经信息编码的衡量

神经系统以离散的动作电位放电序列来进行信息的表达和传递。对于单个神经元，其发放的动作电位的波形和幅度在短时间内是基本一致的，为了定量地描述神经元的放电序列揭示了刺激信号的一些特性，或者说编码了关于刺激的"有关信息"，我们需要构建一种合适的工具对其进行衡量。信息的基本特性在于事件的不确定性，信息所包含的内容在于降低事件的未知性或不确定性。信息是可以量度的，信息量也有多少的差别。从这个角度而言，信息论方法为我们提供了一种有效工具，以定量的方式对神经元放电活动所携带和传递的信息进行描述和比较。

（一）单个神经元编码的计算

1. 信息熵的计算

经典地，输入输出的互信息可以写作（Shannon，1950）：

$$H(R;S) = H(S) - H(S \mid R) \tag{3-2}$$

或者

$$H(R;S) = H(R) - H(R \mid S) \tag{3-3}$$

对神经系统而言，S 为输入刺激，R 为神经反应，$H(R;S)$ 为刺激-反应的互信息，即观察到反应后对刺激不确定性的降低程度。实践中，我们多采用公式3-3来分析计算，因为该方程中第一项 $H(R)$ 神经元所有可能反应的不确定性，称为"总反应熵"，第二项 $H(R|S)$ 为给定刺激下神经元反应的不确定性，称为"噪声熵"，这两项都相对容易通过设计实验来估计结果（Jin et al.，2005）。

根据公式3-3，神经元的信息传递活动可以通过两个方面进行考察。一个是神经元放电序列的总反应熵，可以根据长时间随机刺激得到的大量反应数据直接计算得到，其意义在于神经元动作电位序列所可能携带的总体信息量。另一个是噪声熵，其意义在于同一刺激条件下神经元反应的变化程度。这两者之差反映了动作电位所携带的关于刺激的信息。

对于总反应熵，可以写作：

$$S_{\text{total}} = -\sum_w P(w) \log_2 P(w) \tag{3-4}$$

总反应熵（S_{total}）指的是当刺激条件改变时，响应序列的总体变化可能。总体上反映了神经元响应可以携带信息的能力。重复使用完全相同的刺激序列，并且计算在特定时刻 t 事件的发生概率 $P(w|t)$，这就可以得到在时刻 t 的熵值。由于这种条件下放电序列的变化并非由刺激所引起，而是完全反映了神经系统内部的噪声特性，因此对其进行时间平均，就得到相应的噪声熵值：

$$S_{\text{noise}} = \left\langle -\sum_w P(w \mid t) \log_2 P(w \mid t) \right\rangle_t \tag{3-5}$$

其中，$\langle ...,_t \rangle$ 是关于所有时间 t 的平均。总体熵值和噪声熵值的差异为：

$$I = S_{\text{total}} - S_{\text{noise}} \qquad (3\text{-}6)$$

这个差异就是放电序列所携带的关于刺激的信息量的估计值。当没有噪声存在时，神经系统将对同一刺激产生完全相同的反应，此时神经元发放所携带的信息将与刺激所包含信息完全相等。

2. 度量空间方法

单个神经元放电反应包含多种成分，如放电频率和反应延时（刺激开始后神经元发放第一个动作电位的延时）等。度量空间（metric-space）方法可以估计神经元的放电频率和反应延时在信息编码中的作用（Victor，2005）。其主要思想是通过三种基本的操作（插入、删除和平移）来衡量两个动作电位序列的距离（图 3-11）。一般认为插入或者删除一个动作电位的成本为 1，而动作电位被平移一个单位时间的成本为 q，也被称作成本参数（cost parameter）。通过度量空间方法来消除两个动作电位序列之间的差异所需的最小总成本被定义为这两个动作电位序列间的距离。动作电位序列间的距离会随着 q 值的变化而改变，成本参数 q 也可以反映动作电位序列在时间上的精确程度（Victor & Purpura，1996）。

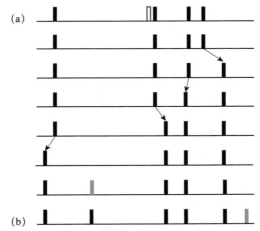

图 3-11　利用度量空间方法衡量动作电位序列间的距离。每个长方形表示一个动作电位，可以通过插入（灰颜色标示）、删除（空心标示）和平移（箭头标示）的操作使得放电序列（a）和放电序列（b）一样（Victor，2005）

对于一个神经元被 N_{sti} 个不同的刺激分别激活而产生 N_{tot} 个动作电位序列（每种刺激出现的概率一样），动作电位序列 (r_i) 和动作电位序列 $(r_j)(i, j= 1, 2, \cdots, N_{\text{tot}},$

$i \neq j$）之间的最短距离（$D[q](r_i, r_j)$）可以通过上面的三种基本操作计算得到。如果动作电位序列 r 由刺激 s_α 激活产生，那么，任意一个动作电位序列 r 和刺激 $s_\gamma(\gamma = 1, 2, \cdots, N_{sti})$ 所激活的动作电位序列的平均距离（$d(r, s_\gamma)$）定义为：

$$d(r, s_\gamma) = \left[\left\langle D[q](r, r')^z \right\rangle_{r' \text{ elicted by } s_\gamma} \right]^{1/z} \tag{3-7}$$

其中，$< \ldots >$ 表示序列 r 与所有刺激 s_γ 激活产生动作电位序列距离的均值；一般情况下，z 设定为-2。用上述方法计算神经元的每个反应序列与各类刺激所激活的反应序列的平均距离，然后根据平均距离的大小，将神经元 N_{tot} 个动作电位序列分成 N_{sti} 类。分类结果用矩阵 $N(s_\alpha, r_\beta)$ 表示，即，由刺激 s_α 激活产生的序列数目有 $N(s_\alpha, r_\beta)$ 个被分成为反应类别 $r_\beta(\alpha, \beta=1, 2, \cdots, N_{sti})$。如果一个反应序列 r 是由刺激 s_α 激活产生，当 $d(r, s_\beta)$ 是所有平均距离里面最小值时，则 $N(s_\alpha, r_\beta)$ 的值就增加 1；当有 k 个平均距离同时最小时，则矩阵 N 里面对应的项的值同时增加 $1/k$。

对于上述对动作电位序列的分类，我们可以利用传递信息（H）进行定量的评判，计算公式为：

$$H = \frac{1}{N_{tot}} \sum_{\alpha, \beta} N(s_\alpha, r_\beta) \left[\log_2 N(s_\alpha, r_\beta) - \log_2 \sum_\alpha N(s_\alpha, r_\beta) \right.$$
$$\left. - \log_2 \sum_\beta N(s_\alpha, r_\beta) + \log_2 N_{tot} \right] \tag{3-8}$$

我们的研究中主要用度量空间方法研究单个神经节细胞放电活动的特征，包括放电频率和反应延时，再编码不同刺激持续时间中的作用。刺激的种类为 N_{sti}，如果 $\alpha=\beta$ 时，$N(s_\alpha, r_\beta)=N_{tot}/N_{sti}$，而 N 的其他位置的元素都是 0，这时传递信息 H 达到最大值 $\log_2 N_{sti}$ 比特；而当 N 所有位置的元素都相等时，即随机聚类，传递信息 H 值最小，等于 0。

传递信息 H 随成本参数 q 的值变化。根据不同的 q 值，我们获得神经元放电活动不同成分所携带的信息量。当 $q=0$ 时，计算出来 H 的值表示放电数目或者放电频率所携带的信息。当 H 的最大值在 $q>0$ 时取得，则表示神经元放电序列的时间结构，如反应延时和动作电位的时间间隔，也携带刺激的信息。当只选取每个重复序列的第一个动作电位来计算 H，那么计算出来 H 的最大值表示神经节细胞反应延时携带的信息量。

在实验数据量有限的情况下，利用公式 3-8 计算的传递信息也会有一定的偏差。通过随机打乱神经元反应序列和刺激类型相对应的关系，然后再计算这种情况下的传递信息（H_{bias}），这个传递信息就是公式 3-8 计算而引起的偏差。

（二）神经元群体编码的计算

1. 基于协同理论的信息量计算

当两个神经元的放电活动是相互独立的时候，神经元对携带的总信息量等于这两个神经元分别独立携带的信息量之和：

$$I_{MI} = I(S; r_1, r_2) = I(S; r_1) + I(S; r_2) \tag{3-9}$$

如果两个神经元放电活动是协同相关的，那么联合互信息可能会大于两个神经元独立携带的信息量之和。神经元对携带的总信息量与神经元独立携带信息量间的差值被称作协同信息量（synergy information），即神经元之间的相关活动编码的信息（Schneidman et al., 2003），其计算公式为：

$$Syn(r_1, r_2) = I(S; r_1, r_2) - I(S; r_1) - I(S; r_2) \tag{3-10}$$

有时，两个神经元独立携带的信息量之和 $I(S; r_1) + I(S; r_2)$ 会大于联合互信息量 $I(S; r_1, r_2)$，即 $Syn(r_1, r_2)$ 小于 0，这就意味着神经的活动中有部分信息量冗余（redundancy）。这种方法可以用来判断神经元协同活动携带的信息量在信息传输中是否冗余。

2. 基于不匹配模型的信息量计算

在最佳通信速率的情况下，有学者（Merhave et al., 1994）利用不匹配解码模型（mismatched model）将互信息进行了延展，其计算公式如下：

$$I^*(q) = \max_{\beta} \tilde{I}(q, \beta) \tag{3-11}$$

$$
\tilde{I}(q, \beta) = -\int \mathrm{d}\boldsymbol{r}\, p(\boldsymbol{r}) \log_2 \sum_s p(s) q(\boldsymbol{r} \mid s)^{\beta} \\
+ \int \mathrm{d}\boldsymbol{r} \sum_s p(s) p(\boldsymbol{r} \mid s) \log_2 q(\boldsymbol{r} \mid s)^{\beta}
\tag{3-12}
$$

其中，β 是优化常数，$q(\boldsymbol{r}|s)$ 是不匹配的神经元编码模型。选择合适的 $q(\boldsymbol{r}|s)$ 就可以计算神经元群体活动中各阶相关性所携带的信息量。基于不匹配模型计算信息量 $I^*(q)$ 产生的误差被证明与基于极大似然估计方法的误差相一致（Wu et al., 2001）。

对于一个神经元对，它们的放电模式（包括 "00" "01" "10" "11"）在刺激 s 下的分布概率可以写成：

$$p(\mathbf{r} \mid s) = \frac{1}{Z} \exp\left(\sum_i \theta_i^1 r_i + \sum_{i<j} \theta_{ij}^2 r_i r_j \right) \tag{3-13}$$

其中，Z 是归一化因子，θ_i^1 表示神经元 i 自身的活动特性，与神经元的放电频率相关；而 θ_{ij}^2 表示神经 i 和神经元 j 相互作用的强度，与神经元放电活动间的相关强度相关。我们可以唯一地确定 θ 值，使得 $p(r|s)$ 的分布值与实验数据计算出来的分布相吻合。

假设我们选择一个概率分布 $q(r|s)$，使它和 $p(r|s)$ 有相同的放电频率，但是忽略掉神经元之间的相关性，即 $<r_i>_q = <r_i>_p$。理论上存在很多类型的概率分布可以满足这个条件。但是根据最大熵的原则，我们选择一个分布使得 $q(r|s)$ 具有最大的熵，其表达式为

$$q(r \mid s) = \frac{1}{Z_1} \exp\left(\sum_i \overline{\theta}_i^1 r_i \right) \tag{3-14}$$

其中，Z_1 是归一化因子。参数 $\overline{\theta}_i^1$ 的值满足 $q(r|s)$ 的放电频率和实验数据 $(r|s)$ 的放电频率相等。根据 $q(r|s)$ 计算出来 $I(q_1)$ 值，记作 I_1，表示神经的放电频率所携带的信息。$I_2 = I - I_1$ 就是成对神经元相关活动所携带的信息量。这种方法也可以用来计算群体神经元任意阶相关活动携带的信息量，例如三个神经元的协同活动所携带的信息量（Oizumi et al.，2010）。

基于不匹配的模型，我们可以估计真实互信息量的上界（upper bound）和下界（lower bound）。通过公式 3-9 计算出来的互信息（I_{MI}）为真实互信息的上界。而下界（I_{sh}）可以通过如下公式计算（Montemurro et al.，2007）：

$$I_{sh} = I_{LB} + \Delta I_{sh} \tag{3-15}$$

$$I_{LB} = -\sum_r p(r) \log_2 \sum_s p(s) q_1(r \mid s) + \sum_r \sum_s p(s) q_1(r \mid s) \log_2 q_1(r \mid s) \tag{3-16}$$

$$\Delta I_{sh} = I_{MI} + \sum_r p(r) \log_2 \sum_s p(s) q_1(r \mid s) - \sum_r \sum_s p(s) p_{sh}(r \mid s) \log_2 p_{sh}(r \mid s) \tag{3-17}$$

其中，$p_{sh}(r|s)$ 是将神经元反应序列的顺序打乱以后的概率分布。如果 I_{MI} 和 I_{sh} 的差异非常小，则我们认为实验数据可以比较准确地估计神经元放电活动携带的互信息（Oizumi et al.，2010）。

第三节　视网膜信息编码

在视觉系统中，视网膜神经节细胞的数量是整个视觉通路中最少的，因此神经节细胞需要利用多种编码方式高效地编码和传递视觉信息。已有大量研究报道

了神经节细胞利用放电频率的动态变化以及时间序列结构的调节对视觉刺激进行有效的编码。例如，当视觉刺激的对比度减小时，视网膜神经节的放电频率随之减小，同时反应延时随之增加；当视觉刺激的亮度减小时，神经节细胞的放电频率也随之减小。近年来，神经节细胞群体的协同活动被广泛报道，同时也有一些研究报道了协同活动在信息编码中发挥了不可替代的作用。例如，在不同空间结构的视觉刺激下，单个神经元的反应特征没有显著差异，而神经节细胞群体活动的特征可以有效地区分这些刺激模式（Xiao et al.，2013）。

大千世界的视觉场景变化几乎是无限的，而视网膜的简约结构以及神经元放电活动特性则决定了其动态响应范围是有限的。因此，长期进化赋予视网膜良好的适应能力，以实现通过有限的神经元活动对无限变化的视觉场景进行编码。

一、视网膜适应现象与信息编码

神经系统处理信息是高度消耗能量的，比如人脑只占体重的 2% 左右，却消耗人体 20% 左右的代谢能量。这种代谢能量消耗对于脑的进化和功能有着重要作用，比如决定脑的容量大小，决定脑内皮层环路的连接乃至信息处理的效率。研究表明大脑中最多的代谢能量被消耗于动作电位的发放，这提示我们视网膜神经元可能通过适应过程降低动作电位的发放率，进而减少能量消耗。

适应在神经系统中是一个很普遍的现象，表现为神经系统可以根据外界环境不断地调整自身的敏感性。对于视觉系统而言，适应活动对神经元有效地编码外界信息至关重要。在昼夜更迭的过程中，环境中光强的变化范围超过 10^9 数量级，而神经节细胞放电频率的变化范围只有 10^2 数量级。可以看出，神经节细胞放电频率的变化范围相对于刺激强度的变化范围是非常有限的。虽然神经元协同活动也可以高效地压缩信息，但神经元的放电活动和神经元的数目毕竟有限，因此，神经元放电反应的适应性成为有限神经节细胞应对繁重信息传递任务的有效策略。

在视觉系统中，适应可以发生在多个不同的阶段（Bear et al.，1996）。首先，在光到达视网膜前，改变瞳孔的大小可以控制光通量。其次，光感受器包含视杆细胞和视锥细胞两种类型，它们的功能不一样：视杆细胞的光敏感性很高，它主要在夜间照明或者暗视情况下起作用；在日间照明或者明视情况下，视杆细胞饱和，主要是视锥细胞起作用。另外，当光照很强时，可以通过视色素漂白的方法减弱视色素的利用量，进而防止视锥细胞饱和。同时，视网膜中其他神经元的反应活动也可以对视觉刺激模式产生适应。

在视锥细胞正常工作的情况下，视网膜上的适应模式主要包括两类：亮度适应（luminance adaptation）和对比度适应（contrast adaptation）（图3-12）（Chen et al., 2005）。神经元对视觉刺激平均亮度的适应称为亮度适应。当环境亮度水平突然变化时，视网膜神经节细胞的放电活动很快发生变化，持续时间为几秒，表现为视网膜神经节细胞的放电活动明显增加。在持续刺激过程中，随着时间的延长，视网膜神经节细胞的放电活动逐渐减弱。在平均亮度不变的情况下，神经元对视觉刺激亮度变化范围的适应称为对比度适应。随着刺激从低对比度转变为高对比度，视网膜神经节细胞的敏感性曲线间隔将变宽，以对应编码较大范围的亮度分布。然而在此适应之后，当刺激从高对比度转变为低对比度时，视网膜神经节细胞的敏感性曲线将重新变窄，以对应编码较小范围的亮度分布，同时保持较高的敏感度和区分度。通过对输入信号波动范围的匹配，视觉神经元能够有效地对刺激的亮度分布结构大幅度变化的信号进行编码。视网膜中，亮度适应和对比度适应的起源位点和产生机制存在差异。研究证实亮度适应起源于光感受器，对比度适应起源于双极细胞，而光感受器不具有对比度适应特性（Kohn, 2007）。

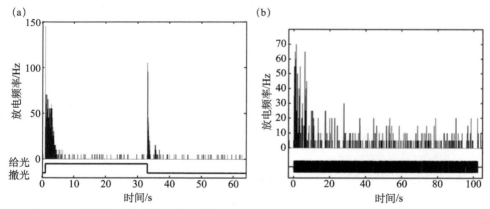

图3-12　视网膜神经节细胞的亮度适应（a）和对比度适应（b）（Chen et al., 2005）

神经节细胞是视网膜的输出神经元，它既可以对刺激平均亮度产生适应，又可以对视觉刺激亮度变化范围产生适应。神经节细胞的适应现象主要来源于两个方面：前级神经元的输入（如光感受器和双极细胞的适应性电流）和神经节细胞自身的机制（如慢速钠离子通道的失活以及钙离子通道的失活）（Kim & Rieke, 2003）。目前，除了对神经节细胞适应现象机制的研究，许多研究也关注适应现象对神经节细胞群体活动的影响。例如，在对比度和亮度适应过程中，神经节细胞的群体活动会呈现动态变化（Li et al., 2012；Xiao et al., 2013）。

对牛蛙视网膜神经节细胞对比度适应的研究发现（Li et al.，2012），牛蛙的一种类型的神经节细胞——暗检测器细胞的感受野会随着对比度适应而变小，同时神经节细胞之间同步化活动的强度也会减弱（图 3-13）。这个研究结果提示，神经节细胞在对比度适应中可以通过减弱与其他细胞的连接来提高空间分辨率。

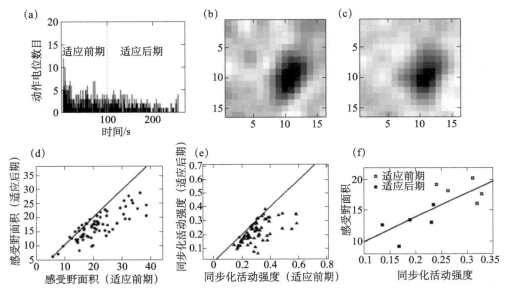

图 3-13　对比度适应中神经节细胞感受野以及同步化活动的变化。（a）：牛蛙视网膜暗检测器细胞对伪随机棋盘格刺激下的反应活动。根据放电活动的变化，神经节细胞的活动可以分为适应前期和后期。（b）和（c）：神经节细胞分别在适应前期和后期的感受野。（d）：神经节细胞在适应前期和后期感受野大小的变化。(e)：神经节细胞在适应前期和后期与周围神经节细胞同步化活动强度的变化。(f)：感受野大小与同步化活动强度的关系（Li et al.，2012）

而对牛蛙视网膜暗检测器细胞亮度适应的研究发现（Xiao et al.，2013），在持续性的黑屏刺激下，神经节细胞的放电活动大约持续 5s，并且其放电频率会随时间延长而减小，呈现亮度适应现象（图 3-14）。

在亮度适应过程中，将神经节细胞 5s 反应活动序列平均分成 5 个时间段，分别计算每个时间段里神经节细胞的互相关函数图（公式 3-1）。图 3-15 是一对同步化（Syn）放电的神经元对［图 3-15（a）］和一对相关性（Cor）放电的神经元对［图 3-15（b）］在 5 个时间段的互相关函数图。可以观察到在亮度适应过程中神经元协同活动的类型保持不变，但是神经元之间协同放电的强度呈现不同的变化趋势，即同步化放电强度呈增强趋势，而相关性放电强度呈减弱趋势。

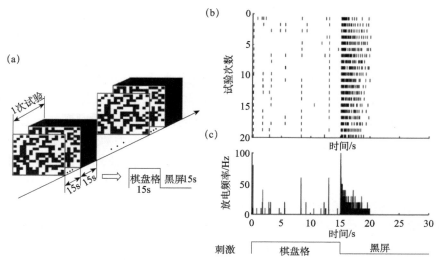

图3-14 牛蛙视网膜暗检测器细胞在持续黑屏刺激下的适应现象。(a)：视觉刺激模式。(b)：一例暗检测器细胞20次重复刺激下的放电序列。(c)：(b)图中神经节细胞放电频率的变化（Xiao et al.，2013）

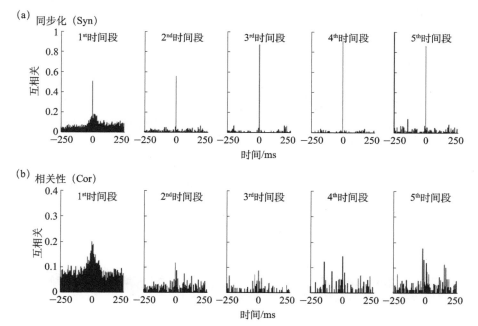

图3-15 亮度适应过程中神经节细胞间互相关函数的变化情况。(a)：同步化放电活动神经元对的变化情况。(b)：相关性放电活动神经元对的变化情况（Xiao et al.，2013）

视网膜编码的适应性是指视网膜能根据刺激特性来改变自身对刺激的敏感性，从而实现对刺激高效的编码；当刺激信号很弱时，视网膜对该信号的敏感性增强，从而提高编码的信噪比，当刺激信号很强时，视网膜降低对该刺激信号的敏感性，防止强刺激造成神经节细胞编码能力的饱和。例如，研究表明在对比度适应过程中，虽然神经节细胞的信息传递率降低，但是单个动作电位携带的信息量显著增加（Jin et al.，2005）；对小鸡视网膜神经节细胞的研究提示，适应性能增强神经元对刺激的敏感性（Chen et al.，2005）；同时，适应性有助于视网膜检测不同的刺激模式，从而使视网膜可以高效地编码不同刺激的信息。为了研究亮度适应过程中同步化活动的动态增强在信息编码中的潜在生理意义（Xiao et al.，2013），我们设计了另外一个实验刺激模式，即先给 10s 的伪随机棋盘格刺激，然后给 10s 的黑屏（光强约为 0.0015nW/cm²）或者灰屏（光强为 19.5nW/cm²）刺激，在一个刺激周期里面这两种刺激都会随机地出现一次，整个刺激重复 20 个周期。在黑屏刺激和灰屏刺激下，牛蛙暗检测器细胞都能呈现亮度适应现象［图 3-16（a）］。对神经节细胞在亮度适应过程中编码方式变化的研究发现（图 3-16）：在亮度适应前期，神经元主要通过放电频率的改变编码不同亮度刺

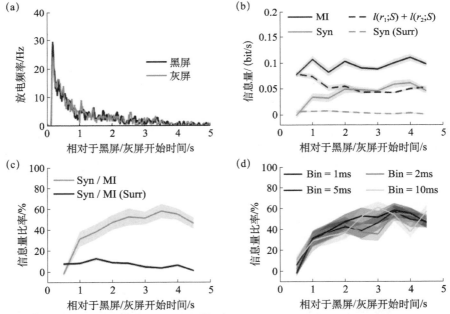

图 3-16　亮度适应过程中神经节细胞反应携带的视觉刺激信息。（a）：一例神经节细胞在持续的黑屏 / 灰屏刺激下的放电频率（计算时间窗为 50ms）。（b）：亮度适应中，互信息（MI）、神经元放电频率携带的信息、同步化活动携带的信息（Syn）以及替代数据（Surr）中同步化活动携带的信息随时间变化的情况。（c）：亮度适应中神经元同步化活动携带信息和替代数据（Surr）中同步化活动携带信息占互信息的比率。（d）：在不同的时间窗（1ms、2ms、5ms 和 10ms）下算得的神经元同步化活动携带信息占互信息的比率。$n=24$ 对同步化神经元，线上的阴影代表标准误差（Xiao et al.，2013）

激的信息，而在适应后期神经元更多地利用同步化活动进行编码。计算模型分析结果提示，适应过程中神经元编码模式的转变并非由神经元放电频率减小而引起，而是与神经元同步化放电强度的增强有关。这些结果提示，在编码持续性刺激时，神经系统可能会采用同步化的低频放电活动来有效地编码信息。这种动态的编码方式可以体现视网膜神经节细胞对外界刺激灵活高效的编码原则（Xiao et al.，2013）。

二、神经节细胞群体活动及信息编码

（一）互相关算法及神经节细胞协同放电的分类

神经元协同放电活动的强弱程度一般用互相关算法（cross-correlation）来计算（公式 3-1）。在虎蝾螈视网膜神经元网络中，根据互相关函数峰宽的不同，协同放电活动可以被分为 3 种模式：宽时程、中等时程以及短时程协同放电模式（图 3-17）（Brivanlou et al.，1998）。在宽时程模式中，互相关函数的时延沿时间轴呈正态样分布，并具有较大的离散度，钟形曲线的宽度可达上百毫秒［图 3-17（a）］。药理学实验证明，引起这种空间活动模式的输入信号可能来自视网膜的第一级神经元光感受器，经由双极细胞传递至视网膜的输出神经元神经节细胞［图 3-17（d）］。在中等时程模式中，互相关函数时延分布的宽度达到数十毫秒［图 3-17（b）］，推测无长突细胞与神经节细胞之间的缝隙连接是这种放电模式形成的原因［图 3-17（e）］。在短时程的协同反应中，时延集中在零时刻左右 1—2ms 的窄小区间中，互相关函数往往在 0 时延附近呈现出两个对称的峰值［图 3-17（c）］，这种互相关一般被认为与两个通过电突触耦合的神经节细胞之间的相互激活有关［图 3-17（f）］。

一些研究也发现，不同类型神经节细胞间协同活动的程度和类型有很大差异。有研究（DeVries，1999）发现，在接受光刺激时，兔子轻快（brisk）视网膜神经节细胞之间存在两种时延较短的协同反应，其互相关函数上分别有 1 个峰值［图 3-18（a）］和 2 个对称的峰值［图 3-18（b）］，分别类似于图 3-17 中（e）和（f）的协同放电模式。而且给光中心型细胞的放电活动序列之间以一个峰值的协同反应为主，而撤光中心型细胞的放电活动序列之间以两个峰值的协同反应为主。产生这种细胞反应类型与协同放电模式相对应的原因可能在于，给光中心型神经节细胞和撤光中心型神经节细胞有不一样的电突触连接模式。因此给光中心型神经节细胞之间的协同放电活动是由相同的前级输入导致的，而撤光

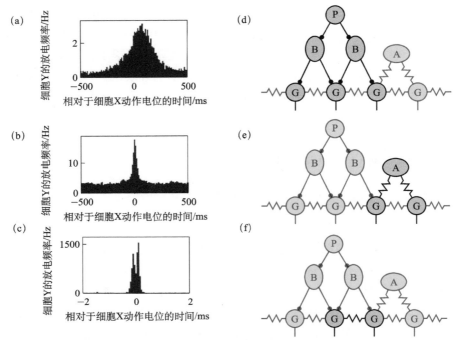

图 3-17　虎蝾螈视网膜神经节细胞中 3 种不同的协同放电及其回路机制。（a）：宽时程模式；（b）：宽时程协同放电的形成机制；（c）：中等时程模式；（d）：中等时程协同放电的形成机制；（e）：短时程模式；（f）：短时程协同放电的形成机制。其中图（a）、（b）和（c）中横坐标表示两个神经元放电的时延，单位为 ms（Brivanlou et al.，1998）

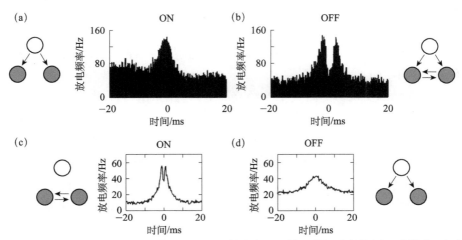

图 3-18　不同物种上给光中心型神经节细胞和撤光中心型神经节细胞的协同活动模式。（a）和（b）：兔子轻快视网膜给光中心型神经节细胞和撤光中心型神经节细胞之间的协同活动模式。（c）和（d）：灵长类动物视网膜阳伞（parasol）型给光中心型神经节细胞和撤光中心型神经节细胞之间的协同活动模式（Shlens et al.，2008）。○和●分别表示中间神经元和神经节细胞（DeVries，1999；Shlens et al.，2008）

中心型神经节细胞之间普遍存在的电耦合使它们更容易形成一种非常快速的协同反应。在灵长类动物的视网膜上阳伞（parasol）型给光中心型神经节细胞间可以呈现两个峰值的协同反应［图 3-18（c）］，而阳伞型撒光中心型神经节细胞间只能呈现一个峰值的协同反应［图 3-18（d）］（Shlens et al.，2008）。

互相关函数分析方法可以间接地反应数量较多的一群神经元（*n*>2）之间协同放电活动的情况，但是无法同时分析多个神经元放电活动的时空模式。接下来将介绍两种同时分析多个神经元放电活动的方法。

（二）子序列分布差异度量

子序列分布差异度量（measurement of sub-sequence distribution discrepancy，MSDD）建立在子序列分布全集（complete set of sub-sequence distribution，CSSD）基础之上。一条序列的子序列分布全集是包含这条序列全部结构特征的子序列分布的集合，而不同序列之间的差异由差异度量函数（function of degree of disagreement，FDOD）来计算（Fang et al.，2001）。

在子序列分布差异度量方法中的子序列分布全集是符号序列的全体结构信息的表征。由于神经元动作电位是"全"或"无"的事件，因此神经元放电序列可以符号化为由"0"和"1"两个字符组成的序列。神经元放电序列的符号化过程可以描述如下。

设定神经元放电序列记录的开始时间是 0，结束的时间是 *T*，选择一个合适的时间窗 Δt，那么整个时间间隔［0，*T*］能分成 $r(r=T/\Delta t)$ 个时间段，其中每个时间窗最多包含一个动作电位。如果在时间窗内有一个动作电位，那么赋予此时间窗对应的时间段的字符为"1"，否则赋予此时间窗对应的时间段的字符为"0"。这样一个神经动作电位序列可以转化为拥有两个不同字符的长度为 *r* 的序列。

$G=\{a_1,a_2,\cdots,a_m\}$ 是由 *m* 个字符组成的基本字符集，$S=\{S_1,S_2,\cdots,S_s\}$ 是由 *G* 中的字符构成的序列集。用 Θ^l 来标记字符取自基本字符集 *G*，且长度为 *l* 的所有不同序列的集合，则 Θ^l 中所有元素的个数 $m(l)$ 为 m^l。对于序列 $S_k \in S$，设其长度为 L_k，n_{ik}^l 表示 S_k 中与 Θ^l 中第 *i* 个序列相匹配的长度为 *l* 的连续子序列片断的个数（$l<L_k$）。显然，S_k 中长度为 *l* 的子序列总数为：

$$\sum_{i=1}^{m(l)} n_{ik}^l = L_k - l + 1 \qquad (3-18)$$

令 $p_{ik}^l = n_{ik}^l / (L_k - l + 1)$，则可以得到一个分布：

$$U_k^l := (p_{1k}^l, p_{2k}^l, \cdots, p_{m(l)k}^l)^T \qquad (3-19)$$

其中，$\sum\limits_{i=1}^{m(l)} p_{ik}^l =1, l \leqslant L_k$。令 Γ^l 表示所有的满足 $\sum\limits_{i=1}^{m(l)} p_{ik}^l =1$ 的分布集合，即

$$\Gamma^l := \{(p_{1k}^l, p_{2k}^l, \cdots, p_{m(l)k}^l)^T \mid \sum_{i=1}^{m(l)} p_{ik}^l =1, p_{ik}^l \geqslant 0\}, \quad l=2,3,\cdots \quad (3\text{-}20)$$

这样，对于每一个序列 S_k，可以得到一个唯一的分布集：

$$U_k = \{U_k^1, U_k^2, \cdots, U_k^{L_k}\} \quad (3\text{-}21)$$

其中，$U_k^1 \in \Gamma^1, U_k^2 \in \Gamma^2, \cdots, U_k^{L_k} \in \Gamma^{L_k}$。这个集合 U_k 中包含一条序列 S_k 的所有结构信息。特别地，$U_k^{L_k}$ 唯一地表示了这条序列，所以称集合 U_k 为序列 S_k 的一个子序列分布全集。任意两条结构不同的序列对应两个不同的子序列分布全集，同时，两个不同的子序列分布全集必然来自两条结构特征不同的序列。因此，子序列分布全集给出一种描述序列的方法，并且与序列之间满足一一对应关系。

这些集合 U_k 间的差异即序列之间所有子序列结构的差异，所以一个合理的度量序列间差异的方法就是给出一种能够通过比较子序列分布之间差异的方法，该方法能有效地度量序列的子序列分布全集之间的差异。

对于一组给定的序列 $S = \{S_1, S_2, \cdots, S_s\}$，可以得到下面一组子序列分布：

$$\begin{aligned} U_1^l &= \{p_{11}^l, p_{21}^l, \cdots, p_{m(l)1}^l\}^T \\ U_2^l &= \{p_{12}^l, p_{22}^l, \cdots, p_{m(l)2}^l\}^T \\ &\cdots \\ U_s^l &= \{p_{1s}^l, p_{2s}^l, \cdots, p_{m(l)s}^l\}^T \end{aligned} \quad (3\text{-}22)$$

其中，$\sum\limits_{i=1}^{m(l)} p_{ik}^l =1, k=1,2,\cdots,s$，则基于子序列分布差异而定义的 FDOD 函数为：

$$B(U_1^l, U_2^l, \cdots, U_s^l) = \sum_{k=1}^s \sum_{i=1}^{m(l)} p_{ik}^l \log(p_{ik}^l / \sum_{k=1}^s p_{ik}^l / s) \quad (3\text{-}23)$$

$$B_k(U_{S_1}^l, U_{S_2}^l, \cdots, U_{S_s}^l) = \sum_{i=1}^{m(l)} p_{ik}^l \log \frac{p_{ik}^l}{\sum_{k=1}^s p_{ik}^l / s} \quad (3\text{-}24)$$

基于公式 3-18—公式 3-24 可以定义另一个度量（结构差异率 R）：

$$R(U_{S_1}^l, U_{S_2}^l, \cdots, U_{S_s}^l) = \left(\sum_{k=1}^s \sum_{i=1}^{m(l)} p_{ik}^l \log \frac{p_{ik}^l}{\sum_{k=1}^s p_{ik}^l / s}\right) \bigg/ (s \cdot \log s) \leqslant 1 \quad (3\text{-}25)$$

其中，几个相关计算式类似于 Kullback-Leiber 熵中的定义：$0 \cdot \log 0 = 0, 0 \cdot \log(0/0) = 0$。式中，$s$ 表示序列的个数；l 表示子序列长度。$B(U_1^l, U_2^l, \cdots, U_s^l)$ 和 $R(U_{S_1}^l, U_{S_2}^l, \cdots, U_{S_s}^l)$

表示一组序列间的差异大小，而 $B_k\left(U_{S_1}^l, U_{S_2}^l, \cdots, U_{S_s}^l\right)$ 表示第 k 个序列和所有序列的子序列分布差异平均值之间的差异。

　　下面的例子利用子序列分布差异度量多维数据处理方法来分析蛙视网膜神经节细胞群体在三种静态视觉刺激（棋盘格、垂直光条和水平光条）（图 3-19）下的群体活动模式（Jing et al.，2010）。牛蛙视网膜神经节细胞对这三种视觉刺激的放电活动通过平面多电极阵列进行记录（图 3-20）。

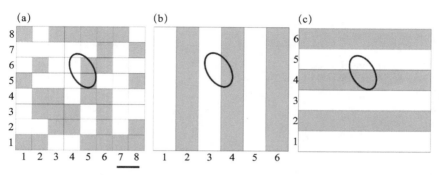

图 3-19　三种静态刺激模式及一例视网膜神经节细胞的感受野轮廓。（a）：棋盘格；（b）：垂直光条；（c）：水平光条。图中椭圆为利用二维高斯分布拟合的神经节细胞感受野的 1 倍均方差（1-SD）（比例尺 200μm）（Jing et al.，2010）

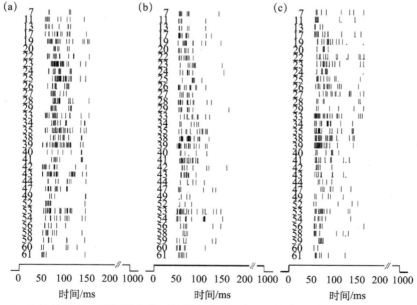

图 3-20　34 个神经元在 3 种不同刺激下的放电序列。（a）：棋盘格刺激下的反应；（b）：垂直光条刺激下的反应；（c）：水平光条刺激下的反应（Jing et al.，2010）

使用 MSDD 方法来分析牛蛙神经元群体在 3 种不同刺激条件下群体反应模式的改变。B_k 值是 MSDD 方法中主要考察的参数。由于计算中的子序列分布实际上代表了这个序列的时间模式，因此如果两个动作电位序列是完全同步的，则它们会有同样的 B_k 值；比较大的 B_k 值意味着第 k 个序列的时间结构与其余序列存在较大的差异。图 3-21（a）中 3 条曲线分别表示 34 个神经元在 3 种静态视觉刺激模式下的 B_k 值连线。在棋盘格刺激下神经元群体活动所对的 B_k 值大于在水平光条和垂直光条刺激下的 B_k 值。根据 MSDD 方法的原理可知，较大的 B_k 值表

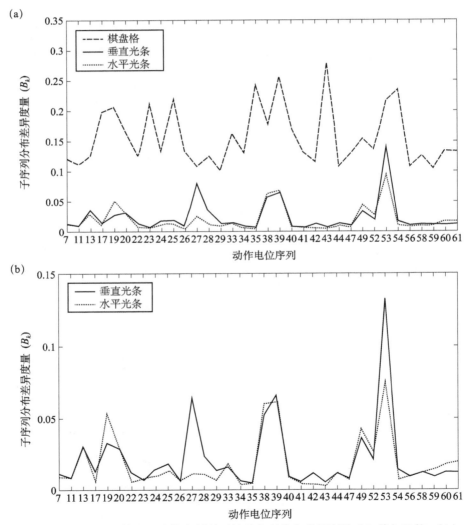

图 3-21 （a）：神经元群体在 3 种静态刺激下的子序列分布差异度量（B_k 值）比较；（b）：神经元群体在垂直光条和水平光条下的子序列分布差异度量（B_k 值）比较（Jing et al.，2010）

示神经元群体放电活动在棋盘格刺激下具有较弱的协同性。但是，对于神经元群体中的多数神经元来说，两种光条刺激下的 B_k 值相似。为了更清楚地观察两种光条刺激下神经元群体活动模式的不同，去掉棋盘格刺激下的 B_k 值做进一步的分析〔图 3-21（b）〕。尽管大多数的神经元在这两种光条刺激下的 B_k 值相似，但是有一小群神经元（#19、#27 和 #53）在两种光条刺激下的 B_k 值显著不同。

（三）相关指数

相关指数（correlation index）由迈斯特等提出，用来计算神经元群组内的时间相关程度（Schnitzer & Meister，2003），在计算前首先需要依据神经元之间的时间相关性进行分组。

其计算原理如下：首先对放电序列取时间窗，进行 0/1 化，每个时间窗内有 1 个或以上放电为 1，否则为 0，时间窗的选择取决于想要囊括的时间相关尺度，这里选取 2ms 的时间窗，即考虑神经元之间有较强的同步放电，形成短时程相关。假设神经元 A 和神经元 B 某一时刻同步放电，那么会在同一时间窗内出现 1，构造序列 AB，提取两条序列同时放电的时间序列，以及序列 AB' 和序列 $A'B$，分别代表仅有 A 或仅有 B 单独放电的时间序列，这样两条序列共同携带的信息和分别携带的信息就被分离开来。

根据信息熵的理论，分离前，对 M 个放电序列，存储它们所需要的单位时间窗内最小比特值为：

$$H = -\sum_{i=1}^{M} P_i \log P_i + (1 - P_i) \log(1 - P_i) \tag{3-26}$$

其中，P_i 代表第 i 个放电序列在任意时间窗有动作电位的概率：

$$P_i = \frac{1}{N} \sum_{j=1}^{N} r_j^{(i)} \tag{3-27}$$

其中，N 为时间窗总数，$r_j^{(i)}$ 为第 i 条放电序列在第 j 个时间窗内的值。

将两条序列分离后，形成了三条序列，多一条序列 AB 增加了 H 值，而由于 AB'、$A'B$ 中移除了同步的放电，又减少了这部分的 H 值，最终共同产生的 H 变化为：

$$\begin{aligned}
\Delta H_{AB} &= \log\left[\frac{(1 - P_{AB})(1 - P_A + P_{AB})(1 - P_B + P_{AB})}{(1 - P_A)(1 - P_B)}\right] \\
&\quad + P_A \log\left[\frac{(P_A - P_{AB})(1 - P_A)}{(1 - P_A + P_{AB})P_A}\right) + P_B \log\left(\frac{(P_B - P_{AB})(1 - P_B)}{(1 - P_B + P_{AB})P_B}\right] \\
&\quad + P_{AB} \log\left[\frac{P_{AB}(1 - P_B + P_{AB})(1 - P_A + P_{AB})}{(1 - P_{AB})(P_A - P_{AB})(P_B - P_{AB})}\right]
\end{aligned} \tag{3-28}$$

其中，$P_{AB} = \dfrac{1}{N}\sum\limits_{j=1}^{N} r_j^{(AB)}$，即 A、B 的同步放电率。

如果总的 ΔH_{AB} 为正，那么总 H 值减小，ΔH_{AB} 即减少的存储序列所需要的单位时间窗内的最小比特数。如果两条序列中仅有很少的时间窗同步，即 $P_{AB} \ll P_A, P_B$，那么公式 3-27 可简化为：

$$\Delta H_{AB} \approx P_{AB} \log(P_{AB} / P_A P_B) \qquad (3\text{-}29)$$

P_{AB} 越大，同步性越强，同时 ΔH_{AB} 越大，节省的信息熵越多。ΔH_{AB} 可以指示两条序列之间的时间同步性程度。

对神经元群体的分组由计算所有神经元两两之间的 ΔH_{AB} 开始，其过程如图 3-22 所示，首先选出 ΔH_{AB} 最大的神经元对，即相关性最强的两个神经元，作为一组，然后提取它们同步的放电序列作为一个新的神经元重新参与分组，重复以上两步，直到选取的 ΔH_{AB} 最大值低于所取的阈值为止。这一过程中如果有原经元和由两个原有神经元连接成的新神经元连接为一组，那么就形成三神经元组，两个新神经元连接则形成四神经元组，以此类推。阈值选取方法为，将神经元的放电序列之间移动 1 个时间窗再计算 ΔH_{AB}，这时破坏了神经元之间的时间同步性，选择这一条件下最大的 ΔH_{AB} 作为阈值。

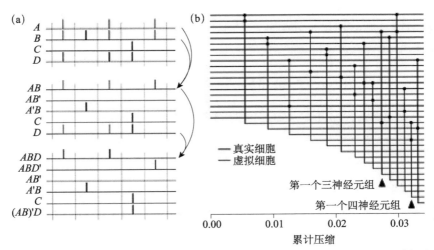

图 3-22　利用相关指数进行神经元群组分类。（a）：神经元 A、B、C、D 经过时间窗分割，A、B 之间的同步性最强，则提取 A、B 之间同步的放电形成新的神经元 AB，加入原有神经元，然后新神经元 AB 与 D 之间的相关性最高，连接 AB 与 D，形成三神经元组成的新神经元 ABD；（b）：水平线代表参与分组的神经元，逐步选取最大 ΔH_{AB} 的神经元对，从左至右连接形成新神经元（红线），连接线的水平偏移代表压缩两个神经元序列节省的信息熵，箭头所指为第一个连接到的三神经元组和四神经元组（Schnitzer & Meister，2003）

通过这一方法，可以将神经元群体按照相关程度的强弱分为两个、三个或更多个神经元的群组，对一组中的 M 个神经元，它们之间的相关指数表示为：

$$C_{1\cdots M} = P_{1\cdots M} / \prod_{i=1}^{M} P_i \qquad (3\text{-}30)$$

其中，同步放电频率为 $P_{1\cdots M}$，如果序列之间不相关，则独立的放电概率为 $P_1 \cdots P_M$，其计算公式为：

$$P_{1\cdots M} = \frac{1}{N} \sum_{j=1}^{N} \prod_{i=1}^{M} r_j^{(i)} \qquad (3\text{-}31)$$

$$P_1 \cdots P_M = \prod_{i=1}^{M} \frac{1}{N} \sum_{j=1}^{N} r_j^{(i)} \qquad (3\text{-}32)$$

神经元群组的相关指数表达为两者的比值，它将神经元之间实际的同步概率与同样放电频率下随机同步的概率相比，评估了神经元群组内的有效相关强度。

利用相关指数的方法对虎蝾螈视网膜神经节细胞在不同刺激下的群体活动进行分析发现（图 3-23）：同一个神经节细胞可以同时参与不同的同步化活动群组，并且在不同视觉刺激下，它所参与的群组也是变化的；另外，同步化活动群组可以包含多个神经节细胞。

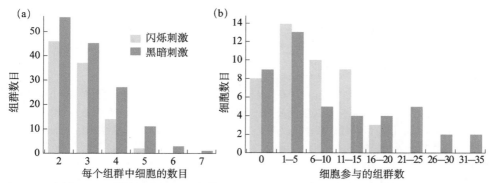

图 3-23　虎蝾螈视网膜神经节细胞的群体活动。（a）：在暗光和闪烁刺激下不同神经元群组数目的统计结果；（b）：每个细胞参与神经元群组数目的统计（Schnitzer & Meister，2003）

三、神经节细胞群体活动与信息编码

虽然神经节细胞间的协同活动已经被广泛地发现和证实，但协同活动的生理功能和重要性还没有完全研究清楚，并且还存在一些争议。一些研究认为神经节细胞很大程度上是相互独立编码的，它们可以独立地通过放电频率、反应延时以及放电序列等结构编码信息，而协同活动对信息编码的贡献非常少（Greschner et al.，2006；Nirenberg et al.，2001）。但是，越来越多的理论研究和实验结果表明，神经节细胞协同活动可以编码一些单个神经节细胞无法编码的信息。

首先，基于信息理论的方法，一些研究定量分析了神经元之间协同活动编码的信息，证实协同活动编码了单个神经元不能编码的信息。例如，施耐德曼等（Schneidman et al.，2006）利用最大熵的模型研究了视网膜神经节细胞之间的弱相关对于整个神经网络和信息编码的重要性。另外，皮洛等（Pillow et al.，2008）利用时间-空间相关模型，并结合信息理论对神经元群体活动进行分析发现神经节细胞之间的相关活动编码了约 20% 视觉场景信息（图 3-24）。

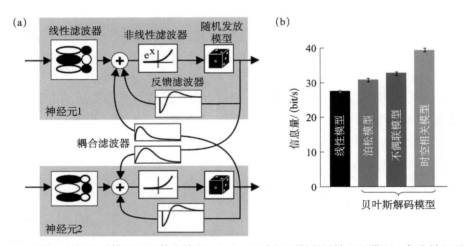

图 3-24 时间-空间相关模型以及信息编码。（a）：两个相互偶联的神经元模型。每个神经元对信息的处理包括线性滤波器、非线性滤波器、反馈滤波器以及耦合滤波器。（b）：根据不同解码模型计算得到的信息量。线性解码仅仅考虑线性滤波器；贝叶斯解码模型（Bayesian decoding model）又可以分为泊松模型（Poisson model，考虑线性滤波器和时域不相关的反馈滤波器）、不偶联模型（Uncoupling model，考虑线性滤波器和时域相关的反馈滤波器）以及时空相关模型（fulll model，考虑线性滤波器以及神经元时间和空间上的相关性）（Pillow et al.，2008）

其次，协同活动可以提高神经节细胞对视觉刺激的分辨力。细胞的感受野可以反映细胞对刺激的反应活动特征。神经节细胞的感受野可以通过基于动作电位发放的刺激平均法（spike triggered average，STA）来计算。一些研究显示，感受野有重叠的神经节细胞更容易形成同步化协同活动（Schnitzer & Meister，2003）。同时，神经节细胞同步化放电的感受野要比单个细胞活动的感受野要小，这提示神经节细胞的协同活动可以编码更高分辨率的空间信息（图 3-25）。另外，药理学实验证明，多巴胺可以提高神经节细胞之间的协同活动，增加神经节细胞的感受野，同时也可以提高神经元群体活动对不同视觉刺激的分辨能力（Li & Liang，2013）。

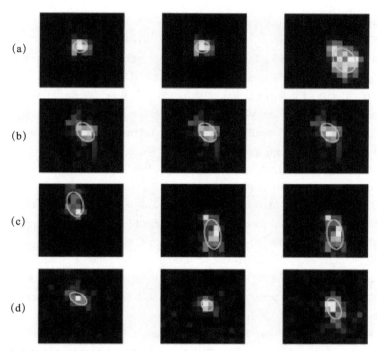

图 3-25　细胞之间的相关性放电对应更小的感受野。（a）—（c）从左到右，前三行对应三个细胞各自的感受野，（d）是三个细胞相关放电对应的感受野。图中椭圆是利用二维高斯分布函数对感受野中心进行拟合得到的轮廓（Schnitzer & Meister，2003）

本 章 小 结

　　视觉是人类和高等动物赖以认识客观世界的主要感觉之一。目前，我们对于视觉通路以及视网膜的解剖结构了解得更清楚。同时，我们对于视网膜信息处理也有了一些基本研究。然而，我们对视网膜如何高效地处理丰富多彩的视觉场景还知之甚少。例如，相对于实验室所用的视觉刺激，自然场景在时间结构和空间结构上都复杂得多，视网膜对于两种刺激编码的方式也一定存在很大差异。随着实验技术（例如多电极技术、双光子成像技术及基因工程的方法）以及大数据分析的发展，我们对于视觉信息的处理会有越来越多的了解。

参 考 文 献

Azouz, R., & Gray, C. M. (2000). Dynamic spike threshold reveals a mechanism for synaptic coincidence detection in cortical neurons in vivo. *Proceedings of the National Academy of Sciences of the United States of America*, *97* (14), 8110-8115.

Bair, W., & Koch, C. (1996). Temporal precision of spike trains in extrastriate cortex of the behaving macaque monkey. *Neural Computer*, *8* (6), 1185-1202.

Barlow, H., B. (1981). The ferrier lecture, 1980: Critical limiting factors in the design of the eye and visual cortex. *Proceedings of the Royal Society of London*, *212* (1186), 1-34.

Bear, M., Connors, B. W., Paradiso, M. (2006). *Neuroscience: Exploring the Brain*. Third Edition. Philadelphia, PA: Lippincott Williams & Wilkins.

Brivanlou, I. H., Warland, D. K., & Meister, M. (1998). Mechanisms of concerted firing among retinal ganglion cells. *Neuron*, *20* (3), 527-539.

Buracas, G. T., Zador, A. M., DeWeese, M. R., & Albright, T. D. (1998). Efficient discrimination of temporal patterns by motion-sensitive neurons in primate visual cortex. *Neuron*, *20* (5), 959-969.

Chen, A. H., Zhou, Y., Gong, H. Q., & Liang, P. G. (2005). Luminance adaptation increased the contrast sensitivity of retinal ganglion cells. *Neuroreport*, *16* (4), 371-375.

DeVries, S. H. (1999). Correlated firing in rabbit retinal ganglion cells. *Journal of Neurophysiology*, *81* (2), 908-920.

Fang, W., Roberts, F. S., & Ma, Z. (2001). A measure of discrepancy of multiple sequences. *Information Sciences*, *137* (1), 75-102.

Field, G. D., & Chichilnisky, E. J. (2007). Information processing in the primate retina: Circuitry and coding. *Annual Review of Neuroscience*, *30* (1), 1-30.

Georgopoulos, A. P., Schwartz, A. B., & Kettner, R. E. (1986). Neuronal population coding of movement direction. *Science*, *233* (4771), 1416-1419.

Greschner, M., Thiel, A., Kretzberg, J., & Ammerluller, J. (2006). Complex spike-event pattern of transient ON-OFF retinal ganglion cells. *Journal of Neurophysiology*, *96* (6), 2845-2856.

Hannula, D. E., Simons, D. J., & Cohen, N. J. (2005). Imaging implicit perception: Promise and pitfalls. *Nature Reviews Neurosience*, *6* (3), 247-255.

Hopfield, J. J. (1995). Pattern recognition computation using action potential timing for stimulus representation. *Nature*, *376* (6535), 33-36.

Jin, X., Chen, A. H., Gong, H. Q., & Liang, P. G. (2005). Information transmission rate changes of retinal ganglion cells during contrast adaptation. *Brain Research*, *1055* (1-2), 156-164.

Jing, W., Liu, W. Z., Gong, X. W., & Gong, H. Q. (2010). Visual pattern recognition based on spatio-temporal patterns of retinal ganglion cells' activities. *Cognitive Neurodynamics*, *4* (3), 179-188.

Kim, K. J., & Rieke, F. (2003) . Slow Na$^+$ inactivation and variance adaptation in salamander retinal ganglion cells. *Journal of Neuroscience*, *23* (4), 1506-1516.

Kohn, A. (2007) . Visual adaptation: Physiology, mechanisms, and functional benefits. *Journal of Neurophysiology*, *97* (5), 3155-3164.

Konig, P., Engel, A. K., & Singer, W. (1996) . Integrator or coincidence detector? The role of the cortical neuron revisited. *Trends Neuroscience*, *19* (4), 130-137.

Lettvin, J. Y., Maturana, H. R., McCulloch, W. S., et al. (1959) . What the frog's eye tells the frog's brain. *Proceedings of IRE*, *47* (11), 1940-1951.

Li, H., & Liang, P. J. (2013) . Stimulus discrimination via responses of retinal ganglion cells and dopamine-dependent modulation. *Neuroscience Bulletin*, *29* (5), 621-632.

Li, H., Liu, W. Z., & Liang, P. J. 2012. Adaptation-dependent synchronous activity contributes to receptive field size change of bullfrog retinal ganglion cell. *PLoS One*, *7* (3): e34336.

Malmivuo, J., & Plonsey, R. (1995) . *Bioelectromagnetism: Principles and Applications of Bioelectric and Biomagnetic Fields.* Oxford: Oxford University Press.

Mann, M. D. (2011) . *The Nervous System in Action.* http://www.unmc.edu/Physiology/Mann/ index.html.

McClurkin, J. W., Optican, L. M., Richmond, B. J., & Gawne, T. J. (1991) . Concurrent processing and complexity of temporally encoded neuronal messages in visual perception. *Science*, *253* (5020), 675-677.

Mechler, F., Victor, J. D., Purpura, K. P., & Shapley, R. (1998) . Robust temporal coding of contrast by V1 neurons for transient but not for steady-state stimuli. *Journal of Neuroscience*, *18* (16), 6583-6598.

Meister, M., Lagnado, L., & Baylor, D. A. (1995) . Concerted signaling by retinal ganglion cells. *Science*, *270* (5239), 1207-1210.

Merhav, N., Kaplan, G., Lapidoth, A., & Shamai, S. S. (1994) . On information rates for mismatched decoders. *IEEE Transactions on Information Theory*, *40* (6), 1953-1967.

Montemurro, M. A., Senatore, R., & Panzeri, S. (2007) . Tight data-robust bounds to mutual information combining shuffling and model selection techniques. *Neural Computation*, *19* (11), 2913-2957.

Neuenschwander, S., & Singer, W. (1996) . Long-range synchronization of oscillatory light responses in the cat retina and lateral geniculate nucleus. *Nature*, *379* (6567), 728-732.

Newman, E., & Reichenbach, A. (1996) . The Müller cell: A functional element of the retina. *Trends Neuroscience*, *19* (8), 307-312.

Nirenberg, S., Carcieri, S. M., Jacobs, A. L., & Latham, P. E. (2001) . Retinal ganglion cells act largely as independent encoders. *Nature*, *411* (6838), 698-701.

Oizumi, M., Ishii, T., Ishibashi, K., Hosoya, T., & Okada, M. (2010) . Mismatched decoding in the brain. *Journal of Neuroscience*, *30* (13), 4815-4826.

Pillow, J. W., Shlens, J., Paninski, L., Sher, A., Litke, A. M., & Chichilnisky, E. J. (2008) . Spatio-temporal correlations and visual signalling in a complete neuronal population.

Nature, *454*（7207），995-999.

Rahman, M. L., Aoyama, M., & Sugita, S.（2007）. Topography of ganglion cells in the retina of the duck（Anas platyrhynchos var. domesticus）. *Animal Science Journal*, *78*（3），286-292.

Sakurai, Y.（1999）. How do cell assemblies encode information in the brain? *Neuroscience & Biobehavioral Reviews*, *23*（6），785-796.

Schneidman, E., Berry, M. J., 2nd, Segev, R., & Bialek, W.（2006）. Weak pairwise correlations imply strongly correlated network states in a neural population. *Nature*, *440*（7087），1007-1012.

Schneidman, E., Bialek, W., & Berry, M. J.（2003）. Synergy, redundancy, and independence in population codes. *Journal of Neuroscience*, *23*（37），11539-11553.

Schnitzer, M. J., & Meister, M.（2003）. Multineuronal firing patterns in the signal from eye to brain. *Neuron*, *37*（3），499-511.

Schwartz, A. B.（1994）. Direct cortical representation of drawing. *Science*, *265*（5171）：540-542.

Schwartz, G., Taylor, S., Fisher, C., Harris, R., & Berry, M. J.（2007）. Synchronized firing among retinal ganglion cells signals motion reversal. *Neuron*, *55*（6）：958-969.

Shannon, C. E.（1950）. The mathematical theory of communication. *Bell Lab Technical Journal*, *14*（27），379-423.

Shen, W., & Jiang, Z.（2007）. Characterization of glycinergic synapses in vertebrate retinas. *Journal of Biomedical Science*, *14*（1），5-13.

Shlens, J., Rieke, F., & Chichilnisky, E.（2008）. Synchronized firing in the retina. *Current Opinion in Neurobiology*, *18*（4），396-402.

Thorpe, S., Delorme, A., & Van Rullen, R.（2001）. Spike-based strategies for rapid processing. *Neural Networks*, *14*（6-7），715-725.

Tian, N.（2004）. Visual experience and maturation of retinal synaptic pathways. *Vision Research*, *44*（28）：3307-3316.

VanRullen, R., Guyonneau, R., & Thorpe, S. J.（2005）. Spike times make sense. *Trends Neuroscience*, *28*（1），1-4.

Victor, J. D.（2005）. Spike train metrics. *Current Opinion in Neurobiology*, *15*（5），585-592.

Victor, J. D., & Purpura, K. P.（1996）. Nature and precision of temporal coding in visual cortex: A metric-space analysis. *Journal of Neurophysiology*, *76*（2），1310-1326.

Wu, S., Nakahara, H., & Amari, S.（2001）. Population coding with correlation and an unfaithful model. *Neural Computation*, *13*（4），775-797.

Xiao, L., Zhang, M., Xing, D., Liang, P., & Wu, S.（2013）. Shifted encoding strategy in retinal luminance adaptation: From firing rate to neural correlation. *Journal of Neurophysiology*, *110*（8），1793-1803.

Xiao, L., Zhang, P. M., Wu, S., & Liang, P. J.（2014）. Response dynamics of bullfrog ON-OFF RGCs to different stimulus durations. *Journal of Computation Neuroscience*, *37*（1），149-160.

第四章

多模态信息的整合机制及临床应用

在日常生活中，大多数事件同时传递着多种感觉信息（如同时发出光、声、气味等）。这些信息通过不同的感官通道（视觉、听觉、味觉、嗅觉、触觉、前庭、本体感觉等）进行表征，然后输入大脑进行进一步处理。不同感觉的相关信息在大脑中存在跨模态相互整合，能够在刺激信息微弱、背景噪声大等不利条件下增强神经系统从纷繁复杂的环境中检测信号的能力，最终形成对事物的统一知觉。这对动物的感知、运动、学习记忆、决策及其对周围环境的适应等至关重要，因此多模态感知在认知科学、行为科学和神经科学等方面受到广泛关注。在过去的十几年，多感觉整合研究领域吸引了一批学科交叉的科学研究人员，极大地推进了这一研究领域的发展。本章主要从多感觉整合的研究历程和方法、多感觉整合的解剖学基础、整合规律、注意等因素对多感觉整合的影响、整合的发育和老化，以及多感觉整合的应用等方面进行简要阐述。最后，我们以自身运动认知为例对前庭和视觉信息在皮层中整合的神经机制进行简单介绍。

第一节　多感觉整合概述

一、多感觉整合的定义与研究起源

多感觉整合是指利用多种感觉通道信息（如视觉、听觉、嗅觉、触觉、前庭、本体感觉等）对外界进行感知，并有效整合成稳定的知觉（Stein et al., 2009）。举例来说，我们在嘈杂的街道行走时，汽车鸣着喇叭从我们身边驶过，虽然同时传递视觉、听觉信息（图 4-1），但我们并没有将这些不同系统输入的信息形成支离破碎的感觉，相反，我们通常能够准确地判断不同喇叭声来自不同的汽车。因此，在对复杂的外部环境进行感知时，我们的大脑需要对物理世界中不同的对象或事件所引起的刺激进行分类组合，在这一过程中神经系统必须将时程上一致的信号按照刺激的时空结构特性进行整合和分离。值得注意的是，多感觉整合的前提是不同感觉模态的信息必须来自同一物体或事件，大脑在面对不同模态的感觉输入时，会计算和推断这些信息是否源自同一物体或事件，从而决定对信息进行整合还是分离（King & Calvert，2001；Chen & Spence，2017）。

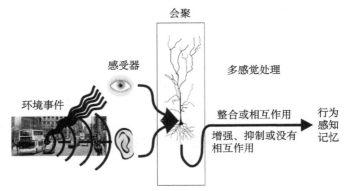

图 4-1　视觉、听觉信息整合模型示意图。（Gowen E. Is multisensory integration altered in autism? http://www.autscape.org/2010/presentations#gowen）

　　尽管我们在生活中随时随地进行多感觉整合，但大多数情况下我们意识不到整合的发生。事实上，人们对于多感觉整合的认识是从一些错觉开始的。例如，①腹语术效应：腹语表演节目中经常出现的木偶，常使人感觉声音来自木偶，而不是旁边的表演者；在电影院里，观众感觉到声音是屏幕中的演员发出，而实际上声音来自分布在影院左、右、前、后侧的音箱。②双闪光错觉：给予被试者一个简短的闪光刺激，伴随"哔哔"两声，受试者会将一个闪光判断为两个闪光的错觉（Shams et al.，2002）。③麦格克（McGurk）效应：音节"ga"在视频中被配音成"ba"，被试者往往会听成"da"（Mcgurk & Macdonald，1976）。④橡皮手效应：人们把手藏在桌子底下，面前则放着一只橡胶做的假手，实验人员同时以同样的方式击打真手和假手，会让被试觉得那只假手就是自己的（Botvinick & Cohen，1998）。⑤身体转移错觉：使用虚拟现实设备使实验对象认为别人的身体是自己的（Riva et al.，2007）。

　　随着研究的深入，心理学家开始关注多感觉整合的统计学规律，并提出和发展了一系列理论。如早期的胜者全得（winner-take-all）理论认为，大脑会自动选择可靠性较高的感觉信息通道，只利用这个通道的信息做出判断，该理论部分地解释了一些多感觉整合的现象，如腹语术效应（Shams & Beierholm，2010）。后期，心理学家结合二项迫选范式（two-alternative forced choice，2AFC）任务与虚拟现实技术分别证实视觉-触觉（Ernst & Banks，2002）、视觉-听觉（Alais & Burr，2004）、视觉-本体感觉（van Beers et al.，1999）以及视觉通道内两种不同感觉信息间（Jacobs，1999；Knill & Saunders，2003）的整合在统计上符合贝叶斯统计最优化模型，也就是说，大脑能够根据每种感觉信息的可靠性程度决定其在整合过程中所占的比例，最终使不同感觉信息在统计上达到最优结合，从而使得基于多感觉信息的认知判断更准确、响应更快速。这些心理物理的研究发展同时也推动神经科学家对感觉整合的内在神经机制进行深入探索。

二、多感觉整合的作用

多感觉整合对我们适应周围环境极为重要，只有各种感觉输入整合之后，我们才可能产生真实而连贯的知觉（Adrian，1928；Stein et al.，1993）。其优势通常可以概括为以下两点。

（一）增强对刺激的检测和识别，降低不确定性

一般情况下，感觉估计受到以下两类错误的影响：一是随机测量误差；二是系统偏差。因此，不同的感觉通道对同一目标特征进行估计时，结论也会有所不同。为了协调这种误差，神经系统必须对来自不同感觉通道的估计进行整合或做出选择（Alais & Burr，2004）。举例来说，视觉系统处理空间信息（如物体的大小、形状、明暗、动静、远近等）具有优势，但对于视野之外或黑暗中的物体信息处理能力则较弱；听觉系统在时间信息处理方面有优势，能够有效地弥补视觉系统的缺陷。而在噪声环境下，视觉信息对听觉信息有非常明显的补偿作用，如在嘈杂的咖啡吧内听台上的演讲者讲话，通过观察演讲者口型的变化可以大幅度提高人对语言信息感知的正确识别率。因而，多感觉整合通过一种感觉模态的输入影响另一种模态信息的处理，从而克服刺激强度低、环境干扰大等困难，弥补单一模态信息的匮乏，增强对事物的感知。

（二）缩短反应时间

通常情况下，人们对双目标（两个目标同时呈现）的反应总是快于对任一单个目标。这种延迟上的差异称为冗余收益（redundancy gain）（Ridgway et al.，2008）。有研究（Forster et al.，2002）发现，相对于单一视觉或触觉刺激，被试对同时给予视觉和触觉的刺激回应更快，并且在视觉和触觉同时呈现下的反应时间也比对同时给予双视觉或双触觉刺激的反应时间更短。

事实上，多感觉整合除了使我们反应更快和使反应精度更高之外，还有助于

提高我们的学习能力（Oakland et al.，1998）。

三、多感觉整合研究中常遇到的问题

多感觉整合研究中最主要的问题可以归纳为两个：多感觉整合究竟发生在大脑的什么地方？整合以什么样的方式进行？对于前者，传统的方法常常采用单电极对单个神经元或小的神经元群体进行电生理记录，根据神经元的放电活动是否可以被多种感觉刺激激活来定位多感觉整合脑区（Meredith & Stein，1983，1985；Stein et al.，1993；Stein et al.，2002）。随着技术的进步以及神经成像技术的广泛应用，一些心理行为实验者常采用功能磁扫描的方法，在同一时刻对多个脑区的神经活动进行研究。而对"如何发生"的问题进行探讨则需要对特定脑区中感觉信息的精确表征进行研究。在目前的神经科学领域，研究者通常采用电生理记录法对单个动作电位进行采样（Meredith & Stein，1983，1985；Stein et al.，1993；Stein et al.，2002），然后进行一系列分析。与功能磁扫描相比，电生理在时间（精确到毫秒）和空间上（精确到毫米）的精度更高。这两种方法分别在时间尺度和空间尺度上对多感觉整合的研究形成互补。我们将在第二节第一部分和第二部分对此进行阐述，并在第四节以自身运动认知为例对多感觉整合的神经机制做详细阐述。

另外，多感觉整合过程中又会受到哪些因素的影响？在第二节第三部分，我们从注意的角度阐述大脑自上而下控制对多感觉整合的影响。除此之外，多感觉研究中还有两个重要的问题——神经元的多感觉能力是如何获得的？其受什么因素影响？我们将在第二节第四部分从多感觉的发育和可塑性方面进行阐述。最后，对多感觉整合的研究除了有助于对大脑认知功能的进一步了解，还有什么实际应用价值？如当一种感觉有缺陷时，如何利用多感觉整合的原理从其他感觉来弥补该感觉导致的缺陷？这些研究将为潜在的医学上的感官恢复提供可能，从而为那些遭受感觉障碍痛苦的人群带来希望和帮助。第三节以感觉替代装置为例阐述多感觉整合研究的临床应用。

第二节　多感觉整合的神经机制研究

一、多感觉的解剖结构基础

人类在进化过程中，为了适应外界不断变化的环境，大脑会对不同刺激做出

不同的反应。而外界刺激经过不同的感受器和感觉通路传入中枢神经系统，到达大脑皮质进行加工，从而产生感觉。传统意义上，大脑对不同感觉刺激的加工和分析是在不同的感觉皮层中独立进行的，比如视觉的加工和分析在枕叶，听觉的加工和分析在颞叶，躯体感觉的加工和分析主要在顶叶。由于早期对整合部位的研究主要是通过电生理记录的方法检测特定区域的神经元放电活动是否可以被多种感觉刺激激活，在初级感觉皮层很少观测到不同模态之间的相互作用，因此 20 世纪 80 年代末 90 年代初的主流观点是，感觉信息的会聚发生在高级联合皮层区域和一些特化的皮层下结构（Felleman & Van Essen，1991；Stein et al.，1993），如图 4-2（a）所示。但之后许多新发现表明，多感觉整合比这更复杂，一些初级皮层也涉及多感觉整合，如图 4-2（b）所示。那么这些不同皮层区域在多感觉整合过程中的作用主要是什么呢？接下来，我们将分别从联合皮层、皮层下区域以及初级皮层的角度对其在感觉整合中的作用进行阐述。

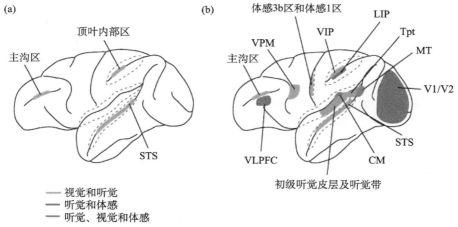

图 4-2　多感觉皮层。(a)：传统意义上的灵长类多感觉皮层；(b)：目前公认的皮层多感觉区域。图中彩色区域表示有电生理或解剖学证据的多感觉相互作用区域。在 V1 和 V2，多感觉相互作用似乎只局限于周边视野。虚线区域表示沟回展开示意图（Ghazanfar & Schroeder，2006）

（一）联合皮层在多感觉整合中的作用

联合皮层包括颞叶联合区、顶叶联合区、前额叶联合区。这些区域主要跟知觉有关，其解剖连接方式使得它们不只对单一模态的刺激有反应。

1）颞叶联合区：有研究（Desimone & Gross，1979）发现，颞上沟（STS）的一个颞区中的神经元对视觉、听觉和体感刺激都有反应，这个区域被称为颞上平面（STP）（详见 Baylis et al., 1987; Bruce et al., 1981; Hikosaka et al., 1988）。STP 与一些高级视觉皮层区相连，如后顶叶视觉区（Cusick et al., 1995; Seltzer & Pandya, 1994）和颞叶视觉区域（Kaas & Morel, 1993），也与听觉皮层区域（Pandya & Seltzer, 1982）和后顶叶皮层（Lewis & van Essen, 2000; Seltzer & Pandya, 1994）相连。STS 也与前额叶有各种各样的联系（Cusick et al., 1995）。人体影像学实验也证实 STS 区具有多感觉会聚的特性（详见 Barraclough et al., 2005）。有研究（Ghazanfar, 2009）发现，STS 与听皮层之间的相互作用对于灵长类之间的通信交流有着非常重要的作用。

2）顶叶联合区：后顶叶皮层有许多不同的区域，包括 LIP 和 VIP 区域。这些区域在功能上相连，对感兴趣的物体位置进行表征（Colby & Goldberg, 1999），并将感觉信息投射到前额叶、前运动区和视觉运动区转化成与手眼运动相关的信号（Rizzolatti et al., 1997）。LIP 的神经元具有多感觉整合的特性（Cohen et al., 2005; Gottlieb, 2007; Russ et al., 2006），其解剖连接方式（Andersen et al., 1990; Blatt et al., 1990; Lewis & Van Essen, 2000）与 LIP 神经元展现出来的有关眼位置和视觉输入的多模态特性一致（Cohen et al., 2005; Gottlieb, 2007; Russ et al., 2006）。LIP 的腹侧部分接收 MT 的视觉输入和听皮层尾状带区域的听觉输入（Andersen, 1997），并与额叶眼动区（frontal eye field）（Schall et al., 1995）一起，处理空间相关信息（Andersen, 1997），而 LIP 的背侧部分与颞下皮质中物体识别有关的通路相联系（视觉腹侧通路）。类似地，VIP 的神经元也表现出典型的多感觉特性（Avillac et al., 2007; Bremmer et al., 2002; Chen et al., 2011a; Duhamel et al., 1998; Schlack et al., 2005）。VIP 接收来自后顶叶 5 区、7 区、S2 区域中岛叶皮层的输入，以及少量来自 PO（parietal-occipital area，顶叶枕叶区）和 MST（medial superior temporal area，内侧上颞区）的输入（Lewis & Van Essen, 2000），也接受来自背外侧听觉带和听觉皮层的输入（Hackett et al., 1998）。

3）前额叶联合区：位于额叶前运动皮层，包含对体感、听觉和视觉有反应的细胞（Fogassi et al., 1996; Graziano, 1999; Graziano et al., 1994; Graziano et al., 1999）。体感反应主要由 S2、顶叶腹侧体感区（Disbrow et al., 2003）以及后顶叶皮层如 5 区、7a、7b、AIP（anterior intraparietal area，顶叶内前部区）和 VIP 区介导。视觉输入主要来自后顶叶区域。听觉皮层也对前运动皮层的前端有投射（Hackett et al., 1999; Romanski et al., 1999）。而位于前运动皮层的前额叶在时间整合过程中起着非常重要的作用，并与评价、认知等功能相关：有研究（Sugihara et al., 2006）发现，猴的前额叶腹侧皮层神经元能够对猴的叫声刺激与猴的图像刺激进行整合。额叶皮层的额眶皮质（orbital）和腹侧区域以及海马区域也存在对嗅觉和味觉整合的神经元（Gottfried & Dolan，2003；Small & Prescott，2005）。

（二）皮层下区域在多感觉整合中的作用

皮质联合区在向下投射参与机体反应和运动的过程中往往会携带多感觉整合的信息，因此一些皮层下的区域也具有多感觉整合的特性。位于中脑部位的上丘（superior colliculus，SC）（图4-3），是皮层下除嗅觉外所有感觉的重要整合中枢，包含白质和灰质交替的七层结构，表层接受视觉信号，深部的很多神经元接受来自皮层下和额外皮层的视觉、听觉、本体感觉神经的会聚，传出神经连接至脊髓、小脑、丘脑，并通过外侧膝状体连接枕叶，参与肌肉运动的空间定位和方位感知，依赖于大脑外侧裂和裂上沟的反应来整合不同模态的感觉信息，从而控制眼和头的运动（Jiang et al.，2007）。

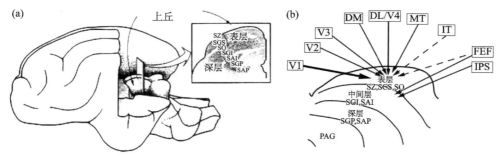

图 4-3 上丘及其输入连接图。（a）：上丘在大脑中的位置图示及其分层（Stein & Meredith，1993）；（b）：上丘的输入连接，其中 V1 为初级视觉皮层，V2 为二级视觉皮层，V3 为三级视觉皮层（Cerkevich et al.，2014）

猫的上丘深层富含高比例的多感觉神经元，为研究感觉信息的整合提供了理想模型（Stein & Stanford，2008），目前关于多感觉整合的生理学机制研究有不少来自猫的上丘。每一种感觉模态在上丘脑深层各自形成一个精确的拓扑空间分布，从而使上丘不同部位的神经元可以感受来自外界对应空间（或相应身体位置）的刺激（Royal et al.，2010；Yu et al.，2016），并进一步统一到上丘的运动拓扑分布中（Benedetti，1995）。上丘多感觉神经元具有不同模态的多重感受野：空间和时间一致的视觉信息和听觉信息会聚到同一个视听双模态神经元上，同时落入兴奋性感受野内时，可以诱发神经元产生强烈的电活动，超出了单独的视觉或听觉刺激引起的反应，甚至超出了两者之和，进而使反应增强（图4-4）；反之，如果视觉或听觉任何一个刺激在兴奋性感受野之外，就会使神经元的活动受到强烈的抑制（Stein & Stanford，2008）。这些特性是上丘多感觉神经元进行信息整合的基础。

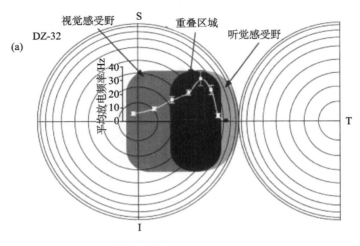

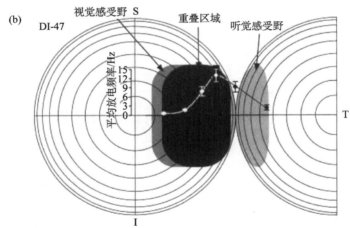

图 4-4 上丘多感觉神经元感受野示意图。(a)：视-听多感觉神经元的感受野（阴影部分）和在感受野不同部位诱发的视觉反应。最暗的阴影部分表示视觉和听觉感受野重合部位。(b)：另外一个视听神经元的感受野和听觉反应图，值得注意的是，在两个感受野重合的地方可以诱发最强的听觉反应（Kadunce et al., 2001）

（三）初级皮层在多感觉整合中的作用

多感觉整合一度被认为发生在大脑高级皮层区域，随着研究的进行，尤其是功能磁扫描的应用，很多以往被认为是单模态感觉的皮层区实际上可能是多感觉的，如听皮层对触觉和听觉刺激均存在反应（Foxe et al., 2002）；单纯听觉刺激可以激活初级视皮层，同样，单纯视觉刺激也可以激活初级听皮层（Martuzzi et al., 2007）。有学者（Bizley et al., 2007）对雪貂进行实验证实，有相当比例的听皮层（包括初级听皮层）细胞对听觉和视觉刺激信息产生整合反应。并且，这些跨模态影响不仅在自然刺激的情况下发生，即使在非常简单的人工刺激条件下也有发生（Bizley & King, 2008; Cappe et al., 2007; Kayser et al., 2008; Lakatos et al., 2007）。在猴脑中使用顺行和逆行示踪剂发现初级听皮层（A1）、尾状听觉带区以及 STP 的多感觉区对初级视皮层（V1, Brodmann 17 区）有直接投射（Falchier et al., 2002），而次级听皮层对初级和次级视皮层都有投射（Rockland & Ojima, 2003）。

对于初级皮层在多感觉整合中的作用，目前一般认为其输入主要来自多感觉功能区到单感觉功能特异区的反馈连接，从而把空间上相隔很远的两个脑区联系在一起，在多感觉整合中起调节作用。例如，在初级听皮层或接近初级听皮层的处理阶段，听觉信息的处理即受到视觉（或体感）信息的调节。因为声音大都伴随着其他感觉因素，这些多感觉输入可能有助于增强对声音的反应，使声音更有效、更容易被听到，但也可能用来选择性地塑造听皮层神经元对事件发生的位置或来源确认的感受野特点。

二、整合规律

对多感觉线索整合规律的探讨一直是研究者关注的焦点。由于不同感官是从不同角度、以不同形式获取物体或事件某方面的线索信息，而且这些线索夹杂噪声，因此没有一种感官系统能够在所有情况下都正确地感知和行动。例如，不同物体很可能因为摆放位置和倾斜角度的关系而产生相同的视网膜成像，而同一物体的不同角度也会产生不同的视网膜成像；另外，感官通道的可靠性也会随环境的变化而改变，例如对于一个同时发出视觉和听觉刺激的物体进行定位，在光线好但嘈杂的白天，视觉线索占优势，而在昏暗、安静的晚上，听觉线索则更加可靠。那么，人类是如何根据不同的感觉线索整合，弥补各自的缺陷，从而确切地进行感知的呢？

（一）分配问题

首先，多感觉信息整合时，大脑如何决定两个刺激来自同一个对象（即分配问题）？如图 4-1 所给的例子：我们在嘈杂的街道行走时，汽车鸣着喇叭从身边驶过，我们如何准确判断不同喇叭声来自不同的汽车？一般认为，时空同步的多模态信息在知觉上被认为来自同一个信息源。

视觉和听觉的空间位置越接近，越容易发生多感觉整合。反之，当刺激源的空间距离过远时，很可能是不同事件，生物体可能会把其中一个或若干个刺激当作无关事件，对之不予注意。研究表明，发生整合的条件之一是起源于同一物体或事件的相关刺激信息的恰当整合，而不是简单的信息联合（Kadunce et al., 2001；Meredith & Stein，1996）。

在现实世界，来自不同感觉通道的事件所产生的信号不仅在空间上一致，而且通常在接近的时间出现（Senkowski et al., 2007）才能进行整合，同步是整合产生的必要条件。有研究（Frassinetti et al., 2002）发现，在呈现亮度阈值下的视觉刺激的同时，在相同的空间位置呈现无关的声音刺激，被试对视觉刺激的敏感性将增强；但是，如果将两种感官线索在空间分离或者使其开始呈现时间相差500ms以上，则这种敏感性增强效应将消失。有学者（Calvert et al., 2000）使用功能磁扫描技术考察言语感知中的视听交互，发现和单一通道刺激相比，双通道视听刺激条件下，颞上沟后部的激活程度增强，但是这种增强仅限于视觉和听觉信号同步的情况。时间效应与空间效应类似，时间相近的刺激会引起多感觉整合的增强，当不同刺激在时间上重叠时，整合的效应最强。

（二）参考系问题

在对事物进行感知时，我们总是要使用某个特定标准才能进行判断，这个特定标准叫作感知的参考系。一般情况下，空间知觉的参考系可分为以知觉者以外的事物所建立的参考系（如东、西、南、北的方向是以太阳出没的位置和地磁为参考系所建立的方位）和以感知者自己为中心的参考系（如对上下、左右、前后的判断通常是以自我中心为参考系而做出的）。在一定的时间和空间里，感知者总占据着空间的一个位置，其感觉信息往往是以个人为参考系而进行处理的。然而，不同的感觉通道进行空间属性估计时运用不同的参考坐标系，如视觉对物体的感知往往是以眼中心为参考系，而听觉对空间的感知往往以头中心为参考系。那么不同感觉通道信息间的整合是如何进行坐标系的转换，从而对信息进行整合呢？

一部分人认为，两种信号需要转化成一个共同的参考系（Cohen & Andersen，2002）。德内夫等（Deneve et al., 2001）结合多感觉信息整合行为及神经成像证据，提出多感觉整合神经网络模型，该模型由三个输入层和一个多感觉整合层组成，输入层分别为视觉输入层、听觉输入层，以及编码头部坐标的姿势层。在每一次迭代加工中，以眼中心为参考系的视觉信息、以头部中心为参考系的听觉信息和以躯体为参考系的头部位置信息输入多感觉层进行信息转换并加工。同时多感觉层的活动又被反馈到输入层，从而实现头部中心坐标和眼中心坐标的相互转换。

但这并不适用于所有的多感觉整合现象。如 VIP 是一个多感觉区域，该皮层区域的神经元往往对视觉、前庭和听觉刺激都有反应。单个 VIP 神经元对触觉信号的编码以头部中心为参考系，对视觉信息的编码则介于以眼部中心为参考系和以头部中心为参考系之间的参考系，而对前庭信号的编码则以躯体中心为参考系（Avillac et al.，2005；Chen et al.，2013a，2013b）。这些结果说明多感觉整合可能并不需要同一个参考系（Beck et al.，2011；Deneve et al.，2001；Meyer et al.，2013）。为此，一些学者提出泊松样群体概率编码神经网络模型（Beck et al.，2011；Meredith & Stein，1983）来解释多感觉单元如何进行最优统计判断（图 4-5）：该网络有两个输入层，没有中间的通用参考系，不同情况下有不同的标准参考系，比如判断物体的位置，根据眼位置信息将以眼部中心为参考系转化为以头部中心为参考系。大多数多感觉单元以中间参考系来表征感觉信息，这与在 MSTd 和 VIP 的电生理结果一致（Avillac et al.，2005；Chen et al.，2013a，2013b；Fetsch et al.，2007）。神经元群体以泊松的形式将多感觉单元的活动整合起来，以不同于任何群体的参考系来重新表征感觉信息（Beck et al.，2011；Deneve et al.，2001；Fetsch et al.，2007）。与感觉整合相比，参考系的转化需要更加复杂的神经计算，包括二次非线性和多重归一化（Beck et al.，2011），从而实现来自不同参考系的感觉信号之间的最优组合。

虽然感觉信息首先以自我中心为参考系进行编码，但是对环境的稳定性感知则提示信息在大脑中以非自我中心为参考系。如人的头部位置改变时（头直立或歪头）并不影响视觉信息对物体相对于重力方向的空间朝向判断。这说明大脑采用了重力信号（前庭/躯体信息）将视觉信息从以眼部中心为参考系转化为重力参考系。最近在猕猴尾端顶内沟区（CIP）上发现，神经元对物体表面方向的选择性能够被重力信号修改，使得其表面偏好方向以头部中心为参考系。图 4-5 中的模型不仅能在中间层再现这一发现，还能在输出层产生一个纯粹的以非自我中心为参考系，从而也能对此进行很好的解释。

（三）统计学概率问题

多感觉整合研究中的另一个重要问题是多模态感觉信息是按照什么规律进行整合的。人在感知外部世界时是利用了多种线索的，这些线索有的来自同一感官通道，有的则来自不同的感官通道。人类如何对不同感觉信息进行取舍来获取正确的估计？另外，感官通道的可靠性也不恒定，会根据环境的变化而改变。人类是如何根据不同的线索来确切地进行感知的呢？

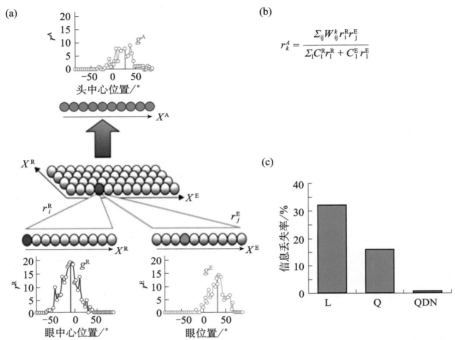

(b)
$$r_k^A = \frac{\Sigma_{ij} W_{ij}^k r_i^R r_j^E}{\Sigma_i C_i^R r_i^R + C_i^E r_i^E}$$

图 4-5　泊松样群体概率编码和参考系转换。（a）：参考系转换的神经网络，一群表征眼睛位置的神经元负责将以眼部中心为参考系的物体位置信息转变成以头部中心为参考系。该网络有两个输入层（底层）采用类泊松的群体概率编码来表征眼中心位置的物体（r^R；蓝色）和头部的眼位置（r^E；红色）。反应曲线表示的是某个神经元对于单个物体位置和眼位置的反应。反应的高度表示群体增益（g^R 和 g^E），与刺激的可靠性成正比。两个输入层通过一个中间层进行组合，用于计算顶部的输出层，即以头部中心为参考系物体位置。输出层也是采用泊松群体编码的方式来表征物体位置，根据归一化理论，其增益（g^A）小于任何输入层。（b）：方程表达的是输出层的活动（r^A）可以等价于各种输入活动（r^E 和 r^R）的加权积（二次非线性）除以各种输入活动的加权和（归一化）。此处，W 和 C 是权值参数。（c）：通过计算真实的后验和输出层的后验之间的差异来获得模拟神经网络中的信息丢失百分比，跟采用什么样的神经网络计算方法有关。采用（a）中二次非线性和分解归一化（quadratic divisive normalization，QDN）的方法，网络丢失的信息少于 1%。只有二次非线性，丢失 16% 左右的信息。既不采用二次非线性也不采用归一化，丢失 32% 左右的信息。这说明二次非线性和归一化在参考系转换过程中维持信息方面有着重要的作用（Beck et al.，2011）

　　早期的"通道精确"理论（Welch et al.，1986）认为在不同情境下哪种感觉更精确更合适，感知活动就以哪种感觉为主。比如，视觉系统对空间信息有较好的分辨率，因而在处理空间信息相关的任务中，视觉就占主导地位，也称为"视觉捕获"（vision capture）（Ernst，2004；Welch et al.，1986；文小辉等，2009）；另一个比较典型的例子是，在电影院看电影时，虽然声音来自墙壁上的音箱，但人们往往会认为声音是从演员的嘴里发出来的。而在跟时间相关的任务中，听觉对时间的分辨率往往高于视觉，因而起着主导作用，这被称为"听觉捕获"（audition capture）（Ernst，2004；Welch et al.，1986；文小辉等，2009）。例如前文所提到的双闪光错觉：当呈现一个闪光的同时呈现两个爆破声，被试会报告其知觉到两个闪光（Shams et al.，2000）。"通道精确"理论可以较好地解释多通道条件的很多实验现象，但也存在许多不足，尤其是不能解释观察者常出现的知觉概率性。

随着实验数据的积累和整合理论的完善，研究者提出基于贝叶斯理论的"统计优化模型"，认为当多种感觉线索共同存在时，最终感觉与感觉线索的相对可靠性成正比；而前面所说的"通道精确"理论只是统计优化模型的特例。根据贝叶斯定理，后验概率与先验概率（刺激前环境的可能状态概率）$P(W)$ 以及似然概率（对应环境可能状态的刺激概率）$P(I/W)$ 有关，即 $P(W/I) \propto P(I/W) \times P(W)$；典型例子是厄恩斯特和班克斯（Ernst & Banks，2002）的视觉-触觉多感觉整合实验，他们通过对视觉线索增加噪声来改变其可靠性，根据贝叶斯公式计算出视觉触觉联合估计的预测值，该预测值与实际测得的结果接近。

但是这个统计优化模型在处理某些多感官线索整合的时间因素方面存在一些不足，因而研究者又提出了一种整合的时间窗口模型（time-window-of-integration）（Colonius & Diederich，2004）（详见文小辉等，2009）。该模型认为：当刺激落在一定的时间范围内，即使空间上有一定的距离，也能发生整合。该模型更加灵活，对一些多感觉整合中反应时间缩短的现象进行了较好的解释（Diederich & Colonius，2007）。

三、注意与多感觉整合

长期以来，多感觉整合一直被认为是一个自动发生的过程，随着相关研究的不断深入，越来越多的学者开始意识到多感觉整合也受到自上而下因素的影响，比如注意（Talsma & Woldorff，2005）。

一般情况下，注意可以分为两种形式：内源性注意（endogenous）和外源性注意（exogeneous）。内源性注意（自主注意或目标驱动注意），指根据观察者的行为目标或意图来分配注意（Macaluso，2010）。相反，外源性注意（非自主注意或刺激驱动的注意），指观察者的视野外部的信息所引起的注意定向（Posner et al.，1980）。在视觉系统中，这两种注意被认为是两个不同的系统，有不同的行为效应和各自的神经基础（Berger et al.，2005；Chica et al.，2013；Mysore & Knudsen，2013；Peelen et al.，2004）。外源性注意往往不受认知的影响，不易受到干扰（Chica & Lupianez，2009），效应快而短暂（Busse et al.，2008；Jonides & Irwin，1981；Shepherd & Muller，1989）。神经影像学实验发现，这两种注意是由同一大范围的额叶脑区网络介导的（Peelen et al.，2004）。然而，有研究发现内源性注意往往与背侧注意网络（图4-6 蓝色标示区）有关，而外源性注意与腹侧注意网络有关（图4-6 红色标示区）（Fox et al.，2006）。腹侧注意网络主要包括右侧颞顶交界区（TPJ）、右侧腹侧额叶皮层（VFC）、部分额中回（MFG）和额下回（IFG）。腹侧网络主要参与非自主定向（刺激驱动），从而把注意引向显著事件（Chica et al.，2013；Fox et al.，2006）。背侧注意网络是双侧的，包括顶上小叶（SPL）、顶内沟（IPS）和额叶眼动区（FEF）。背侧网络参与自主定向（自上而下），表现为刺激出现后活动增加从而引导被试者在何时何地注意某个物体（Corbetta & Shulman，2002）。有研究提出假设，认为背侧额顶叶网络参与内源性和外源性注意，而腹侧额叶顶叶参与任务相关事件（Chica et al.，2013；Corbetta et al.，2008）。

注意能够从多个感觉信息中选择感觉信息，以帮助大脑将来自不同感觉的信息整合成一致的认知（Giard & Peronnet，1999）。而多感觉信息的整合增强了信息的显著性，能够在复杂的环境下更有效地吸引注意（Van der Burg et al.，2008）。最近，注意与多感觉整合之间的相互作用引起了人们的关注。虽然到目前为止，两者之间的相互作用机制尚不清楚。有一些研究发现多感觉整合可以独立于注意而进行（Bertelson et al.，2000a；Bertelson et al.，2000b；Spence & Driver，2000；Vroomen et al.，2001a，2001b），而另外一些研究则发现注意可以调控多感觉整合（Alsius et al.，2005；Alsius et al.，2007；Harrar et al.，2014；Talsma et al.，2007；Talsma & Woldorff，2005）。基于此，有学者提出了一个比较全面的相互作用框架（Tang et al.，2016）（图4-6）：认为注意与多感觉整合的相互作用可以归结为以下四个方面。①内源注意选择性：内源性注意可以选择作用于多感觉信息处理的不同层次，从而决定来自不同模态的刺激在多大程度上可以整合。②整合模板：整合的多感觉刺激可以以多感觉模板的方式存于大脑，多感觉事件通过存储在大脑中的多感觉搜索模板进行注意捕获，从而实现自上而下的控制。③整合线索：多模态信息比单模态包含更多的特征信息，从而增加了事件的显著性，提高了搜索的准确性。因此，即使在复杂的环境下，整合的多感觉事件也能更有效地捕获注意。④注意的传播：对某个多感觉对象，内源注意可以通过外源方式从一种模态传至另一模态，从而使得不被注意的模态变得受"注意"。

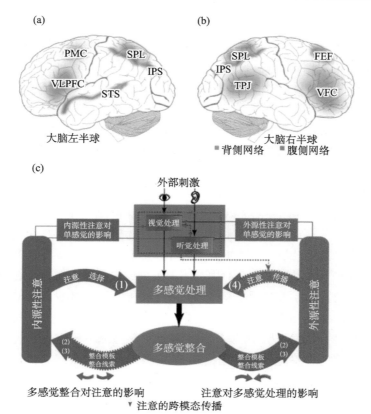

图 4-6　大脑中注意与多感觉整合相互作用框架。（a）：参与多感觉整合的皮层区域（绿色）有 SPL、IPS、STS、VLPFC 和 PMC。（b）：参与外源性和内源性注意的脑区包括 SPL、IPS、FEF、TPJ 和 VFC。内源性注意与注意的背侧神经网络（蓝色区域）有关，而外源性注意与腹侧神经网络（红色区域）有关（Fox et al., 2006）。背侧注意网络是双侧的，参与自主（自上而下）定向，表现为在刺激线索呈现后放电活动增加，从而引导被试者何时何地注意某个东西。腹侧的注意网络是右侧化的，参与非自主（刺激驱动）的定向，表现为在特征目标（尤其是意想不到的目标）呈现后放电活动增加（Chen et al., 2013a；Fox et al., 2006）。（c）：多感觉整合与外源性和内源性注意相互作用的框架。感觉器官接收的外界刺激可以在多个不同层次进行整合（Giard & Peronnet, 1999；Talsma & Woldorff, 2005）。多感觉整合发生在多感觉信息处理的多个阶段。虽然这些多感觉处理过程被认为是自动发生的，注意却不仅仅影响单模态处理，对多模态的影响可以贯穿内源性注意和外源性注意（Tang et al., 2016）

四、多感觉整合的发育和可塑性

（一）发育

相对于多感觉整合行为水平和神经机制研究的蓬勃发展，有关多感觉整合的

个体发育学研究则远远不够。对于人类多感觉发育存在两种较为极端的不同理论
（Wallace & Stein，1997）。一些研究者认为该过程是一个从模态特异性反应发育
到多感觉反应的顺序性过程。根据这种观点，最初婴儿是通过分离的通道来加工
处理来自不同感觉模态的信息的，而将不同感觉联系起来的多感觉整合能力，则
是随着之后经验的积累逐渐发育成熟的。另外一些研究者则认为多感觉发育是一
个相反的过程，也就是婴儿完全是多感觉的，后来才逐个感觉地学习分化信息。
有研究发现，儿童某种特定的感觉占据着主导地位，提示我们多感觉整合的形
成需要大脑不断学习，并且感觉系统之间存在相互校准（Gori et al.，2008；Gori
et al.，2012；Nardini et al.，2013），如患有先天性视力缺陷的儿童通过触觉来判
断物体的朝向时有一定的障碍（Gori et al.，2010）。有学者（Gori et al.，2008；
Gori et al.，2012）探讨了发育过程中的视觉-触觉整合，发现对于超出手臂范围
物体尺寸估计的视觉误差与年龄相关。此外，他们（Gori et al.，2008）把两个短
棒置于被试前方不透明旋转轮的前后两侧，被试通过看前方短棒和触摸后方短棒
判断其旋转方向：成年人视觉信息的权重高于触觉信息；8 岁以前的儿童，则优
先使用视觉信息完成知觉任务，在 10 岁时，策略逐渐演变，基于最大似然估计
进行多感觉整合。数据表明 10 岁之前，孩子不能检测不确定性系统，可能是因
为他们没有足够的多感觉经验（先验知识）。另外，最优多感觉整合的出现依赖
于大脑的成熟，需要经过大约 8—10 年进行改善。

对多感觉神经元发育特性的研究主要来自猫和猴。Wallace 等研究猫的上丘
时发现，刚出生的猫，其上丘并没有多感觉神经元；12 天之后才开始出现听-躯
体多感觉神经元，并且这些神经元不能进行多感觉整合；整合能力大约 28 天后
才形成。而相应的上丘深层多感觉神经元数量也逐渐上升，在 2 个月内达到成年
水平（图 4-7），占神经元总数的 60%—70%（Wallace et al.，1996）。瓦利亚塞等
（Wallace et al.，2006）进一步研究发现，猫出生后，前外侧裂沟（AES）区的不
同感觉进行有顺序的发育成熟：最先是躯体感觉（4 周），然后是听觉（8 周）和
视觉（12 周）。当猫能够对听觉产生反应时，会出现听觉-体觉的多感觉反应；
当对视觉产生反应时，则能够整合与视觉相关的多感觉信息。

与猫不一样的是，猴出生后就有多感觉神经元，甚至相当于成年猴的一半
（Wallace et al.，1996），只是神经元的整合能力还不够成熟（Wallace & Stein，
2001）。

值得注意的是，早期视觉经验对视听整合有很重要的影响：有研究
（Wallace & Stein，2000，2001）发现，在视听刺激一致的环境下，当视听刺激同
时呈现时，猫上丘的神经元反应出现超加性（图 4-8）（Xu et al.，2012）。而当饲
养环境中的视听信息存在一定差异时，上丘的神经元只在特定差异位置上出现超

加性（Wallace & Stein，2007）。这些结果充分证明多感觉整合跟后天的发育、学习相关。

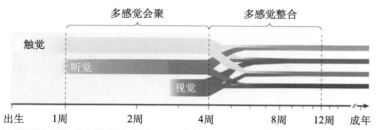

图 4-7 猫上丘深层感觉反应的发育顺序。一些神经元在出生前已经对触觉（躯体感觉）有反应。出生后 1 周内开始对听觉刺激有反应，大约 3 周开始对视觉刺激有反应。尽管早期多感觉神经元对不同的感觉有会聚作用，多感觉整合的真正发生在 4 周左右，然后逐渐发育成熟（Stein et al.，2014）

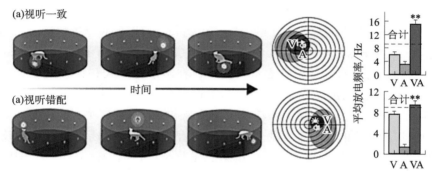

图 4-8 多感觉整合的发育。（a）：（左图）视听一致环境下饲养的猫，视觉和听觉刺激总是出现在相同的时间和地点。（中图）视听一致环境下饲养的猫上丘的示例神经元视觉和听觉感受野；（右图）该神经元在单一感觉（V 和 A）和多感觉刺激（VA）下的反应，显示出明显的超加性。（b）：（左图）随机暴露环境下饲养的猫，视觉和听觉刺激在随机的时间和位点呈现；（中图）随机暴露环境下示例上丘神经元的视觉和听觉感受野；（右图）该神经元在单一刺激和多感觉刺激下的反应，在多感觉刺激下没有显示出超加性（Xu et al.，2012）

（二）老化

多感觉整合需要经过发育与学习获得，那衰老对多感觉整合又有何影响呢？早期的研究表明，老年人并未从多感觉条件中受益（Sommers et al.，2005；Stine et al.，1990；Walden et al.，1993），甚至有报道指出老年人皮层中有抑制多感觉整合反应的现象（Stephen et al.，2010）。然而近期更多研究指出老年人皮层中也存在多感觉整合增强效应，一些研究发现，老年人对多感觉事件有较短的反应时（Diaconescu et al.，2013；Diederich et al.，2008；Helfer，1998；Laurienti et al., 2006；Mahoney et al., 2011；Mahoney et al., 2012；Stein et al., 2002），对于老年人这种改善多感觉整合功能的神经机制在各方面都有讨论（Mozolic et al., 2012），而衰老过程中感觉运动和认知放缓显然无法解释响应时间的加速（Colby & Goldberg, 1999；Laurienti et al., 2006；Peiffer et al., 2007）。有研究发现，响应时间的加速使老年人有更宽的整合时间窗口，帮助其在时间上区分刺激（Diederich et al., 2008），此研究中，老年人整合成功概率低，但成功整合增益更大。一种较为合理的解释是逆效应原则，个别感觉系统灵敏性的降低（如晶状体僵化）结合认知过程中年龄相关的变化能够增加多感觉整合的相对程度（Hairston et al., 2003）。因此，在逐渐衰老的过程中，多感觉整合变得更加重要，因为它能够帮助抵消单感觉退化所引起的多种有害影响。有学者（Mozolic et al., 2012）认为，老年人不能充分过滤感觉噪声，注意力更容易分散，而一旦外部的感觉信息变得相关，老年人就能够从这种背景感觉信息的强化处理中受益。老年人在执行目标指向型任务时不能像年轻人那样有效地抑制默认模式网络（DMN，在大脑处于静息状态时最活跃）的活动，表明老年人处理的背景感觉信息比年轻人更多（Grady et al., 2006；Stevens et al., 2008）。此外，还有学者（Diaconescu et al., 2013）通过脑功能磁共振成像发现，在给予老年人和年轻人视听刺激之后，双方在特定感觉区域都表现出活动增加，而在顶下小叶和内侧前额叶区域则是老年人优先反应，此区域的激活与快速检测多感觉刺激有关，且这些区域的灰质体积随年龄减小的调节，反映出后顶叶和内侧前额叶活动是老年人整合反应的神经基础。但是，对于衰老过程中的多感觉整合，目前的研究还主要停留在行为、功能磁共振成像的研究上，其相应的神经元活动基础还有待进一步研究。

第三节　临床应用：残疾人感觉重塑过程中的多感觉整合

多感觉整合有多方面的应用，如儿童的多感觉统合训练、虚拟运动装置提供多模态刺激对伤残病人进行诊断和康复治疗等等，而比较突出的是一些感觉替代装置的发明。1969 年，有学者发表了一篇简短的文章，提出一个激进的想法：失去某种感觉（如视觉）的人们，可以通过将该感觉信息转化成其他感觉能接收的形式来重新获得失去的感觉信息（Bach-y-Rita et al., 1969）。正如其随后经常强调的，我们用大脑而不是眼睛来看，因此，失去的输入能够通过其他感觉进入大脑，而大脑能够分辨出这些信息哪些方面具有视觉特性。他们通过将视觉图像转换成触觉信号投射在牙科椅的背部，来证实这种理论假设的可能性。图像的白色像素压在皮肤上，黑色则不然，这样感受到这幅图的触觉印象。经过一定的训练，人们就能感受到背部的图像特性，甚至能够对摄像头进行实时反应。这种感觉替代装置（SSD）的研发有很好的应用前景。举例来说，全世界超过 2.85 亿人受到严重视力损伤，其中 4000 万人失明，这对开发有效的视觉康复技术提出了迫切的科学理论和临床需求。

　　由于视觉损伤起源于多种原因，不同的情况需要不同的治疗方案，此外，大多数视觉障碍者生活在发展中国家，经济落后，因此全面的治疗必须价格相对便宜并且易于实现（Held & Hui，2011）。目前已有不少视觉修复方法（参见 Striem-Amit et al.，2011 的综述）。有一些是侵入性的方法，主要是对外周视觉系统进行替换或恢复，如使用人工视网膜假体（Ahuja et al.，2011；Chader et al.，2009；Djilas et al.，2011；Humayun et al.，2012；Rizzo，2011；Wang et al.，2012；Zrenner et al.，2011），基因治疗（Busskamp et al.，2010）或光感受器移植（Yang et al.，2010）。尽管这些方案从长远来看有着很大的前景，但在技术本身和特定病因（沿着视觉通路）方面仍然存在着巨大的障碍，而且成本高昂却只能提供较低的视觉分辨率（Humayun et al.，2012）。此外，即使实现的功能非常有限，这些侵入式康复仍然需要长时间的艰苦恢复。

　　另外一种替代方案是采用感觉替代装置，将视觉信息通过其他未受损的感觉传递到视觉障碍者身上。感觉替代装置是非侵入式的人机界面，在视觉障碍者身上，以预先设定的转换模式将视觉信息以听觉或触觉来进行表征（图 4-9）。

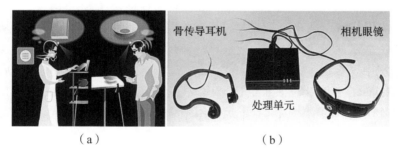

图 4-9　感觉替代装置。（a）：图示通过舌头上的触觉刺激和听觉刺激进行的感觉替代。（b）：简易装置包含一个小的电脑（处理单元）、骨传导耳机和相机眼镜（Maidenbaum et al.，2014）

　　第一个感觉替代系统可能是盲文。这种技术最初作为拿破仑时代军队在黑暗中写作和阅读的一种手段，后来被布莱尔（L. Braille）修改用于将视觉字母转变成触觉符号，从而可以让盲人进行阅读。20 世纪 50 年代发展出一些将文字转变成 Braille 符号的转换器，如 Optacon（Goldish & Taylor，1974）。其中还有一个比较有趣的但是常常被忽略的是 Elektroftalm 曾经试图将视觉图像通过一个或多个传感器以电信号的形式转变成听觉（19 世纪 90 年代后期）和触觉信号（20 世纪 50 年代）（Starkiewicz & Kuliszewski，1965）。这些早期的尝试使得 Bach-y-Rita 在 20 世纪 70 年代能够更加有条理的在方法上进行尝试，这也使他成为感觉替代研究和使用的先驱。该学者专注于触觉装置，特别是他开发的一个"触觉视觉替代器"（tactile vision sensory substitution，TVSS）能够被盲人用来辨认大的字母以及扔过来的球等（Bach-y-Rita，1972），其工作表明这些装置可以作为独立的装置应用于日常生活，提供比较有限的视觉功能，如形状、颜色和位置的感知等。此外，SSD 设备相对便宜，可以适用于全世界视觉损伤者中的大多数人群，甚至是发展中国家以及难以获取高级医疗的人们（Held & Hui，2011）。SSD 对于大多数盲人（问题不出自大脑的视皮层或顶叶部分，而出自眼睛或视网膜等部位）来说具有巨大的非侵入式潜力。此外，对于一小部分患者，其神经节细胞和视觉皮层的视觉通路受损，修复视网膜并不能够将视觉信息传递至大脑，因此 SSD 是这种患者的潜在治疗方案。

那么，使用 SSD 能被认为"看见"吗？与侵入式方法（直观上类似于正常视觉）相比，SSD 的使用能真正被认为是看见吗？虽然有人会说感觉替代装置缺少了一些视觉质量而不是真正的视觉，但是如果看见只是被定义为在大脑中能够对形状、表面特性和周围物体的位置有一个好的表征，并能够以与正常人类似的方式进行交互，那么 SSD 使用者确实是能够看见的（Bach-y-Rita，1972）。有一个失明比较晚的人（曾经有 20 年的正常视觉）在使用了 SSD 时说："你可以在两到三周内形成一个声音印象。大约三个月内你开始看见环境的闪烁，从而识别事物……这是视觉。""我知道看见东西是怎么回事，我记得。"（Pat Fletcher 在一篇盲文论坛中这么说）（Meijer，1992）。来自功能磁扫描的结果显示，后期致盲者使用 SSD 时在视觉物体表征的区域出现显著活动（Amedi et al.，2001），而且这些视顶叶对他们的物体识别有干预作用（Merabet et al.，2009）。

在近期的一些实验中（Striem-Amit et al.，2012），一些先天性失明的成年人在使用 SSD 时其视觉敏锐度[通过斯内伦（Snellen）敏锐度测试]已经超过世界卫生组织定义的失明视力阈值，说明被试者在一定程度上可以看见（图 4-10 给出了更多示例）。此外，有实验结果显示，一小部分的事故致盲者使用 SSD 经过 70 小时的训练，不仅能够利用装置进行阅读，而且能够进行一系列的任务判别（如字母、纹理、面孔、房子、物体、体形、几何形状等），并能执行一些难度较大的任务，如脸部识别等。即使只是经过简单训练，少数事故致盲者还是能够识别图案（Poirier et al.，2007）、进行运动判断和追踪（Chekhchoukh et al.，

2011；Ptito et al.，2009），估测远近和物体距离（Renier & De Volder，2010），通过颜色进行袜子识别和配对（Bologna et al.，2009）等。盲人使用 SSD 能够进行基本的导航，比如在走廊行走和开门，在人体障碍课程上检测和回避障碍（Chebat et al.，2011），沿着有色条的线行走（Bologna et al.，2009），识别不同虚拟路线（Kupers et al.，2010）和在真实的街道上（如楼房、人行道、篱笆和街道）对位置、物体和路标进行识别；能够在房间里寻找物体、区分不同类型的水果、对光源进行定位（Amedi et al.，2007；Capalbo & Glenney，2009；Durette et al.，2008；Kaas & Morel，1993；Reynolds & Heeger，2009）；有些甚至在目标定位时能够手眼协调（Levy-Tzedek et al.，2012），进行套环、保龄球等游戏。当然，需要强调的是，这些结果离完整视觉还很远，但比之前的预期要好，说明 SSD 具有实际应用的价值。

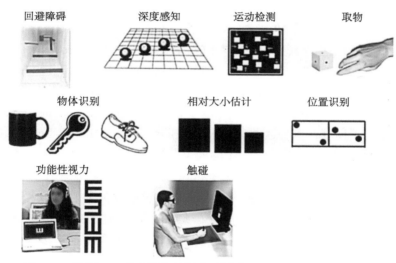

图 4-10　使用 SSD 执行任务的行为示例（Maidenbaum et al.，2014）

第四节　多感觉研究实例：自身运动认知中视觉和前庭信息的整合

在日常生活中，我们需要随时随地对自身运动状态进行感知，称为自身运动认知（self-motion perception）。准确的自身运动认知对我们的生存至关重要，如姿势控制、步态调整、及时回避障碍物和危险等。近年来，虚拟现实和复杂的自身运动接口技术的发展，尤其是高精度的运动跟踪系统和复杂的自身运动模拟器（如跑步机和运动平台）的发展，使控制全身的自身运动刺激（比如本体感觉和前庭感觉）成为可能。研究人员得以在接近自然状态且刺激可以严格操控的条件下进行研究，有些甚至可以营造一些独特的非自然条件（Bulthoff et al., 2001；Loomis et al., 1999；Tarr & Warren, 2002）。因此，对多感觉自身运动认知的研究正成为一个非常令人兴奋的新兴领域。

自身运动认知的形成机制非常复杂，涉及视觉、前庭、本体等多个感觉系统（Ohmi, 1996；Telford et al., 1995）。其中，视网膜上的光流信息对自身运动知觉起着非常重要的作用，单独的光流刺激即可诱发产生自身运动的幻觉（Berthoz et al., 1975；Brandt et al., 1978；Brandt et al., 1973a；Brandt et al., 1973b）：大多数人感受过坐在一列静止的火车上却以为火车在运动的错觉，虽然实际运动的是相邻的火车，但整个外部场景的全局移动诱发了强烈的自身运动错觉。视网膜上的运动图像常常受到眼睛、头部和物体运动的影响，因此自身运动知觉不能单纯地依赖于视觉线索（Banks et al., 1996；Crowell et al., 1998；Royden et al., 1992a；Royden et al., 1992b；Stone & Perrone, 1997；Warren & Hannon, 1990）。另外，前庭系统时时刻刻都在检测头部的空间位置和运动状态，也能提供自身运动的信号（Angelaki, 2004；Angelaki & Cullen, 2008）。有不少研究报道了前庭在自身运动中的作用（Berson et al., 1986；Lentz & Guedry, 1978；Telford et al., 1995）。进一步的人类行为学实验证实被试者能够整合视觉和前庭信息，更好地估测自身运动（Butler et al., 2010；Fetsch et al., 2009；Gu et al., 2008）。这意味着大脑中的某些部位能够整合视觉和前庭输入来计算自身运动。那么这两种信号的整合究竟发生在大脑的什么部位，并以什么样的方式进行整合呢？本节将从参与视觉和前庭整合的脑区、整合的规律、多感觉神经元与感知行为的关系等方面进行阐述。

一、参与自身运动的脑区

哪些区域参与自身运动认知过程中视觉和前庭信息的整合？为找到这些区域，一种方法是沿着视觉通路（图 4-11），在对光流有反应的"视觉"皮层中探索。另一种方法是沿着前庭通路，在"前庭"皮层中看看是否有神经元同时接受前庭和视觉输入。

从视觉通路来看，一些传统的视觉区域，如背侧内上颞区（MSTd）（Duffy & Wurtz, 1991, 1995；Tanaka et al., 1986）、顶内沟腹侧区（VIP）（Schaafsma & Duysens, 1996）、后顶叶皮层（7a）（Siegel & Read, 1997）和上颞多感觉区

（STP）（Anderson & Siegel，1999）对光流都有反应，而 MSTd 和 VIP 是最有可能参与视觉、前庭信号整合的两个区，因为：①它们具有较大的视觉感受野，能够对模拟自身运动的复杂光流刺激有选择性反应（Bremmer et al.，2002；Duffy & Wurtz，1991；1995；Schaafsma & Duysens，1996；Tanaka et al.，1986；Tanaka & Saito，1989）；②在平滑跟踪任务下，眼球运动引起光流会聚焦点发生变化，而这两个区的神经元能够对这种变化产生补偿性反应（Bradley & Mogg，1996；Page & Duffy，1999；Zhang et al.，2004）；③在猕猴的相应脑区进行微电流刺激实验，发现基于光流的朝向判断行为会受到影响（Britten & van Wezel，1998；2002；Zhang & Britten，2003）；④最重要的是，一些电生理实验直接证实了 MSTd 和 VIP 的一部分神经元在全黑的环境下对物理性（非虚拟）的直线运动有方向选择性反应（Bremmer et al.，2002；Bremmer et al.，1999；Chen et al.，2011a；Chowdhury et al.，2009；Duffy，1998；Gu et al.，2006；Schlack et al.，2002；Takahashi et al.，2007），说明前庭信号可能被用来与光流信号进行整合对朝向进行感知。而位于 VIP 和 MSTd 上游的 MT、V6 等区域对前庭刺激没有反应，则不太可能参与视觉-前庭整合（Chowdhury et al.，2009；Fan et al.，2015）。

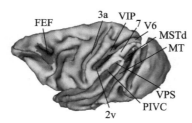

图 4-11　可能参与自身运动认知过程中视觉和 / 或前庭信号整合的皮层区域 [根据 Lewis & van Essen（2000）对猕猴大脑皮层的分区，使用 Caret 软件绘制] http://brainvis.wustl.edu/wiki/index.php/caret:About

前庭系统也存在一些可能参与光流整合的位点，如在前庭信息处理的高级阶段，存在几个相互连接的皮层区域，称为前庭皮层（Fukushima，1997；Guldin & Grusser，1998），主要包括：① 2v 区域，在顶叶沟的尖端，位于区域 2、5 和 7 的过渡带（Buttner & Buettner，1978；Fredrickson et al.，1966；Schwarz & Fredrickson，1971）；②顶岛前庭皮层（PIVC）和视后裂区（VPS），介于听觉和次级体感区（Grusser et al.，1990a，1990b）；③ 3a 区，位于中央沟并延伸到中央前回（Guldin et al.，1992；Odkvist et al.，1974）。通常这些区域被认为接收多种感觉的输入，包括视觉、前庭、体感 / 本体感觉信号，然而采用与在 VIP 和 MSTd 能诱发很强方向选择性的相同刺激（Chen et al.，2011a；Gu et al.，2006），在 PIVC、2v 区并没有检测到对光流的反应，因而 PIVC 和 2v 不太可能参与前庭和光流的信息整合

（Chen et al.，2010）。其上游的丘脑也几乎没有任何对光流反应的细胞（Meng et al.，2007），下游的 VPS 区域则有较弱的光流反应（Chen et al.，2011b），与丘脑和多感觉皮层相互连接的 FEF 也有一定视觉和前庭反应（Gu et al.，2016）。

当然，其他皮层区域也可能参与光流和前庭的信息整合，对自身运动认知相关的脑区尚需进一步探索。

二、朝向选择性

达菲等（Duffy et al.，1998）首次报道了 MSTd 中存在对前庭直线运动的反应，在此基础上，有学者采用自制的虚拟现实系统［图 4-12（a）］，在多个皮层区域对神经元在视觉和前庭刺激下的反应特性进行了考察。为了较好地比较多感觉细胞对视觉和前庭的反应特性，通常采用三种形式刺激形式：视觉模式（仅有光流）、前庭模式（仅有惯性运动）以及多感觉模式（视觉-前庭朝向和动力学特性均一致）。

为了量化比较神经元对视觉和前庭刺激的反应特性，实验者沿着空间 26 个方向进行刺激，这些方向以 45° 在空间中散开，如图 4-12（b）所示。前庭刺激下，被试者朝向为刺激方向，而在视觉刺激下，被试者朝向为视觉刺激方向的相对方向。对于每一运动方向，视觉和前庭刺激持续的时间均为 2s，运动轨迹是一个高斯的速度曲线，对应一个双相的加速度曲线［图 4-12（c）］，这与传统的前庭刺激所采用的 sin 函数比较类似，可以有效激活耳石器官（Gu et al.，2006；Takahashi et al.，2007）。

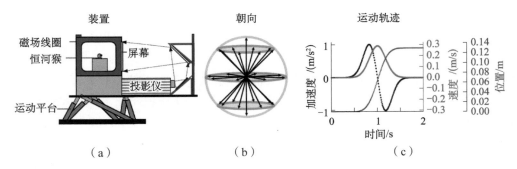

图 4-12　在恒河猴中检测视觉-前庭相互作用所用的仪器和刺激。（a）：3D 虚拟现实系统；（b）：朝向运动轨道；（c）速度、加速度以及位置特性（Chen et al.，2011c；Gu et al.，2006）

通过这些刺激模式，实验者发现 MSTd、VIP 和 VPS 的神经元对视觉和前庭都有反应。并且，这些神经元对视觉和前庭的朝向偏好通常可以分成两种类型：一种是"一致性细胞"（congruent cell），其视觉和前庭的偏好朝向非常接近，如图 4-13（a）所示，该神经元在视觉和前庭刺激条件下都偏好朝向右上方运动；另一种神经元对视觉和前庭的偏好方向完全相反，被称为"相反性细胞"（opposite cell），如图 4-13（b）和图 4-13（c）所示。在 MSTd 和 VIP 中，一致性细胞与相反性细胞几乎各占一半；而 VPS 中主要以相反性细胞为主。除此之外，在联合刺激条件下，MSTd 的反应与光流刺激下的反应非常相似（视觉占主导，详见 Gu et al.，2006）；VPS 神经元的反应往往与前庭反应类似（前庭占主导，详见 Chen et al.，2011b）；VIP 神经元则两种情况都有，有的反应以前庭主导 [图 4-13（b）]，有的反应则以视觉为主导 [图 4-13（c）]（详见 Chen et al.，2011a）。当然，这是在视觉运动一致性非常高的情况下观测到的结果，当视觉运动的一致性降低时，结果则有所不同（详见本节第五部分：统计学概率）。为了验证这些前庭调谐反应的确来自耳石器官的输入，实验者在双侧迷路切除后对 MSTd 神经元的反应进行记录，发现其在前庭刺激条件下的朝向调谐完全消失（Gu et al.，2006；Takahashi et al.，2007），说明这些前庭刺激下的朝向调谐反应的确来自前庭输入。

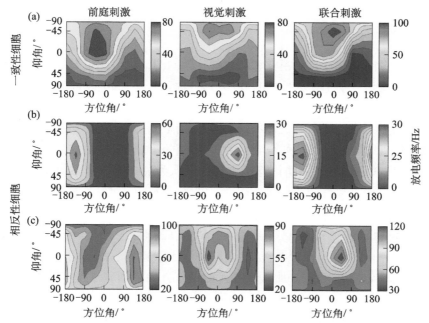

图 4-13　三个示例 VIP 神经元的 3D 朝向调谐函数。（a）：一致性细胞在前庭（仅惯性运动）、视觉（仅光流）和联合刺激下的反应；（b）：相反性细胞的反应，视觉-前庭联合刺激下的反应以前庭反应占主导；（c）相反性细胞的反应特性，联合刺激下的反应以视觉为主导。放电频率（彩色等高线图）作为朝向运动轨道方位角（横坐标）和仰角（纵坐标）的函数作图（Chen et al.，2011a）

值得一提的是，虽然皮层多个区域对视觉和前庭都存在有反应的细胞，但是各个区域的反应强度却有一定的差异。为了量化这一点，实验者定义了一个方向鉴别指数（DDI）（详见 Takahashi et al.，2007）。从图 4-14 可以看出，视觉 DDI 从 MSTd 经由 VIP 至 VPS 后逐渐减弱，而前庭 DDI 则相反。

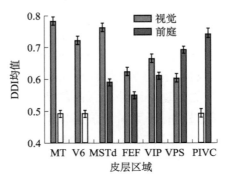

图 4-14　不同皮层区域中视觉（红色）和前庭（暗黄）DDI 均值（方向鉴别指数）±SE 的分布。空心柱用于标记没有显著调谐的区域（Angelaki，2014）

三、参考系

上述的多感觉神经元对视觉和前庭都有朝向调谐，由此引发的一个问题是这些不同的感觉信号基于什么样的空间参考系进行整合。因为从起源上来说，来自内耳器官的前庭信息以头部中心为参考系对信息进行编码，而视觉信息起源于以眼部中心为参考系，那么这两种不同参考系的信号在皮层是如何进行整合的呢？如前文所提到的争论，一些研究者认为，这两种信号需要转化成一个共同的参考系（Groh，2001）。另外一些计算模型理论则认为混和的参考系或者介于两者之间的参考系也能实现整合（Avillac et al.，2005；Deneve et al.，2001）。

为此，有研究者对 MSTd 的神经元是否具有统一的参考系进行了考察（Fetsch et al.，2007）。为了区分参考系，他们在猕猴注视 3 个不同的位点（正前方、右侧 20°—25°、左侧 20°—25°）时测量了视觉和前庭的朝向调谐。如果朝向是以眼部中心为参考系，那么神经元的偏好方向将随着注视点的变化而漂移；如果是以头部中心为参考系，那么神经元的偏好方向将不随注视点的变化而变化。

图 4-15（a）给出的是不同注视点位置对 MSTd 神经元前庭朝向的影响，从图中可以看出，当眼睛注视位置变化时，前庭的偏好方向（由虚线连接的白色小圆圈）仍然保持一致，说明该神经元对前庭信息的编码以头部中心为参考系，而不是以眼部中心为参考系。图 4-15（b）是该神经元在不同注视点位置下的视觉朝向反应。此处朝向偏好明显随着眼睛注视位点的变化而变化，因此，该细胞对

视觉朝向的编码是以眼部中心为参考系。为了量化注视位点变化对朝向调谐的影响，研究者采用了一个位移指数（DI，即朝向的偏移/眼睛注视点的变化），如果 DI 为 0，表示头部中心调谐，DI 为 1.0，表示眼部中心调谐。图 4-15（c）显示，MSTd 中视觉朝向的 DI 均值为 0.89，接近眼部中心。相反，前庭朝向接近头部中心，其 DI 均值为 0.24。

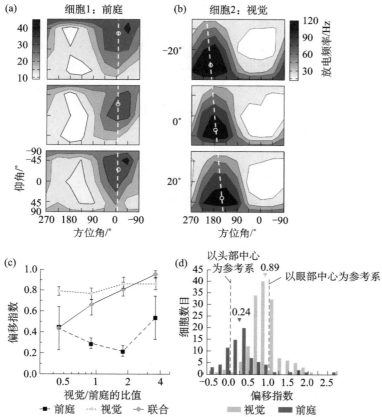

图 4-15　MSTd 中视觉和前庭朝向信号的参考系。（a）：前庭条件下的示例细胞。（b）：视觉条件下的示例细胞。这两个细胞分别在水平经线的 3 个静态视角下测量：-20°（上）、0°（中）和 20°（下）。白色虚线将每种情况下的偏好朝向相连，以描绘每种视角下的水平位移（或者因此而缺乏）的调谐函数。（c）3 种刺激条件下（前庭、视觉、联合刺激）的分组 DI 均值作为视觉和前庭单刺激调谐相对强度（视觉/前庭的比值）的函数。（d）MSTd 神经元分别在前庭（黑色）和视觉（灰色）条件下的 DI 均值柱状图（Fetsch et al.，2007）

　　这些数据说明 MSTd 中视觉和前庭信号的编码并不是采用同一个参考系。而 MSTd 的一部分神经元在联合刺激下表现出明显的敏感性改善，说明这些神经元能够对视觉和前庭信号进行整合（见本节第六部分）。因此，传统的观点是不正确的，感觉整合并不一定需要共同的参考系（Avillac et al.，2005；Deneve et al.，2001；Fetsch et al.，2007）。研究者（Fetsch et al.，2007）进一步发现多感觉条件下的反应参考系与视觉和前庭反应的强度比（visual/vestibular ratio，VVR）有关：在VVR低的情况下是头中心，在VVR高的情况下是眼中心［图4-15（d）］，而单模态反应则与VVR无关，其具体机制尚需进一步深入研究。

另外一些多感觉区域中也不存在视觉前庭一致的参考系，如VIP中的前庭朝向调谐既不随眼睛注视位置变动，也不随头部位置的变化而变化，而以躯体中心为参考系（Chen et al.，2013a，2013b）；而VIP中有些神经元对光流的调谐随眼睛位置的变化而变化，说明其以眼部中心为参考系，与MSTd中视觉朝向的参考系一致（Chen et al.，2013b）。大多数VIP神经元的视觉感受野是以眼部中心为参考系，只有很少一部分的神经元的参考系指标介于眼部中心和头部中心之间（Chen et al.，2014），可能与注意力有关。

四、整合反应的时空动态特性

耳石器官感受的是头部运动引起的耳石和半规管中的内淋巴流动，编码的是加速度信号（Wilson & Jones，1979），而视觉运动被认为主要编码速度信号（Lisberger & Movshon，1999；Rodman & Albright，1987）。两者要进行整合该以什么样的动态特征进行编码呢？

为了对视觉前庭信号整合过程中的动态时程特性进行分析，实验者采用的刺激在时程上是动态变化的［图4-12（c）］，在速度模式上遵循高斯函数的变化，对应双相的加速度模式。通过对皮层细胞的前庭反应进行记录分析，可以发现皮层神经元的前庭反应呈现不同的动力学特性，主要有两类（速度模式和加速度模式）。图4-16显示的是一个典型的速度型反应示例（来自PIVC神经元），图4-16（a）是该细胞在空间26个方向的反应的刺激时间直方图（peristimulus time histogram，PSTH）。横轴表示水平方向的角度变化，纵轴表示垂直方向的角度变化。红色的虚线表示最大反应时刻，将该时刻不同方向的放电频率用等高线图表示［图4-16（b）］，从图中可以看出，该细胞的偏好方向在45°附近。该细胞在2s的时间内只有一个偏好方向，因此也被称为单峰细胞（single-peaked cell）。

另一种加速度型反应的细胞在2s的刺激时程里偏好方向会发生变化。如图4-17（a）所示，该PIVC的神经元在水平面的0°附近有较强的放电，红色虚线表示的最大峰值所对应的时刻。该时刻对应的朝向调谐等高线图显示在图4-17（b）。从图中可以明显看出该时刻神经元的偏好方向在水平面的0°左右。但是仔细观察图4-17（a），可以看到在稍后的时刻（绿色虚线所示）在相反的方向有一个稍微小的峰反应，对应的等高线图如图 4-17（c）所示，神经元此刻的偏好方向为 180° 左右，与图 4-17（b）中的偏好方向刚好相反。进一步对时程进行分析，发现这两个峰分别与加速度而非速度的动态变化模式比较接近（详见 Chen et al.，2010）。这种细胞称为双峰细胞（double-peaked cell）。与外周前庭细胞对加速度的线性编码不一样的是，皮层中这些神经元的自发放电较低，其对加速度的编码是以时空动态的特征进行的（Chen et al.，2010）。类似的反应也出现于皮层其他部位如 VIP（Chen et al.，2011a）、MSTd 以及 VPS（Chen et al.，2011b）中。

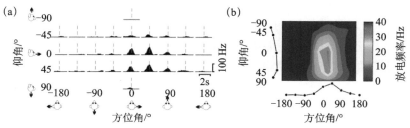

图 4-16 单峰细胞速度型反应示例（Chen et al.，2011c）

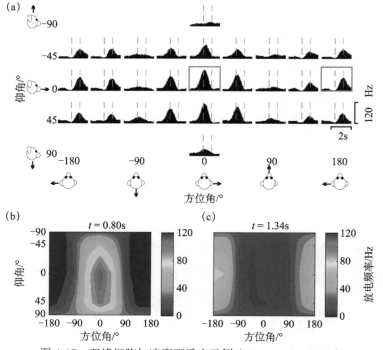

图 4-17 双峰细胞加速度型反应示例（Chen et al.，2010）

为了更好地比较皮层不同区域对前庭反应的特性，实验者进一步对记录到的神经元反应特性分别采用 3 种不同的时空模型进行拟合，其中最简单的模型只含 1 个高斯函数的速度成分，另一个模型包含速度和加速度成分，两个成分的权值和为 1，第三个模型是速度、加速度和位置成分的加和（详见 Chen et al., 2011c）。图 4-18（a）显示的是示例速度为主的前庭反应细胞，图 4-18（c）显示的是示例加速度成分为主的前庭反应细胞，图 4-18（e）显示的是一个含有位置成分的细胞。而视觉信号往往以速度成分为主，如图 4-18（a）所示的细胞。

总的来说，通过对 PIVC、VPS、VIP、MSTd 等区域的前庭和视觉反应进行模型拟合，发现这些区域对前庭反应的时空动力学特性非常类似，但前庭信号在皮层的处理具有一定的先后等级次序。PIVC 和 VPS 对前庭反应较早（图 4-20），反应成分也以加速度为主（图 4-19）；而 MSTd 的前庭反应明显晚于 VIP 和 VPS，其前庭反应主要以速度成分为主，从而有利于与以速度模式为主的视觉信号进行整合。

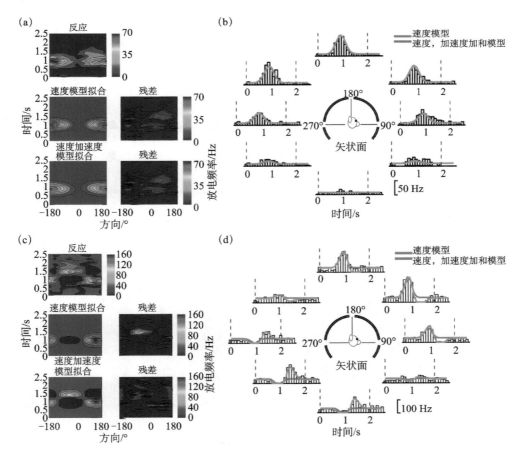

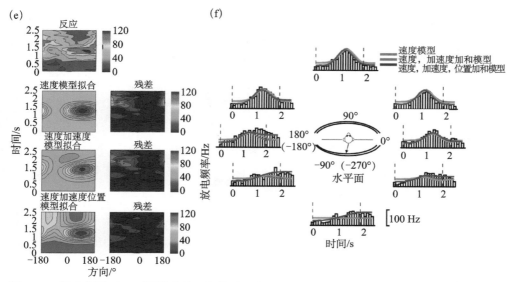

图 4-18　前庭刺激下，不同维度编码的细胞。（a）和（b）：反应以速度信号为主进行编码的细胞。（c）和（d）：反应以加速度信号为主进行编码的细胞。（e）和（f）：反应以位置信号为主进行编码的细胞（Chen et al.，2011c）

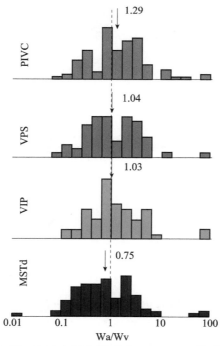

图 4-19　PIVC、VPS、VIP 和 MSTd 中时空模型（model VA，即"速度＋加速度"模型）拟合的参数比较。模型 VA 拟合下前庭的加速度 / 速度权重比值的累积分布（Chen et al.，2011c）

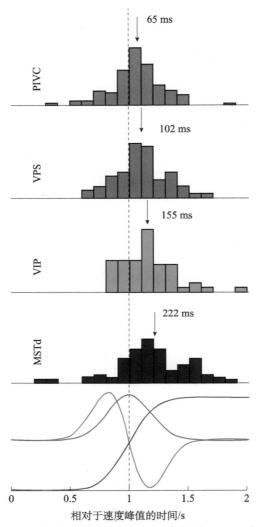

图 4-20　从模型拟合得到的前庭反应延迟。箭头表示均值，而垂直的虚线表示速度峰值（Chen et al.，2011c）

五、统计学概率

整合规律是多感觉整合领域另一个重要的问题。具体来说，对双模态刺激的反应与各自呈现的单模态反应成分之间的关系是什么？传统上，往往通过两种方法来检测：①多感觉增强指数，将双模态反应与最大的单模态反应进行比较；②加和指数，将双模态反应与单模态反应之和进行比较（Stein & Stanford，

2008）。在经典的上丘视-听整合研究中（Stein et al.，1993），双模态反应经常大于单模态反应之和，表现为超加性（Meredith & Stein，1983；1986）。相反，在皮层进行的一系列多感觉整合研究则没有超加性，而表现为次加性（Avillac et al.，2007；Morgan et al.，2008；Sugihara et al.，2006）。两者的差异可能来自单模态刺激强度的影响，正如最近在上丘报道的，当单模态刺激强度增大时，超加性的整合也会出现简单的加性，甚至次加性（Perrault et al.，2003；Perrault et al.，2005；Stanford et al.，2005）。

虽然有不少研究对多感觉反应的加性和／或增强性进行了测量，但是对多感觉神经元如何整合单模态输入的数学规律（"组合规则"）的研究还很缺乏。要得到组合规则，仅靠测量有限的几个刺激下的反应是远远不够的，举例来说，假定一个神经元的双模态反应是单模态输入的乘积。根据输入的幅度，神经元的反应可以是次加性（如 $2 \times 1=2$）、加性的（$2 \times 2=4$），或者超加性的（$2 \times 3=6$）。因此，要得到整合规律，有必要对较大范围的单模态刺激进行考察。

为了检测 MSTd 神经元是如何对朝向相关的视觉和前庭输入进行整合（比如，是线性加权还是非线性整合？整合规律是否随着视觉前庭输入的相对可靠性变化而变化？），有学者在水平面给予神经元 8 个方向（间隔 45°）的刺激（图4-21）（Morgan et al.，2008）。单模态调谐曲线（图 4-21 边缘处）来自单独给予视觉或前庭刺激（8 个朝向）得到的反应，联合刺激来自 8 个前庭和 8 个视觉朝向的组合（共 64 种可能，8 个视觉前庭方向一致，56 个方向不一致）。图 4-21 显示的是一个 MSTd 中的一致性细胞的反应。单模态调谐曲线显示该神经元对视觉和前庭刺激有向右（0°）的偏好。当随机点光流运动一致性为 100%，并与前庭方向一致时，双模态反应以视觉主导。当随机点光流运动的一致性降低时（50%），双模态反应显示对视觉和前庭输入的均等性，说明了双模态反应几乎为视觉和前庭输入共同影响。当随机点光流运动的一致性减弱到 25% 时，单模态视觉调谐的幅度显著降低，而双模态反应变为前庭输入为主导。因此，随着视觉和前庭输入的相对强弱变化，MSTd 的双模态反应从视觉主导变为前庭主导。

为了确定 MSTd 神经元的整合规律，摩根等（Morgan et al.，2008）尝试根据单模态调谐曲线来预测双模态反应。结果发现双模态反应可以较好地以线性加权的方式进行拟合。这个线性模型能够解释 90% 的双模态反应变化，加入非线性成分后仅增加 1%—2% 的成分。因此，线性加权模型能够很好地拟合 MSTd 神经元反应，并且权值通常小于 1（图 4-21），说明次加性比较常见。

随之而来的问题是这种线性加权特性是否随线索可靠性的变化而发生变化？当视觉的可靠性随运动一致性变化时，双模态反应发生明显变化 ［图 4-21（a）—图 4-21（c）］。对此，有两个可能的解释。一种可能是双模态反应的变化只是简单地跟随视觉反应的变弱而变化。这种情况下，每个神经元对视觉和前庭输入的权值仍然保持不变，双模态反应中的视觉影响的降低只是视觉反应的降低，由此引出的是每个神经元的整合规律与线索可靠性。另一种可能是前庭和视觉输入的权值能够随着两个线索的相对可靠性变化而变化。那么由此导致的整合规律并不是不变的，而是随着线索可靠性的变化而变化。为了解决这个问题，摩根等（Morgan et al., 2008）在不同的运动一致性（coherence）下都做了一个最佳拟合，线性模型都能较好地拟合双模态反应。因此，问题的关键是视觉和前庭的权值是否随一致性的变化而变化，还是一直保持不变。图 4-21（d）和图 4-21（e）显示的是在一致性为 100%（黑色条表示）和 50%（灰色条表示）下的权值分布。

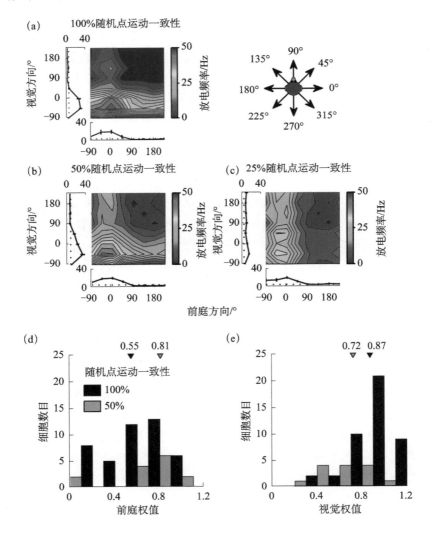

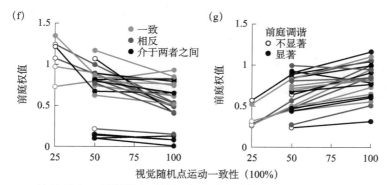

图 4-21　MSTd 神经元中，刺激强度（随机点运动一致性）对视觉和前庭输入加权求和的影响。（a）—（c）：1 个 MSTd 一致性细胞的单模态和双模态调谐比较，在 3 种运动一致性上测试。彩色等高线图中，将放电频率均值作为双模态条件下前庭和视觉朝向（包括间隔 45° 的 8 个视觉朝向和 8 个前庭朝向的所有 64 种可能的组合）的函数。图左边和底部的调谐曲线分别为放电频率平均值（$\pm SEM$）对单模态视觉和前庭条件下的朝向作图。（a）：一致性 100% 时的双模态反应为视觉主导；（b）：一致性 50% 时，视觉和前庭刺激贡献均衡；（c）：一致性 25% 时，双模态反应中前庭输入占优势；（d）—（g）：前庭和视觉权重对视觉运动一致性的依赖性，每个 MSTd 神经元的前庭和视觉权值都由它双模态反应的线性拟合中得出；（d）和（e）：前庭和视觉权值柱状图，由 100%（黑色）和 50%（灰色）一致性的数据中计算得到，在中位数处用三角形标记；（f）和（g）：前庭和视觉权重与运动一致性的函数关系图。单模态视觉调谐的数据点分别用空心和实心圆标记显著性（Morgan et al.，2008）

视觉的权值在 100% 一致性下显著高于 50% 下的权值。而前庭的权值显示完全相反的结果。图 4-21（f）表示的是不同一致性下所有神经元的视觉和前庭权值。从图中可以看出，前庭的权值随着视觉一致性的增强而降低，而视觉的权值则相反。这说明虽然线性加权模型可以比较好地解释特定刺激强度下的神经元整合规律，但是这个线性整合规律却随着刺激的强度变化而变化。如果 MSTd 只是简单地对视觉和前庭输入进行加和，那么这些结果表明输入的突触权值会随着刺激的强度变化而变化，但是突触权重是如何动态地随刺激强度变化却不得而知。有一种可能是多感觉神经元采用固定的权值在膜电位水平线性地加和，但是在神经网络的层次权值随着刺激的强度变化而变化。对摩根等（Morgan et al.，2008）的实验结果解释得较好的理论可能是归一化模型（Carandini et al.，1997）。在归一化模型中，每个细胞在膜电位水平线性地加和接收的输入，但是每个神经元的输出需要除以回路中所有神经元的活动和（Heeger，1992）。有学者（Ohshiro et al.，2011）采用归一化模型较好地解释了多感觉整合过程中权重随一致性的变化，以及一些经典的多感觉整合经验性原则（比如逆效应和空间原则）。

六、多感觉任务下神经元活动与知觉之间的功能性联系

大多数对多感觉整合神经机制的研究是在麻醉动物上进行的，在动物被动地接受感觉刺激时，通过记录神经元反应来了解多感觉神经元的反应特性。但要了解多感觉整合最根本的神经机制，则又必须将神经元活动和行为学表现关联起来。为此，实验者设计了一种多感觉整合的朝向判别任务，并在猕猴执行任务的同时，对其多感觉皮层的神经元活动进行记录。

（一）视觉-前庭多感觉整合行为

研究者首先检测了猕猴是否可以将视觉和前庭信息最优化地整合来提高对朝向的判别。前庭刺激由运动平台产生，在每次任务中，猕猴随运动平台沿着两个不同方向（例如，前左或前右）中的一个进行移动，任务结束时，猕猴必须通过眼动对两个目标作一次选择来判断刚才经历的自身运动方向（图 4-22）。自身运动朝向判别的心理阈值通过对心理测量曲线进行累积高斯函数拟合获得。高斯函数的标准差 σ 用来表示朝向选择中的心理物理阈值，即 84% 的正确率所对应的朝向角度。

根据贝叶斯最优整合理论（Ernst & Banks，2002；Knill & Saunders，2003），两种不同刺激的可靠性大致相当时，整合达到最优效果。为探索猕猴是否能对视觉和前庭刺激进行最优整合，研究者通过对光流运动的一致性进行调节来调整视觉刺激的可靠性，从而使前庭和视觉的心理阈值大致相等（详见 Gu et al.，2008）。而联合刺激下的阈值应低于单条件刺激下的阈值：

$$\sigma_{\text{comb}}^2 = \frac{\sigma_{\text{vis}}^2 \sigma_{\text{ves}}^2}{\sigma_{\text{vis}}^2 + \sigma_{\text{ves}}^2} \tag{4-1}$$

如图 4-22（c）所示，该猕猴的前庭（黑线）心理曲线和视觉（红线）心理曲线大致重叠，阈值分别为 3.5° 和 3.6°。联合刺激条件下（绿线）的心理物理曲线斜率明显增大，相应的行为阈值显著减小，仅为 2.3°。群体数据进一步证实了多感觉整合效果 [图 4-22（d）和图 4-22（e）]，联合刺激条件下心理物理阈值显著地比单独的视觉或单独的前庭刺激下的阈值更小，并且与公式 4-1 中推导得到的最佳预测值相近（Gu et al.，2008）。因此，猕猴能对视觉和前庭刺激进行最优整合，从而提高朝向的鉴别敏感度。人类行为实验也表现出类似的结果（Fetsch et al.，2009）。

（二）神经电生理学实验结果

视觉-前庭信息整合的行为建立后，为了进一步研究整合的神经机制，实验

者在猕猴执行任务时，分别对其 MSTd、VIP 这两个多感觉区域的神经元活动进行记录（Chen et al.，2013；Gu et al.，2008）。

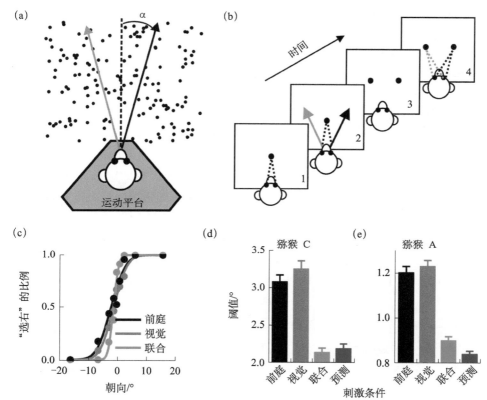

图 4-22 朝向鉴别任务及行为学表现。（a）：实验装置示意图。（b）：任务流程图，盯住注视点之后，猕猴将经历一个具有细微向左或者向右偏量的向前运动（实际运动和／或光流刺激），接着眼动扫视两个目标选项之一（分别代表左或者右）来做朝向感觉的反馈。（c）：猕猴单模态（前庭：黑线；视觉：红线）和双模态（绿色曲线）条件下的心理物理曲线，心理物理阈值定义为累积高斯函数拟合的标准差（σ）。（d）为猕猴 C 行为阈值的测量值和最优整合模型预测值汇总，柱形分别表示前庭、视觉、视觉－前庭联合刺激情况下的平均阈值（$M \pm SE$），以及联合刺激条件下最优整合模型的预测阈值（蓝色）。（e）：猕猴 A 的心理物理表现（Gu et al.，2008）

图 4-23（a）和图 4-23（d）分别给出的是两个典型的 MSTd 神经元在水平面上的视觉和前庭调谐曲线。图 4-23（a）中的神经元为一致性细胞。相反，图 4-23（d）所示的神经元为相反性细胞。图 4-23（b）和图 4-23（e）中进一步显示了这两个神经元在朝向判别任务中对较窄的角度的调谐情况。对于一致性细胞而言［图 4-23（b）］，联合刺激条件下的朝向调谐坡度更陡；而相反性细胞［图 4-23

（e）] 的调谐斜率则变得更平缓。为了直观地将神经元的反应特性与动物行为阈值进行比较，神经元对向左或向右运动方向的反应将被分为两种分布，然后通过受试者工作特征曲线（ROC 曲线，详见 Bradley et al.，1987；Britten et al.，1992；Green & Swets，1966）将构建的 ROC 区域的面积值转换成神经元功能曲线 [图 4-23（c）和图 4-23（f）]，并进一步用累积高斯函数进行拟合，并将高斯函数的标准差定义为神经元阈值。从图 4-23（c）中可以看出，一致性细胞的阈值在联合刺激条件下为最小（绿线），意味着当两种刺激都存在时，神经元能够鉴别更小的朝向变化。而相反性细胞在两个刺激同时存在时，神经元的敏感性反而降低。

群体数据进一步显示一致性细胞在联合刺激下敏感度增加（图 4-24）。为了量化该效应，定义了一个一致性指数（CI），取值范围为 -1—1（1 表示视觉和前庭调谐斜率完全一致；-1 表示斜率完全相反，详见 Gu et al.，2008）。从图 4-24 中可以看出，CI 值为正且数值较大的神经元（一致性细胞）的阈值接近最优整合模型预测值（比值将近一致）。因此，联合刺激条件下，MSTd（图中黑色点所表示）一致性细胞的阈值分布规律与猕猴行为学上的分布规律相似。相反，相反性细胞在联合刺激下阈值一般比模型的预测值更大（大于 1），意味着这些神经元在联合刺激下敏感度降低了。在 VIP 中也观察到了类似的情况（图 4-24 中橙色点所表示）。

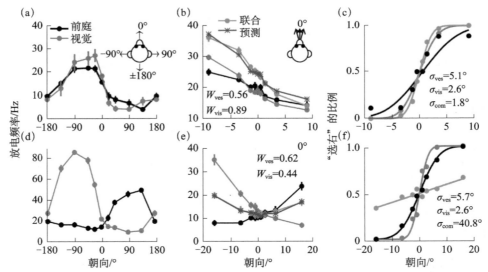

图 4-23　MSTd 区域的朝向调谐和朝向敏感度。（a）和（d）：两个示例神经元的朝向调谐曲线，分别对视觉-前庭朝向偏好性一致（a）和相反（d）。（b）和（e）：猕猴执行朝向鉴别任务时，相应神经元对于小范围内的朝向刺激的反应。（c）和（f）：神经元功能曲线，由图（b）和（e）中所绘放电频率进行 ROC 分析计算得出，相应的平滑曲线表示累积高斯函数的最佳拟合曲线（Gu et al.，2008）

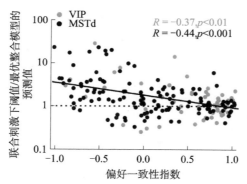

图 4-24　联合刺激条件下，神经元阈值与视觉-前庭一致性的函数关系图。散点图中的纵坐标表示联合刺激下的阈值与最优整合模型的预测值之比，横坐标表示视觉和前庭反应的朝向调谐的 CI 值（Gu et al.，2008）

（三）神经元放电活动与多感觉整合行为选择的相关性

为了进一步探索多感觉神经元的放电活动和猕猴朝向判别之间的关系，实验者进一步采用 ROC 的分析方法计算了神经元的选择概率（CP）（详见 Britten et al.，1996）。其原理与计算神经元阈值的方法类似，只是将神经元的放电根据猕猴的选择（而不是刺激方向）进行分类，从而量化了神经元放电活动的变化和猕猴的知觉决策之间的关系。通常，CP 值如果显著大于 0.5，表示当神经元放电更强烈时，猕猴倾向于选择神经元所偏好的朝向（左或者右）。这种结果被认为是反映了神经元和知觉之间的功能性联系（Britten et al.，1996；Parker & Newsome，1998）。虽然 MSTd 一贯被视为视觉皮层，但是在前庭条件下 CP 值显著大于 0.5（平均值为 0.55）（Gu et al.，2007），这意味着 MSTd 活动与基于非视觉信息的知觉决策也相关。

另外，选择概率 CP 与视觉前庭反应的一致性 CI 之间也有较强的相关性（Gu et al.，2008）。如图 4-25 所示，MSTd "一致性细胞"的 CP 值一般大于 0.5，通常比 0.5 大得多（黑色圆点），这意味着它们在刺激整合过程中与猕猴的知觉决策之间有很强的相关性。相反，"相反性细胞"的 CP 值通常在 0.5 附近，且 CP 的平均值与 0.5 之间差异不显著（t 检验，$p = 0.08$）。这一发现和猕猴选择性地监控一致性细胞以获得近似最优整合的观点一致。

类似的结果也出现于 VIP 中（图 4-25 中橙色标记的数据点，详见 Chen et al.，2013）。VIP 和 MSTd 一样，很可能参与提高联合刺激下的知觉鉴别。然而和 MSTd 不同的是，只有极少 VIP 神经元表现出对视觉 / 前庭相反的调谐，并且这些个别的神经元在联合刺激下敏感度降低。同时，VIP 比 MSTd 的神经元表现出更强的与知觉决策（trial-to-trial）的相关性（选择概率），说明 VIP 神经元可能与朝向知觉联系更为紧密。

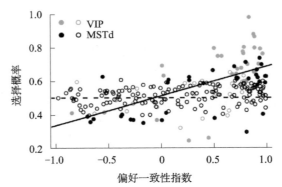

图 4-25　联合刺激条件下，选择概率与神经元视觉-前庭一致性的函数关系图。空心符号表示选择概率不显著的神经元（Chen et al.，2013）

这些发现表明，相反性细胞对于朝向鉴别中的视觉-前庭刺激整合没有贡献。那么，相反性细胞的功能是什么？目前仍然不知道答案，有一种可能是，相反性细胞与一致性细胞结合起来，参与区分物体运动和自我运动：当视网膜上的视觉运动与自我运动不一致的时候，相反性细胞放电更强。因此，一致性细胞和相反性细胞的相对活动可能会辅助识别（可能是扣除）非自我运动产生的视网膜视觉运动。

（四）可逆药物失活对多感觉行为的影响

为了验证神经元活动和多感觉朝向认知之间的因果关系，实验者使用可逆失活技术在监测行为学表现的同时，对多个皮层区域进行人为干预。为了确保给药的位置，实验者在失活前记录神经元的电活动，然后用含有记录电极的导管来注射蝇蕈醇（muscimol，γ-氨基丁酸 A 型受体的激动剂）至特定的脑区。并检测不同刺激条件下行为的变化。对于每个失活实验，行为数据都是在视觉、前庭和联合刺激条件下收集的，且这三种刺激条件以随机次序呈现。失活实验的周期维持一个星期。每个星期的最初两天收集失活前的行为数据作为实验对照（失活前）。注射药物的当天，在失活后收集一小段数据（失活后 0 小时）。第二天早上，再次收集行为数据（失活后 12 小时），并接着收集失活后 36 小时的行为数据（失活后 36 小时）。失活的效果通过心理行为曲线的阈值进行评判。对照组实验是直接注射生理盐水来观察由于注射压力产生的非特异性效果。实验者发现双侧失活 MSTd 后，猕猴的视觉朝向判断阈值明显增大，而对前庭刺激下的朝向判断无显著影响。同样的失活实验在 PIVC 上却得到完全不同的结果：双侧失活 PIVC 后，前庭刺激条件下猕猴对朝向判断的阈值显著增加（Chen et al.，2016）；而双侧失活 VIP（4 个位点，每个位点注射 2μL，浓度为 10mg/mL）后，对朝向判断行为影响很小（图 4-26）（Chen et al.，2016）。这些研究发现，多感觉的信号处理不是由某个特定的皮层区域决定的，而很可能是由多个皮层区域共同参与决定的（Zhang et al.，2016）。

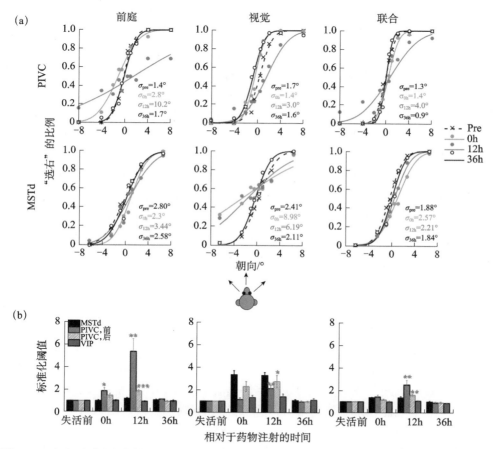

图 4-26　由失活引发的朝向鉴别阈值增加的总结。（a）：在 PIVC 及 MSTd 注射蝇蕈醇，并测量猕猴的心理曲线。左、中、右三栏分别表示前庭、视觉及联合情况下的数据。每幅图中不同的曲线分别代表失活前、失活后 0h、12h 和 36h 的结果。（b）：通过将每个时间点的阈值除以注射之前（Pre）的阈值，计算平均标准化阈值。实心和斜杠的红色条分别对应注射 PIVC 的前部和后部。星号标出显著大于总体的标准化阈值（*$p < 0.05$；**$p < 0.01$；***$p < 0.001$）。黑色条表示猕猴 J 的 MSTd 失活结果（Gu et al.，2012；Chen et al.，2016）

七、小结

综上，这些研究工作使我们对自身运动中视觉和前庭信息发生整合的脑区分布、神经元的发放特性、参考系、各脑区神经元放电活动的时空特性、整合的统计学规律以及神经元活动与行为表现的因果关系等有了清晰的了解和认识。然而要真正揭示大脑在自身运动认知中的视觉和前庭信息整合机制仍然有很多的工作要做。

首先，安杰拉基（D. E. Angelaki）等的研究工作证实皮层中有多个脑区存在对视觉和前庭反应的细胞，并且多个脑区的神经元活动与多感觉整合的朝向判别任务高度相关，单独失活某个特定脑区并不完全消除视觉前庭整合的自身运动判断，提示视觉和前庭信息的整合并非由特定区域决定。这些多感觉区域很可能共同作用，以分散的相互连接的网络形式而非传统观点所认为的等级式集中到特定区域进行整合的方式在多感觉（视觉-前庭）整合的自身运动认知中起作用。

其次，MSTd 和 VIP 中对前庭和视觉偏好方向相反的细胞在多感觉刺激下行为敏感性反而变得更弱，与朝向判别的行为不相关。那么，这些细胞的作用又是什么？有一种假设是相反性细胞可能与一致性细胞一起协同作用参与对自身运动和物体运动的区分。一般来说，视网膜上复杂的图像运动有两个来源：一个是由自我运动导致的 3D 场景变化，另一个是环境中物体的运动。朝向估测中，很重要的一点是保证自我运动的感知不被物体运动所干扰，反之亦然。只有自我运动而没有物体运动时，相反性细胞并不会被最大限度地激活；而当视网膜上物体运动与自我运动不一致时，相反性细胞激活程度更强。因此一致性细胞和相反性细胞的协同作用可能有助于对物体运动的识别。如何在有运动物体存在的情况下对一致性细胞和相反性细胞的群体神经元活动进行解码显得尤为必要。

另外，本章所提到的研究工作中被试执行的任务都预先知道刺激的时程，并且刺激时程是固定不变的。最优模型也是在同样的假设下推演而来的。但在自然情况下，被试者通常在他们认为获得足够信息的时刻做出自主选择，而不受刺激时呈的约束。因此在现实情况中，多感觉信息的整合并不只包含跨模态因素，还包含随时间变化的因素。在这个过程中，多感觉信息的整合能帮助被试提高反应速度或者正确率，也可能二者皆有不同程度的提高。安杰拉基等尝试采用反应时间范式的自身运动朝向判别任务，在行为水平上发现人类和猕猴被试在多模态刺激下倾向于做出更快的选择，尽管可能因证据积累时间的减少而导致选择准确性的降低。此外，在神经元水平上又如何体现多感觉信息整合的反应时间特性及其内在机制也是揭示大脑多感觉整合机制的重要方面（Drugowitsch et al.，2014）。

此外值得注意的是以上这些研究都没有对特定皮层区域内的神经元类型加以

区分。我们知道大脑皮层中存在多种类型的神经元，比如以兴奋性为主的锥体投射神经元和以抑制性为主的中间神经元等。有学者（Zhang et al.，2018）基于这两种类型神经元在动作电位波形和自发放电频率上的差异将自身运动视觉和前庭刺激下记录到的 MSTd 和 VPS 神经元进行了区分，发现这两类神经元在同样的刺激下放电频率、朝向调谐宽度、方向辨别能力和峰值反应时间等都有差异，提示不同类型神经元在自身运动感知中扮演着不同的角色。然而受分类依据和分类方法的限制，该工作尚不能阐明其回路机制。如何有效地识别、定位和标记特定类型的神经元，追踪这些神经元在朝向判别中的具体作用机制尚有待采用先进的实验手段进一步探索。

本 章 小 结

　　综上所述，多感觉整合与感觉神经元对感觉信息编码的可塑性有着密切关联，是感觉和认知的一个根本特征，它的进行要依赖特异感觉皮层的解剖会聚以及信息之间的相互调控和平衡，并受到既往经历、注意力和其他认知能力的影响。所以，多感觉整合是高等动物神经和精神活动的重要内容之一，是其感知各种模态的刺激和认知各种外界事物的重要环节，并在抽象意识、学习和记忆等生理和心理过程中发挥重要作用。在过去的几十年中，有关多感觉整合的研究得到了蓬勃发展，可以看到多感觉整合领域取得了显著进步。但是，这个领域还非常年轻，还有很多尚未解决的问题：①自然环境中单模态信息往往竞争性地存在，如何在更加自然的环境中对多感觉整合进行研究？研究人员在认知和感知的工作无疑将逐步走向更复杂、自然的刺激。②相对于单个神经元，群体神经元在多感觉整合过程中是如何起作用的？③如何建立一个更完善、通适的多感觉整合模型尚需要计算神经科学家的努力。④多感觉整合如何受到注意等其他因素的影响？⑤与多感觉整合相关的神经网络表现出很清晰的年龄相关特征，那么年龄相关疾病如最常见的阿尔茨海默病（Alzheimer's disease，AD），是如何影响多感觉整合的？⑥不同的感觉模态如何在大脑中整合又如何控制运动？了解这些能让我们更清楚如何能做出更好的假肢，以帮助肢体不能正常使用的患者。同时，这些也将对新型机器人的开发有深远的影响——如何让感觉设备接收不同模态的输入进行有意义的输出，更好地为人类服务。

　　相信，随着神经科学研究理念的不断发展与研究手段的不断更新，对多感觉整合机制的研究必将进一步深化。

参 考 文 献

文小辉，刘强，孙弘进，张庆林，尹秦清，郝明洁，牟海蓉（2009）．多感官线索整合的理论模型．*心理科学进展*，*17*（4），659-666.

Adrian，E. D.（1928）. The basis of sensation. *British Medical Journal*，*1*（4857），287-290.

Ahuja，A. K.，Dorn，J. D.，Caspi，A.，McMahon，M. J.，Dagnelie，G.，daCruz，L.，... & Grp，A. I. S.（2011）. Blind subjects implanted with the Argus Ⅱ retinal prosthesis are able to improve performance in a spatial-motor task. *British Journal of Ophthalmology*，*95*（4），539-543.

Alais，D.，& Burr，D.（2004）. The ventriloquist effect results from near-optimal bimodal integration. *Current Biology*，*14*（3），257-262.

Alsius，A.，Navarra，J.，& Soto-Faraco，S.（2007）. Attention to touch weakens audiovisual speech integration. *Experimental Brain Research*，*183*（3），399-404.

Alsius，A.，Navarra，J.，Campbell，R.，& Soto-Faraco，S.（2005）. Audiovisual integration of speech falters under high attention demands. *Current Biology*，*15*（9），839-843.

Amedi，A.，Malach，R.，Hendler，T.，Peled，S.，& Zohary，E.（2001）. Visuo-haptic object-related activation in the ventral visual pathway. *Nature Neuroscience*，*4*（3），324-330.

Amedi，A.，Stern，W. M.，Camprodon，J. A.，Bermpohl，F.，Merabet，L.，Rotman，S.，... & Pascual-Leone，A.（2007）. Shape conveyed by visual-to-auditory sensory substitution activates the lateral occipital complex. *Nature Neuroscience*，*10*（6），687-689.

Andersen，R. A.（1997）. Multimodal integration for the representation of space in the posterior parietal cortex. *Philosophical Transactions of the Royal Society of London Series B-Biological Sciences*，*352*（1360），1421-1428.

Andersen，R. A.，Bracewell，R. M.，Barash，S.，Gnadt，J. W.，& Fogassi，L.（1990）. Eye position effects on visual，memory，and saccade-related activity in areas LIP and 7a of macaque. *Journal of Neuroscience*，*10*（4），1176-1196.

Anderson，K. C.，& Siegel，R. M.（1999）. Optic flow selectivity in the anterior superior temporal polysensory area，STPA，of the behaving monkey. *Journal of Neuroscience*，*19*（7），2681-2692.

Angelaki，D. E.（2004）. Eyes on target：What neurons must do for the vestibuloocular reflex during linear motion. *Journal of Neurophysiology*，*92*（1），20-35.

Angelaki，D. E.（2014）. How optic flow and inertial cues improve motion perception. *Cold Spring Harbor Symposia on Quantitative Biology*，*79*，141-148.

Angelaki，D. E.，& Cullen，K. E.（2008）. Vestibular system：The many facets of a multimodal sense. *Annual Review of Neuroscience*，*31*，125-150.

Avillac，M.，Ben Hamed，S.，& Duhamel，J. R.（2007）. Multisensory integration in the ventral intraparietal area of the macaque monkey. *Journal of Neuroscience*，*27*（8），1922-1932.

Avillac，M.，Deneve，S.，Olivier，E.，Pouget，A.，& Duhamel，J. R.（2005）. Reference frames for representing visual and tactile locations in parietal cortex. *Nature Neuroscience*, *8* (7), 941-949.

Bach-y-Rita, P. (1972). *Brain Mechanisms in Sensory Substitution*. New York: Academic Press.

Bach-y-Rita, P., Collins, C. C., Saunders, F. A., White, B., & Scadden, L. (1969). Vision substitution by tactile image projection. *Nature*, *221* (5184), 963-964.

Banks, M. S., Ehrlich, S. M., Backus, B. T., & Crowell, J. A. (1996). Estimating heading during real and simulated eye movements. *Vision Research*, *36* (3), 431-443.

Barraclough, N. E., Xiao, D. K., Baker, C. I., Oram, M. W., & Perrett, D. I. (2005). Integration of visual and auditory information by superior temporal sulcus neurons responsive to the sight of actions. *Journal of Cognitive Neuroscience*, *17* (3), 377-391.

Baylis, G. C., Rolls, E. T., & Leonard, C. M. (1987). Functional subdivisions of the temporal-lobe neocortex. *Journal of Neuroscience*, *7* (2), 330-342.

Beck, J. M., Latham, P. E., & Pouget, A. (2011). Marginalization in neural circuits with divisive normalization. *Journal of Neuroscience*, *31* (43), 15310-15319.

Benedetti, F. (1995). Orienting behaviour and superior colliculus sensory representations in mice with the vibrissae bent into the contralateral hemispace. *European Journal of Neuroscience*, *7* (7), 1512-1519.

Berger, D. R., von der Heyde, M., & Bulthoff, H. H. (2005). Cognitive influences on self-rotation perception. *Foundations of Augmented Cognition*, *11*, 164-173.

Berson, E. L., Sandberg, M. A., Maguire, A., Bromley, W. C., & Roderick, T. H. (1986). Electroretinograms in carriers of blue cone monochromatism. *American Journal of Ophthalmology*, *102* (2), 254-261.

Bertelson, P., Pavani, F., Ladavas, E., Vroomen, J., & de Gelder, B. (2000). Ventriloquism in patients with unilateral visual neglect. *Neuropsychologia*, *38* (12), 1634-1642.

Bertelson, P., Vroomen, J., de Gelder, B., & Driver, J. (2000). The ventriloquist effect does not depend on the direction of deliberate visual attention. *Perception & Psychophysics*, *62* (2), 321-332.

Berthoz, A., Jeannerod, M., Vitaldurand, F., & Oliveras, J. L. (1975). Is visual experience necessary for development of vestibular control of eye-movements. *Comptes Rendus Hebdomadaires des Seances de l'Academie des Sciences Serie D*, *280* (15), 1805-1808.

Bizley, J. K., & King, A. J. (2008). Visual-auditory spatial processing in auditory cortical neurons. *Brain Research*, *1242*, 24-36.

Bizley, J. K., Nodal, F. R., Bajo, V. M., Nelken, I., & King, A. J. (2007). Physiological and anatomical evidence for multisensory interactions in auditory cortex. *Cerebral Cortex*, *17* (9), 2172-2189.

Blatt, G. J., Andersen, R. A., & Stoner, G. R. (1990). Visual receptive-field organization and cortico-cortical connections of the lateral intraparietal area (area lip) in the macaque. *Journal of Comparative Neurology*, *299* (4), 421-445.

Bologna, G., Deville, B., & Pun, T. (2009). Blind navigation along a sinuous path by means of the see color interface. *Bioinspired Applications in Artificial and Natural Computation*, *5602*, 235-243.

Botvinick, M., & Cohen, J. (1998). Rubber hands "feel" touch that eyes see. *Nature*, *391* (6669), 756.

Bradley, A., Skottun, B. C., Ohzawa, I., Sclar, G., & Freeman, R. D. (1987). Visual orientation and spatial-frequency discrimination: A comparison of single neurons and behavior. *Journal of Neurophysiology*, *57* (3), 755-772.

Bradley, B. P., & Mogg, K. (1996). Eye movements to emotional facial expressions in clinical anxiety. *International Journal of Psychology*, *31* (3-4), 5418.

Brandt, T., Allum, J. H. J., & Dichgans, J. (1978). Computer-analysis of optokinetic nystagmus in patients with spontaneous nystagmus of peripheral vestibular origin. *Acta Oto-Laryngologica*, *86* (1-2), 115-122.

Brandt, T., Buchele, W., & Dichgans, J. (1973). Motion adaptation and optokinetic aftereffects. *Pflugers Archiv-European Journal of Physiology*, *343*, R84.

Brandt, T., Dichgans, J., & Held, R. (1973). Optokinesis affects body posture and subjective visual vertical. *Pflugers Archiv-European Journal of Physiology*, *339*, 97.

Bremmer, F., Klam, F., Duhamel, J. R., Ben Hamed, S., & Graf, W. (2002). Visual-vestibular interactive responses in the macaque ventral intraparietal area (VIP). *European Journal of Neuroscience*, *16* (8), 1569-1586.

Bremmer, F., Kubischik, M., Pekel, M., Lappe, M., & Hoffmann, K. P. (1999). Linear vestibular self-motion signals in monkey medial superior temporal area. *Annals of the New York Academy of Sciences*, *871*, 272-281.

Britten, K. H., & van Wezel, R. J. A. (1998). Electrical microstimulation of cortical area MST biases heading perception in monkeys. *Nature Neuroscience*, *1* (1), 59-63.

Britten, K. H., & van Wezel, R. J. A. (2002). Area MST and heading perception in macaque monkeys. *Cerebral Cortex*, *12* (7), 692-701.

Britten, K. H., Newsome, W. T., Shadlen, M. N., Celebrini, S., & Movshon, J. A. (1996). A relationship between behavioral choice and the visual responses of neurons in macaque MT. *Visual Neuroscience*, *13* (1), 87-100.

Britten, K. H., Shadlen, M. N., Newsome, W. T., & Movshon, J. A. (1992). The analysis of visual-motion-A comparison of neuronal and psychophysical performance. *Journal of Neuroscience*, *12* (12), 4745-4765.

Bruce, C., Desimone, R., & Gross, C. G. (1981). Visual properties of neurons in a polysensory area in superior temporal sulcus of the macaque. *Journal of Neurophysiology*, *46* (2), 369-384.

Bulthoff, I., Newell, F. N., & Bulthoff, H. H. (2001). Average faces and gender categories: no evidence of categorical perception. *Perception*, *30*, 54.

Busse, L., Katzner, S., & Treue, S. (2008). Temporal dynamics of neuronal modulation during exogenous and endogenous shifts of visual attention in macaque area MT. *Proceedings of the National Academy of Sciences of the United States of America*, *105*（42）, 16380-16385.

Busskamp, V., Duebel, J., Balya, D., Fradot, M., Viney, T. J., Siegert, S., ... & Roska, B.（2010）. Genetic Reactivation of Cone Photoreceptors Restores Visual Responses in Retinitis Pigmentosa. *Science*, *329*（5990）, 413-417.

Butler, J. S., Smith, S. T., Campos, J. L., & Bulthoff, H. H.（2010）. Bayesian integration of visual and vestibular signals for heading. *Journal of Vision*, *10*（11）, 23.

Buttner, U., & Buettner, U. W.（1978）. Parietal cortex (2v) neuronal-activity in alert monkey during natural vestibular and optokinetic stimulation. *Brain Research*, *153*（2）, 392-397.

Calvert, G. A., & Thesen, T.（2004）. Multisensory integration: Methodological approaches and emerging principles in the human brain. *Journal of Physiology-Paris*, *98*（1-3）, 191-205.

Calvert, G. A., Campbell, R., & Brammer, M. J.（2000）. Evidence from functional magnetic resonance imaging of crossmodal binding in the human heteromodal cortex. *Current Biology*, *10*（11）, 649-657.

Capalbo, Z., & Glenney, B.（2009）. Hearing color: Radical pluralistic realism and SSDs. *Proceedings of AP-CAP*, 135-140.

Cappe, C., Morel, A., & Rouiller, E. M.（2007）. Thalamocortical corticothalamic parietal cortex and the dual pattern of projections of the posterior in macaque monkeys. *Neuroscience*, *146*（3）, 1371-1387.

Carandini, M., Heeger, D. J., & Movshon, J. A.（1997）. Linearity and normalization in simple cells of the macaque primary visual cortex. *Journal of Neuroscience*, *17*（21）, 8621-8644.

Cerkevich, C. M., Lyon, C. D., Balaram, P., & Kaas, J. H.（2014）. Distribution of cortical neurons projecting to the superior colliculus in macaque monkeys. *Eye and Brain*, *2014*（6）, 121-137.

Chader, G. J., Weiland, J., & Humayun, M. S.（2009）. Artificial vision: Needs, functioning, and testing of a retinal electronic prosthesis. *Neurotherapy: Progress in Restorative Neuroscience and Neurology*, *175*, 317-332.

Chebat, D. R., Schneider, F. C., Kupers, R., & Ptito, M.（2011）. Navigation with a sensory substitution device in congenitally blind individuals. *Neuroreport*, *22*（7）, 342-347.

Chekhchoukh, A., Vuillerme, N., & Glade, N.（2011）. Vision substitution and moving objects tracking in 2 and 3 dimensions via vectorial electro-stimulation of the tongue. In *ASSISTH 2011: 2ème Conférence Internationale sur l'accessibilité et les systèmes de suppléance aux personnes en situations de handicaps, De l'usage des STIC à une plus grande autonomie: des recherches interdisciplinaires*.

Chen, A. H., DeAngelis, G. C., & Angelaki, D. E.（2010）. Macaque parieto-insular vestibular cortex: Responses to self-motion and optic flow. *Journal of Neuroscience*, *30*（8）, 3022-3042.

Chen, A. H., DeAngelis, G. C., & Angelaki, D. E.（2011a）. Representation of vestibular and visual cues to self-motion in ventral intraparietal cortex. *Journal of Neuroscience*, *31*（33）,

12036-12052.

Chen, A. H., DeAngelis, G. C., & Angelaki, D. E. (2011b). Convergence of vestibular and visual self-motion signals in an area of the posterior sylvian fissure. *Journal of Neuroscience*, *31* (32), 11617-11627.

Chen, A. H., DeAngelis, G. C., & Angelaki, D. E. (2011c). A comparison of vestibular spatiotemporal tuning in macaque parietoinsular vestibular cortex, ventral intraparietal area, and medial superior temporal area. *Journal of Neuroscience*, *31* (8), 3082-3094.

Chen, A. H., DeAngelis, G. C., & Angelaki, D. E. (2013). Functional specializations of the ventral intraparietal area for multisensory heading discrimination. *Journal of Neuroscience*, *33* (8), 3567-3581.

Chen, A. H., Gu, Y., Liu, S., DeAngelis, G. C., & Angelaki, D. E. (2016). Evidence for a causal contribution of macaque vestibular, but not intraparietal, cortex to heading perception. *Journal of Neuroscience*, *36* (13), 3789-3798.

Chen, X. D., DeAngelis, G. C., & Angelaki, D. E. (2013a). Diverse spatial reference frames of vestibular signals in parietal cortex. *Neuron*, *80* (5), 1310-1321.

Chen, X. D., DeAngelis, G. C., & Angelaki, D. E. (2013b). Eye-centered representation of optic flow tuning in the ventral intraparietal area. *Journal of Neuroscience*, *33* (47), 18574-18582.

Chen, X. D., DeAngelis, G. C., & Angelaki, D. E. (2014). Eye-centered visual receptive fields in the ventral intraparietal area. *Journal of Neurophysiology*, *112* (2), 353-361.

Chen, Y. C. & Spence, C. (2017). Assessing the role of the "unity assumption" on multisensory integration: A review. *Frontiers in Psychology*, *8* (23), 445.

Chica, A. B., & Lupianez, J. (2009). Effects of endogenous and exogenous attention on visual processing: An inhibition of return study. *Brain Research*, *1278*, 75-85.

Chica, A. B., Bartolomeo, P., & Lupianez, J. (2013). Two cognitive and neural systems for endogenous and exogenous spatial attention. *Behavioural Brain Research*, *237*, 107-123.

Chowdhury, S. A., Takahashi, K., DeAngelis, G. C., & Angelaki, D. E. (2009). Does the middle temporal area carry vestibular signals related to self-motion? *Journal of Neuroscience*, *29* (38), 12020-12030.

Cohen, Y. E., & Andersen, R. A. (2002). A common reference frame for movement plans in the posterior parietal cortex. *Nature Reviews Neuroscience*, *3* (7), 553-562.

Cohen, Y. E., Russ, B. E., & Gifford Ⅲ, G. W. (2005). Auditory processing in the posterior parietal cortex. *Behavioral and Cognitive Neuroscience Reviews*, *4* (3), 218-231.

Colby, C. L., & Goldberg, M. E. (1999). Space and attention in parietal cortex. *Annual Review of Neuroscience*, *22*, 319-349.

Colonius, H., & Diederich, A. (2004). Multisensory interaction in saccadic reaction time: A time-window-of-integration model. *Journal of Cognitive Neuroscience*, *16* (6), 1000-1009.

Corbetta, M., & Shulman, G. L. (2002). Control of goal-directed and stimulus-driven attention in the brain. *Nature Reviews Neuroscience*, *3* (3), 201-215.

Corbetta, M., Patel, G., & Shulman, G. L. (2008). The reorienting system of the human brain: From environment to theory of mind. *Neuron*, *58* (3), 306-324.

Crowell, J. A., Banks, M. S., Shenoy, K. V., & Andersen, R. A. (1998). Visual self-motion perception during head turns. *Nature Neuroscience*, *1* (8), 732-737.

Cusick, C. G., Seltzer, B., Cola, M., & Griggs, E. (1995). Chemoarchitectonics and corticocortical terminations within the superior temporal sulcus of the rhesus-monkey–Evidence for subdivisions of superior temporal polysensory cortex. *Journal of Comparative Neurology*, *360* (3), 513-535.

Deneve, S., Duhamel, J. R., & Pouget, A. (2001). A new model of spatial representations in multimodal brain areas. *Advances in Neural Information Processing Systems 13*, *13*, 117-123.

Desimone, R., & Gross, C. G. (1979). Visual areas in the temporal cortex of the macaque. *Brain Research*, *178* (2), 363-380.

Diaconescu, A. O., Hasher, L., & McIntosh, A. R. (2013). Visual dominance and multisensory integration changes with age. *Neuroimage*, *65*, 152-166.

Diederich, A., & Colonius, H. (2007). Modeling spatial effects in visual-tactile saccadic reaction time. *Perception & Psychophysics*, *69* (1), 56-67.

Diederich, A., Colonius, H., & Schomburg, A. (2008). Assessing age-related multisensory enhancement with the time-window-of-integration model. *Neuropsychologia*, *46* (10), 2556-2562.

Disbrow, E., Litinas, E., Recanzone, G. H., Padberg, J., & Krubitzer, L. (2003). Cortical connections of the second somatosensory area and the parietal ventral area in macaque monkeys. *Journal of Comparative Neurology*, *462* (4), 382-399.

Djilas, M., Oles, C., Lorach, H., Bendali, A., Degardin, J., Dubus, E., ... & Picaud, S. (2011). Three-dimensional electrode arrays for retinal prostheses: Modeling, geometry optimization and experimental validation. *Journal of Neural Engineering*, *8* (4), 46020.

Drugowitsch, J., DeAngelis, G. C., Klier, E. M., Angelaki, D. E., & Pouget, A. (2014). Optimal multisensory decision-making in a reaction-time task. e*Life*, *3*, e03005.

Duffy, C. J. (1998). MST neurons respond to optic flow and translational movement. *Journal of Neurophysiology*, *80* (4), 1816-1827.

Duffy, C. J., & Wurtz, R. H. (1991). Sensitivity of MST neurons to optic flow stimuli II. mechanisms of response selectivity revealed by small-field stimuli. *Journal of Neurophysiology*, *65* (6), 1346-1359.

Duffy, C. J., & Wurtz, R. H. (1995). Response of monkey MST neurons to optic flow stimuli with shifted centers of motion. *Journal of Neuroscience*, *15* (7), 5192-5208.

Duhamel, J. R., Colby, C. L., & Goldberg, M. E. (1998). Ventral intraparietal area of the macaque: Congruent visual and somatic response properties. *Journal of Neurophysiology*, *79* (1), 126-136.

Durette, B., Louveton, N., Alleysson, D., & Hérault, J. (2008). Visuo-auditory sensory substitution for mobility assistance: Testing theVIBE. In *Workshop on Computer Vision*

Applications for the Visually Impaired.

Ernst, M. O. (2004). Combining sensory information from vision and touch. *International Journal of Psychophysiology, 54* (1-2), 57-58.

Ernst, M. O., & Banks, M. S. (2002). Humans integrate visual and haptic information in a statistically optimal fashion. *Nature, 415* (6870), 429-433.

Falchier, A., Clavagnier, S., Barone, P., & Kennedy, H. (2002). Anatomical evidence of multimodal integration in primate striate cortex. *Journal of Neuroscience, 22* (13), 5749-5759.

Fan, R. H., Liu, S., DeAngelis, G. C., & Angelaki, D. E. (2015). Heading tuning in macaque area V6. *Journal of Neuroscience, 35* (50), 16303-16314.

Felleman, D. J., & Van Essen, D. C. (1991). Distributed hierarchical processing in the primate cerebral cortex. *Cereb Cortex, 1* (1), 1-47.

Fetsch, C. R., Turner, A. H., DeAngelis, G. C., & Angelaki, D. E. (2009). Dynamic reweighting of visual and vestibular cues during self-motion perception. *Journal of Neuroscience, 29* (49), 15601-15612.

Fetsch, C. R., Wang, S. T., Gu, Y., DeAngelis, G. C., & Angelaki, D. E. (2007). Spatial reference frames of visual, vestibular, and multimodal heading signals in the dorsal subdivision of the medial superior temporal area. *Journal of Neuroscience, 27* (3), 700-712.

Fogassi, L., Gallese, V., Fadiga, L., & Rizzolatti, G. (1996). Space coding in inferior premotor cortex (area F4): Facts and speculations. *Neural Bases of Motor Behaviour, 85*, 99-120.

Forster, B., Cavina-Pratesi, C., Aglioti, S. M., & Berlucchi, G. (2002). Redundant target effect and intersensory facilitation from visual-tactile interactions in simple reaction time. *Experimental Brain Research, 143* (4), 480-487.

Fox, M. D., Corbetta, M., Snyder, A. Z., Vincent, J. L., & Raichle, M. E. (2006). Spontaneous neuronal activity distinguishes human dorsal and ventral attention systems. *Proceedings of the National Academy of Sciences of the United States of America, 103* (26), 10046-10051.

Foxe, J. J., Wylie, G. R., Martinez, A., Schroeder, C. E., Javitt, D. C., Guilfoyle, D., . . .& Murray, M. M. (2002). Auditory-somatosensory multisensory processing in auditory association cortex: An fMRI study. *Journal of Neurophysiology, 88* (1), 540-543.

Frassinetti, F., Bolognini, N., & Ladavas, E. (2002). Enhancement of visual perception by crossmodal visuo-auditory interaction. *Experimental Brain Research, 147* (3), 332-343.

Fredrickson, J. M., Figge, U., Scheid, P., & Kornhuber, H. H. (1966). Vestibular nerve projection to cerebral cortex of rhesus monkey. *Experimental Brain Research, 2* (4), 318.

Fukushima, K. (1997). Corticovestibular interactions: Anatomy, electrophysiology, and functional considerations. *Experimental Brain Research, 117* (1), 1-16.

Ghazanfar, A. A. (2009). The multisensory roles for auditory cortex in primate vocal communication. *Hearing Research*, *258*（1-2）, 113-120.

Ghazanfar, A. A., & Schroeder, C. E.（2006）. Is neocortex essentially multisensory? *Trends in Cognitive Sciences*, *10*（6）, 278-285.

Giard, M. H., & Peronnet, F.（1999）. Auditory-visual integration during multimodal object recognition in humans: A behavioral and electrophysiological study. *Journal of Cognitive Neuroscience*, *11*（5）, 473-490.

Godoy Cortés, L. P., Quadros de França, I., Lins Gonçalves, R., Pereira, L.（2018, August）. A design model roadmap for a multisensory experience. In *NORDDESIGN* 2018, *LINKÖPING, SWEDEN.*

Goldish, L. H., & Taylor, H. E.（1974）. The optacon: A valuable device for blind persons. *New Outlook for the Blind*, *68*（2）, 49-56.

Gori, M., Del Viva, M., Sandini, G., & Burr, D. C.（2008）. Young children do not integrate visual and haptic form information. *Current Biology*, *18*（9）, 694-698.

Gori, M., Giuliana, L., Sandini, G., & Burr, D.（2012）. Visual size perception and haptic calibration during development. *Developmental Science*, *15*（6）, 854-862.

Gori, M., Sandini, G., Martinoli, C., & Burr, D.（2010）. Poor haptic orientation discrimination in nonsighted children may reflect disruption of cross-sensory calibration. *Current Biology*, *20*（3）, 223-225.

Gottfried, J. A., & Dolan, R. J.（2003）. The nose smells what the eye sees: Crossmodal visual facilitation of human olfactory perception. *Neuron*, *39*（2）, 375-386.

Gottlieb, J.（2007）. From thought to action: The parietal cortex as a bridge between perception, action, and cognition. *Neuron*, *53*（1）, 9-16.

Grady, C. L., Springer, M. V., Hongwanishkul, D., McIntosh, A. R., & Winocur, G.（2006）. Age-related changes in brain activity across the adult lifespan. *Journal of Cognitive Neuroscience*, *18*（2）, 227-241.

Graziano, M. S. A.（1999）. Where is my arm? The relative role of vision and proprioception in the neuronal representation of limb position. *Proceedings of the National Academy of Sciences of the United States of America*, *96*（18）, 10418-10421.

Graziano, M. S. A., Andersen, R. A., & Snowden, R. J.（1994）. Tuning of MST neurons to spiral motions. *Journal of Neuroscience*, *14*（1）, 54-67.

Graziano, M. S. A., Reiss, L. A. J., & Gross, C. G.（1999）. A neuronal representation of the location of nearby sounds. *Nature*, *397*（6718）, 428-430.

Green, D., & Swets, J.（1966）. *Signal Detection Theory and Psychophysics*. New York: Wiley.

Groh, J. M.（2001）. Converting neural signals from place codes to rate codes. *Biological Cybernetics*, *85*（3）, 159-165.

Grusser, O. J., Pause, M., & Schreiter, U.（1990a）. Localization and responses of neurons in the parieto-insular vestibular cortex of awake monkeys（macaca-fascicularis）. *Journal of Physiology-London*, *430*, 537-557.

Grusser, O. J., Pause, M., & Schreiter, U.（1990b）. Vestibular neurons in the parieto-insular cortex of monkeys (macaca-fascicularis)–Visual and neck receptor responses. *Journal of Physiology-London*, *430*, 559-583.

Gu, Y., Angelaki, D. E., & Deangelis, G. C. (2008) . Neural correlates of multisensory cue integration in macaque MSTd. *Nature Neuroscience*, *11* (10), 1201-1210.

Gu, Y., Cheng, Z. X., Yang, L. H., DeAngelis, G. C., & Angelaki, D. E. (2016) . Multisensory convergence of visual and vestibular heading cues in the pursuit area of the frontal eye field. *Cerebral Cortex*, *26* (9), 3785-3801.

Gu, Y., DeAngelis, G. C., & Angelaki, D. E. (2007) . A functional link between area MSTd and heading perception based on vestibular signals. *Nature Neuroscience*, *10* (8), 1038-1047.

Gu, Y., DeAngelis, G. C., & Angelaki, D. E. (2012) . Causal links between dorsal medial superior temporal area neurons and multisensory heading perception. *Journal of Neuroscience*, *32* (7), 2299-2313.

Gu, Y., Watkins, P. V., Angelaki, D. E., & DeAngelis, G. C. (2006) . Visual and nonvisual contributions to three-dimensional heading selectivity in the medial superior temporal area. *Journal of Neuroscience*, *26* (1), 73-85.

Guldin, W. O., & Grusser, O. J. (1998) . Is there a vestibular cortex? *Trends in Neurosciences*, *21* (6), 254-259.

Guldin, W. O., Akbarian, S., & Grusser, O. J. (1992) . Corticocortical connections and cytoarchitectonics of the primate vestibular cortex–A study in squirrel-monkeys (saimiri-sciureus) . *Journal of Comparative Neurology*, *326* (3), 375-401.

Hackett, T. A., Stepniewska, I., & Kaas, J. H. (1998) . Subdivisions of auditory cortex and ipsilateral cortical connections of the parabelt auditory cortex in macaque monkeys. *Journal of Comparative Neurology*, *394* (4), 475-495.

Hackett, T. A., Stepniewska, I., & Kaas, J. H. (1999) . Prefrontal connections of the parabelt auditory cortex in macaque monkeys. *Brain Research*, *817* (1-2), 45-58.

Hairston, W. D., Laurienti, P. J., Mishra, G., Burdette, J. H., & Wallace, M. T. (2003) . Multisensory enhancement of localization under conditions of induced myopia. *Experimental Brain Research*, *152* (3), 404-408.

Harrar, V., Tammam, J., Perez-Bellido, A., Pitt, A., Stein, J., & Spence, C. (2014) . Multisensory integration and attention in developmental dyslexia. *Current Biology*, *24* (5), 531-535.

Heeger, D. J. (1992) . Normalization of cell responses in cat striate cortex. *Visual Neuroscience*, *9* (2), 181-197.

Held, R. T., & Hui, T. T. (2011) . A guide to stereoscopic 3D displays in medicine. *Academic Radiology*, *18* (8), 1035-1048.

Helfer, A. D. (1998) . "Operational" energy conditions. *Classical and Quantum Gravity*, *15* (5), 1169-1183.

Hikosaka, K., Iwai, E., Saito, H. A., & Tanaka, K. (1988) . Polysensory properties of neurons in the anterior bank of the caudal superior temporal sulcus of the macaque monkey.

Journal of Neurophysiology, *60*（5）, 1615-1637.

Humayun, M. S., Dorn, J. D., da Cruz, L., Dagnelie, G., Sahel, J. A., Stanga, P. E., ... & Grp, A. I. S.（2012）. Interim results from the international trial of second sight's visual prosthesis. *Ophthalmology*, *119*（4）, 779-788.

Jacobs, R. A.（1999）. Optimal integration of texture and motion cues to depth. *Vision Research*, *39*（21）, 3621-3629.

Jiang, W., Jiang, H., Rowland, B. A., & Stein, B. E.（2007）. Multisensory orientation behavior is disrupted by neonatal cortical ablation. *Journal of Neurophysiology*, *97*（1）, 557-562.

Jonides, J., & Irwin, D. E.（1981）. Capturing attention. *Cognition*, *10*（1-3）, 145-150.

Kaas, J. H., & Morel, A.（1993）. Connections of visual areas of the upper temporal-lobe of owl monkeys–The MT crescent and dorsal and ventral subdivisions of FST. *Journal of Neuroscience*, *13*（2）, 534-546.

Kadunce, D. C., Vaughan, J. W., Wallace, M. T., & Stein, B. E.（2001）. The influence of visual and auditory receptive field organization on multisensory integration in the superior colliculus. *Experimental Brain Research*, *139*（3）, 303-310.

Kayser, C., Petkov, C. I., & Logothetis, N. K.（2008）. Visual modulation of neurons in auditory cortex. *Cerebral Cortex*, *18*（7）, 1560-1574.

King, A. J. & Calvert, G. A.（2001）. Multisensory integration: Perceptual grouping by eye and ear. *Current Biology*, *11*（8）, 322-325.

Knill, D. C., & Saunders, J. A.（2003）. Do humans optimally integrate stereo and texture information for judgments of surface slant? *Vision Research*, *43*（24）, 2539-2558.

Kupers, R., Chebat, D. R., Madsen, K. H., Paulson, O. B., & Ptito, M.（2010）. Neural correlates of virtual route recognition in congenital blindness. *Proceedings of the National Academy of Sciences of the United States of America*, *107*（28）, 12716-12721.

Lakatos, P., Chen, C. M., O'Connell, M. N., Mills, A., & Schroeder, C. E.（2007）. Neuronal oscillations and multisensory interaction in primary auditory cortex. *Neuron*, *53*（2）, 279-292.

Laurienti, P. J., Burdette, J. H., Maldjian, J. A., & Wallace, M. T.（2006）. Enhanced multisensory integration in older adults. *Neurobiology of Aging*, *27*（8）, 1155-1163.

Lentz, J. M., & Guedry, F. E.（1978）. Motion sickness susceptibility—Retrospective comparison of laboratory tests. *Aviation Space and Environmental Medicine*, *49*（11）, 1281-1288.

Levy-Tzedek, S., Hanassy, S., Abboud, S., Maidenbaum, S., & Amedi, A.（2012）. Fast, accurate reaching movements with a visual-to-auditory sensory substitution device. *Restorative Neurology and Neuroscience*, *30*（4）, 313-323.

Lewis, J. W., & van Essen, D. C.（2000）. Corticocortical connections of visual, sensorimotor, and multimodal processing areas in the parietal lobe of the macaque monkey. *Journal of Comparative Neurology*, *428*（1）, 112-137.

Lisberger, S. G., & Movshon, J. A.（1999）. Visual motion analysis for pursuit eye movements in area MT of macaque monkeys. *Journal of Neuroscience*, *19*（6）, 2224-2246.

Loomis, J. M., Klatzky, R. L., & Golledge, R. G.（1999）. Auditory distance perception in real, virtual, and mixed environments. *Mixed Reality: Merging Real and Virtual Worlds*, 201-214.

Macaluso, E.（2010）. Orienting of spatial attention and the interplay between the senses. *Cortex*, *46*（3）, 282-297.

Mahoney, J. R., Li, P. C. C., Oh-Park, M., Verghese, J., & Holtzer, R.（2011）. Multisensory integration across the senses in young and old adults. *Brain Research*, *1426*, 43-53.

Mahoney, J. R., Verghese, J., Dumas, K., Wang, C. L., & Holtzer, R.（2012）. The effect of multisensory cues on attention in aging. *Brain Research*, *1472*, 63-73.

Martuzzi, R., Murray, M. M., Michel, C. M., Thiran, J. P., Maeder, P. P., Clarke, S., & Meuli, R. A.（2007）. Multisensory interactions within human primary cortices revealed by BOLD dynamics. *Cerebral Cortex*, *17*（7）, 1672-1679.

Mcgurk, H., & Macdonald, J.（1976）. Hearing lips and seeing voices. *Nature*, *264*（5588）, 746-748.

Meijer, P. B. L.（1992）. An experimental system for auditory image representations. *IEEE Transactions on Biomedical Engineering*, *39*（2）, 112-121.

Meng, H., May, P. J., Dickman, J. D., & Angelaki, D. E.（2007）. Vestibular signals in primate thalamus: Properties and origins. *Journal of Neuroscience*, *27*（50）, 13590-13602.

Merabet, L. B., Battelli, L., Obretenova, S., Maguire, S., Meijer, P., & Pascual-Leone, A.（2009）. Functional recruitment of visual cortex for sound encoded object identification in the blind. *Neuroreport*, *20*（2）, 132-138.

Meredith, M. A., & Stein, B. E.（1983）. Interactions among converging sensory inputs in the superior colliculus. *Science*, *221*（4608）, 389-391.

Meredith, M. A., & Stein, B. E.（1985）. Descending efferents from the superior colliculus relay integrated multisensory information. *Science*, *227*（4687）, 657-659.

Meredith, M. A., & Stein, B. E.（1986）. Visual, auditory, and somatosensory convergence on cells in superior colliculus results in multisensory integration. *Journal of Neurophysiology*, *56*（3）, 640-662.

Meredith, M. A., & Stein, B. E.（1996）. Spatial determinants of multisensory integration in cat superior colliculus neurons. *Journal of Neurophysiology*, *75*（5）, 1843-1857.

Meyer, G. F., Shao, F., White, M. D., Hopkins, C., & Robotham, A. J.（2013）. Modulation of visually evoked postural responses by contextual visual, haptic and auditory information: A "virtual reality check". *PLoS One*, *8*（6）, e67651.

Morgan, M. L., DeAngelis, G. C., & Angelaki, D. E.（2008）. Multisensory integration in macaque visual cortex depends on cue reliability. *Neuron*, *59*（4）, 662-673.

Mozolic, J. L., Hugenschmidt, C. E., Peiffer, A. M., & Laurienti, P. J.（2012）. Multisensory integration and aging. In Murray, M. M, & Wallace, M. T. *The Neural Bases of Multisensory*

Processes（pp.381-392）. Los Angeles: CRC Press.

Mysore, S. P., & Knudsen, E. I.（2013）. A shared inhibitory circuit for both exogenous and endogenous control of stimulus selection. *Nature Neuroscience*, *16*（4）, 473-478.

Nardini, M., Begus, K., & Mareschal, D.（2013）. Multisensory uncertainty reduction for hand localization in children and adults. *Journal of Experimental Psychology-Human Perception and Performance*, *39*（3）, 773-787.

Oakland, T., Black, J. L., Stanford, G., Nussbaum, N. L., & Balise, R. R.（1998）. An evaluation of the dyslexia training program: A multisensory method for promoting reading in students with reading disabilities. *Journal of Learning Disabilities*, *31*（4）, 140-147.

Odkvist, L. M., Schwarz, D. W. F., Fredrickson, J. M., & Hassler, R.（1974）. Projection of vestibular nerve to area-3a arm field in squirrel-monkey（saimiri-sciureus）. *Experimental Brain Research*, *21*（1）, 97-105.

Ohmi, M.（1996）. Egocentric perception through interaction among many sensory systems. *Cognitive Brain Research*, *5*（1-2）, 87-96.

Ohshiro, T., Angelaki, D. E., & DeAngelis, G. C.（2011）. A normalization model of multisensory integration. *Nature Neuroscience*, *14*（6）, 775-782.

Page, W. K., & Duffy, C. J.（1999）. MST neuronal responses to heading direction during pursuit eye movements. *Journal of Neurophysiology*, *81*（2）, 596-610.

Pandya, D. N., & Seltzer, B.（1982）. Association areas of the cerebral-cortex. *Trends in Neurosciences*, *5*（11）, 386-390.

Parker, A. J., & Newsome, W. T.（1998）. Sense and the single neuron: Probing the physiology of perception. *Annual Review of Neuroscience*, *21*, 227-277.

Peelen, M. V., Heslenfeld, D. J., & Theeuwes, J.（2004）. Endogenous and exogenous attention shifts are mediated by the same large-scale neural network. *Neuroimage*, *22*（2）, 822-830.

Peiffer, A. M., Mozolic, J. L., Hugenschmidt, C. E., & Laurienti, P. J.（2007）. Age-related multisensory enhancement in a simple audiovisual detection task. *Neuroreport*, *18*（10）, 1077-1081.

Perrault, T. J., Vaughan, J. W., Stein, B. E., & Wallace, M. T.（2003）. Neuron-specific response characteristics predict the magnitude of multisensory integration. *Journal of Neurophysiology*, *90*（6）, 4022-4026.

Perrault, T. J., Vaughan, W., Stein, B. E., & Wallace, M. T.（2005）. Superior colliculus neurons use distinct operational modes in the integration of multisensory stimuli. *Journal of Neurophysiology*, *93*（5）, 2575-2586.

Poirier, C., De Volder, A., Tranduy, D., & Scheiber, C.（2007）. Pattern recognition using a device substituting audition for vision in blindfolded sighted subjects. *Neuropsychologia*, *45*（5）, 1108-1121.

Posner, M. I., Snyder, C. R. R., & Davidson, B. J.（1980）. Attention and the detection of signals. *Journal of Experimental Psychology-General*, *109*（2）, 160-174.

Ptito, M., Matteau, I., Gjedde, A., & Kupers, R.（2009）. Recruitment of the middle temporal area by tactile motion in congenital blindness. *Neuroreport*, *20*（6）, 543-547.

Renier, L., & De Volder, A. G.（2010）. Vision substitution and depth perception: Early blind subjects experience visual perspective through their ears. *Disability and Rehabilitation*: *Assistive Technology*, *5*（3）, 175-183.

Reynolds, J. H., & Heeger, D. J.（2009）. The normalization model of attention. *Neuron*, *61*（2）, 168-185.

Ridgway, N., Milders, M., & Sahraie, A.（2008）. Redundant target effect and the processing of colour and luminance. *Experimental Brain Research*, *187*（1）, 153-160.

Riva, G., Lenggenhager, B., Tadi, T., Metzinger, T., Blanke, O., & Ehrsson, H. H.（2007）. Virtual reality and telepresence（with response）. *Science*, *318*（5854）, 1240, 1242.

Rizzo, J. F.（2011）. Update on retinal prosthetic research: The Boston retinal implant project. *Journal of Neuro-Ophthalmology*, *31*（2）, 160-168.

Rizzolatti, G., Fogassi, L., & Gallese, V.（1997）. Parietal cortex: From sight to action. *Current Opinion in Neurobiology*, *7*（4）, 562-567.

Rockland, K. S., & Ojima, H.（2003）. Multisensory convergence in calcarine visual areas in macaque monkey. *International Journal of Psychophysiology*, *50*（1-2）, 19-26.

Rodman, H. R., & Albright, T. D.（1987）. Coding of visual stimulus velocity in area MTof the macaque. *Vision Research*, *27*（12）, 2035-2048.

Romanski, L. M., Tian, B., Fritz, J., Mishkin, M., Goldman-Rakic, P. S., & Rauschecker, J. P.（1999）. Dual streams of auditory afferents target multiple domains in the primate prefrontal cortex. *Nature Neuroscience*, *2*（12）, 1131-1136.

Royal, D. W., Krueger, J., Fister, M. C., & Wallace, M. T.（2010）. Adult plasticity of spatiotemporal receptive fields of multisensory superior colliculus neurons following early visual deprivation. *Restorative Neurology and Neuroscience*, *28*（2）, 259-270.

Royden, C. S., Banks, M. S., & Crowell, J. A.（1992）. The perception of heading during eye-movements. *Nature*, *360*（6404）, 583-587.

Royden, C. S., Laudeman, I. V., Crowell, J. A., & Banks, M. S.（1992）. The influence of eye-movements on heading judgments. *Investigative Ophthalmology & Visual Science*, *33*（4）, 1051-1051.

Russ, B. E., Kim, A. M., Abrahamsen, K. L., Kiringoda, R., & Cohen, Y. E.（2006）. Responses of neurons in the lateral intraparietal area to central visual cues. *Experimental Brain Research*, *174*（4）, 712-727.

Schaafsma, S. J., & Duysens, J.（1996）. Neurons in the ventral intraparietal area of awake macaque monkey closely resemble neurons in the dorsal part of the medial superior temporal area in their responses to optic flow patterns. *Journal of Neurophysiology*, *76*（6）, 4056-4068.

Schall, J. D., Hanes, D. P., Thompson, K. G., & King, D. J.（1995）. Saccade target selection in frontal eye field of macaque .1. visual and premovement activation. *Journal of Neuroscience*,

15（10），6905-6918.

Schlack, A., Hoffmann, K. P., & Bremmer, F.（2002）. Interaction of linear vestibular and visual stimulation in the macaque ventral intraparietal area（VIP）. *European Journal of Neuroscience*, *16*（10），1877-1886.

Schlack, A., Sterbing-D'Angelo, S. J., Hartung, K., Hoffmann, K. P., & Bremmer, F.（2005）. Multisensory space representations in the macaque ventral intraparietal area. *Journal of Neuroscience*, *25*（18），4616-4625.

Schwarz, D. W. F., & Fredrickson, J. M.（1971）. Tactile direction sensitivity of area-2 oral neurons in rhesus monkey cortex. *Brain Research*, *27*（2），397.

Seltzer, B., & Pandya, D. N.（1994）. Parietal, temporal, and occipital projections to cortex of the superior temporal sulcus in the rhesus-monkey: A retrograde tracer study. *Journal of Comparative Neurology*, *343*（3），445-463.

Senkowski, D., Talsma, D., Grigutsch, M., Herrmann, C. S., & Woldorff, M. G.（2007）. Good times for multisensory integration: Effects of the precision of temporal synchrony as revealed by gamma-band oscillations. *Neuropsychologia*, *45*（3），561-571.

Shams, L. B., Kamitani, Y., & Shimojo, S.（2000）. Illusory flashing visual percept induced by sound. *Investigative Ophthalmology & Visual Science*, *41*（4），S229.

Shams, L., & Beierholm, U. R.（2010）. Causal inference in perception. *Trends in Cognitive Sciences*, *14*（9），425-432.

Shams, L., Kamitani, Y., & Shimojo, S.（2002）. Visual illusion induced by sound. *Cognitive Brain Research*, *14*（1），147-152.

Shepherd, M., & Muller, H. J.（1989）. Movement versus focusing of visual-attention. *Perception & Psychophysics*, *46*（2），146-154.

Siegel, R. M., & Read, H. L.（1997）. Analysis of optic flow in the monkey parietal area 7a. *Cerebral Cortex*, *7*（4），327-346.

Small, D. M., & Prescott, J.（2005）. Odor/taste integration and the perception of flavor. *Experimental Brain Research*, *166*（3-4），345-357.

Sommers, M. S., Tye-Murray, N., & Spehar, B.（2005）. Auditory-visual speech perception and auditory-visual enhancement in normal-hearing younger and older adults. *Ear and Hearing*, *26*（3），263-275.

Spence, C., & Driver, J.（2000）. Attracting attention to the illusory location of a sound: Reflexive crossmodal orienting and ventriloquism. *Neuroreport*, *11*（9），2057-2061.

Stanford, T. R., Quessy, S., & Stein, B. E.（2005）. Evaluating the operations underlying multisensory integration in the cat superior colliculus. *Journal of Neuroscience*, *25*（28），6499-6508.

Starkiewicz, W., & Kuliszewski, T.（1965）. Progress report on the elektroftalm mobility Aid. In *the Proceedings of the Rotterdam Mobility Research Conference. American Foundation for the Blind, New York.*

Stein, B. E., & Stanford, T. R.（2008）. Multisensory integration: Current issues from the perspective of the single neuron. *Nature Reviews Neuroscience*, *9*（4）, 255-266.

Stein, B. E., & Meredith, M. A.（1993）. *The Merging of the Senses*. Cambridge: MIT Press.

Stein, B. E., Meredith, M. A., & Wallace, M. T.（1993）. The visually responsive neuron and beyond—Multisensory integration in cat and monkey. *Progress in Brain Research*, *95*, 79-90.

Stein, B. E., Stanford, T. R., Ramachandran, R., Perrault, T. J., & Rowland, B. A.（2009）. Challenges in quantifying multisensory integration: Alternative criteria, models, and inverse effectiveness. *Experimental Brain Research*, *198*（2-3）, 113-126.

Stein, B. E., Wallace, M. W., Stanford, T. R., & Jiang, W.（2002）. Cortex governs multisensory integration in the midbrain. *Neuroscientist*, *8*（4）, 306-314.

Stephen, J. M., Knoefel, J. E., Adair, J., Hart, B., & Aine, C. J.（2010）. Aging-related changes in auditory and visual integration measured with MEG. *Neuroscience Letters*, *484*（1）, 76-80.

Stevens, W. D., Hasher, L., Chiew, K. S., & Grady, C. L.（2008）. A neural mechanism underlying memory failure in older adults. *Journal of Neuroscience*, *28*（48）, 12820-12824.

Stine, E. A. L., Wingfield, A., & Myers, S. D.（1990）. Age-differences in processing information from television-news: The effects of bisensory augmentation. *Journals of Gerontology*, *45*（1）, 1-8.

Stone, L. S., & Perrone, J. A.（1997）. Human heading estimation during visually simulated curvilinear motion. *Vision Research*, *37*（5）, 573-590.

Striem-Amit, E., Guendelman, M., & Amedi, A.（2012）. "Visual" acuity of the congenitally blind using visual-to-auditory sensory substitution. *PLoS One*, *7*（3）, e33136.

Striem-Amit, E., Hertz, U., & Amedi, A.（2011）. Extensive cochleotopic mapping of human auditory cortical fields obtained with phase-encoding fMRI. *PLoS One*, *6*（3）, 1-18.

Sugihara, T., Diltz, M. D., Averbeck, B. B., & Romanski, L. M.（2006）. Integration of auditory and visual communication information in the primate ventrolateral prefrontal cortex. *Journal of Neuroscience*, *26*（43）, 11138-11147.

Takahashi, K., Gu, Y., May, P. J., Newlands, S. D., DeAngelis, G. C., & Angelaki, D. E.（2007）. Multimodal coding of three-dimensional rotation and translation in area MSTd: Comparison of visual and vestibular selectivity. *Journal of Neuroscience*, *27*（36）, 9742-9756.

Talsma, D., & Woldorff, M. G.（2005）. Selective attention and multisensory integration: Multiple phases of effects on the evoked brain activity. *Journal of Cognitive Neuroscience*, *17*（7）, 1098-1114.

Talsma, D., Doty, T. J., & Woldorff, M. G.（2007）. Selective attention and audiovisual integration: Is attending to both modalities a prerequisite for early integration? *Cerebral Cortex*, *17*（3）, 679-690.

Tanaka, K., & Saito, H. A.（1989）. Analysis of motion of the visual-field by direction, expansion contraction, and rotation cells clustered in the dorsal part of the medial superior temporal area of the macaque monkey. *Journal of Neurophysiology*, *62*（3）, 626-641.

Tanaka, K., Hikosaka, K., Saito, H., Yukie, M., Fukada, Y., & Iwai, E. (1986). Analysis of local and wide-field movements in the superior temporal visual areas of the macaque monkey. *Journal of Neuroscience*, *6* (1), 134-144.

Tang, X. Y., Wu, J. L., & Shen, Y. (2016). The interactions of multisensory integration with endogenous and exogenous attention. *Neuroscience and Biobehavioral Reviews*, *61*, 208-224.

Tarr, M. J., & Warren, W. H. (2002). Virtual reality in behavioral neuroscience and beyond. *Nature Neuroscience*, *5*, 1089-1092.

Telford, L., Howard, I. P., & Ohmi, M. (1995). Heading judgments during active and passive self-motion. *Experimental Brain Research*, *104* (3), 502-510.

van Beers, R. J., Sittig, A. C., & van der Gon, J. J. D. (1999). Localization of a seen finger is based exclusively on proprioception and on vision of the finger. *Experimental Brain Research*, *125* (1), 43-49.

van der Burg, E., Olivers, C. N. L., Bronkhorst, A. W., & Theeuwes, J. (2008). Pip and pop: Nonspatial auditory signals improve spatial visual search. *Journal of Experimental Psychology-Human Perception and Performance*, *34* (5), 1053-1065.

Vroomen, J., Bertelson, P., & de Gelder, B. (2001). The ventriloquist effect does not depend on the direction of automatic visual attention. *Perception & Psychophysics*, *63* (4), 651-659.

Vroomen, J., Driver, J., & de Gelder, B. (2001). Is cross-modal integration of emotional expressions independent of attentional resources? *Cognitive Affective & Behavioral Neuroscience*, *1* (4), 382-387.

Walden, B. E., Busacco, D. A., & Montgomery, A. A. (1993). Benefit from visual cues in auditory-visual speech recognition by middle-aged and elderly persons. *Journal of Speech and Hearing Research*, *36* (2), 431-436.

Wallace, M. T., & Stein, B. E. (1997). Development of multisensory neurons and multisensory integration in cat superior colliculus. *Journal of Neuroscience*, *17* (7), 2429-2444.

Wallace, M. T., & Stein, B. E. (2000). Onset of cross-modal synthesis in the neonatal superior colliculus is gated by the development of cortical influences. *Journal of Neurophysiology*, *83* (6), 3578-3582.

Wallace, M. T., & Stein, B. E. (2001). Sensory and multisensory responses in the newborn monkey superior colliculus. *Journal of Neuroscience*, *21* (22), 8886-8894.

Wallace, M. T., & Stein, B. E. (2007). Early experience determines how the senses will interact. *Journal of Neurophysiology*, *97* (1), 921-926.

Wallace, M. T., Carriere, B. N., Perrault, T. J., Vaughan, J. W., & Stein, B. E. (2006). The development of cortical multisensory integration. *Journal of Neuroscience*, *26* (46), 11844-11849.

Wallace, M. T., Wilkinson, L. K., & Stein, B. E. (1996). Representation and integration of multiple sensory inputs in primate superior colliculus. *Journal of Neurophysiology*, *76* (2), 1246-1266.

Wang, X., Li, Y., He, Y., Liang, H. S., & Liu, E. Z. (2012). A novel animal model of partial optic nerve transection established using an optic nerve quantitative amputator. *PLoS One*, *7*（9）, 1-10.

Warren, W. H., Jr., & Hannon, D. J.（1990）. Eye movements and optical flow. *Journal of Optical Society of America A Optics & Image Ence*, *7*（1）, 160-169.

Welch, R. B., Duttonhurt, L. D., & Warren, D. H.（1986）. Contributions of audition and vision to temporal rate perception. *Perception & Psychophysics*, *39*（4）, 294-300.

Wilson, V. J., & Jones, G. M.（1979）. The vestibulospinal system. *Mammalian Vestibular Physiology*, 185-248.

Xu, J. H., Yu, L. P., Rowland, B. A., Stanford, T. R., & Stein, B. E.（2012）. Incorporating cross-modal statistics in the development and maintenance of multisensory integration. *Journal of Neuroscience*, *32*（7）, 2287-2298.

Yang, Y., Mohand-Said, S., Leveillard, T., Fontaine, V., Simonutti, M., & Sahel, J. A.（2010）. Transplantation of photoreceptor and total neural retina preserves cone function in P23H rhodopsin transgenic rat. *PLoS One*, *5*（10）, e13469.

Yu, L., Xu, J., Rowland, B. A., & Stein, B. E.（2016）. Multisensory plasticity in superior colliculus neurons is mediated by association cortex. *Cerebral Cortex*, *26*（3）, 1130-1137.

Zhang, T., & Britten, K. H.（2003）. Microstimulation of area VIP biases heading perception in monkeys. In *the Society for Neuroscience*, *New Orleans*, *LA*.

Zhang, T., Heuer, H. W., & Britten, K. H.（2004）. Parietal area VIP neuronal responses to heading stimuli are encoded in head-centered coordinates. *Neuron*, *42*（6）, 993-1001.

Zhang, W. H., Chen, A. H., Rasch, M. J., & Wu, S.（2016）. Decentralized multisensory information integration in neural systems. *Journal of Neuroscience*, *36*（2）, 532-547.

Zhang, Y. Y., Li, S. S., Jiang, D. Q., & Chen, A. H.（2018）. Response properties of interneurons and pyramidal neurons in macaque MSTd and VPS areas during self-motion. *Frontiers in Neural Circuits*, *12*, 105.

Zrenner, E., Bartz-Schmidt, K. U., Benav, H., Besch, D., Bruckmann, A., Gabel, V. P., ... & Wilke, R.（2011）. Subretinal electronic chips allow blind patients to read letters and combine them to words. *Proceedings of the Royal Society B-Biological Sciences*, *278*（1711）, 1489-1497.

第五章

基于脑电信号的情绪识别

第一节　背　景　介　绍

一、情感智能与情绪识别

情感交流是人与人之间交流的重要部分，情感化的人机交互设计是当前计算机科学和认知科学研究的热点之一，同时也是人工智能领域备受关注却尚未解决的重要问题。20 世纪末，"情感智能"的概念被首次提出（Salovey & Mayer，1990），认为除了逻辑智能，情感智能也是人类智能的重要组成部分。情感智能指的是感知、理解和调节情绪的能力。现有的人机交互系统具有一定的逻辑智能，但其情感智能几乎为零，人机交互系统只能按照人预先编制的程序进行动作，而不能智能地进行具有情感的交流和表达，这极大地限制了其功能和应用范围。人们期望人机交互系统不仅要能"做事"，更要"懂人意"。因此，皮卡德（Picard，2000）提出"情感计算"的概念，目的是在人机交互中引入情感因素，赋予计算机感知、理解以及表达情感的能力。人机交互系统面对的环境是复杂和动态的，在许多场合要能与人协调作业，拥有情感交互能力的系统能够更好地适应这样的环境。

开发情感智能技术，首先要感知情绪，识别情绪。只有先进行情绪识别，才能理解情绪，并进一步对情绪状态做出合适的反应，因此情绪识别是实现情感智能框架中重要的一步。情绪是在外界刺激条件下复杂的生理物理变化过程，具有三种成分：主观体验，即人对于不同情绪状态的自我感受；外部表现，即人处在不同情绪状态时身体各部分动作的量化反应形式；生理唤醒，即由情绪状态的变化引起的生理信号的变化。在人与人的交流过程中，人们基本是通过人的外部表现来识别对方的情绪状态。情绪的外部表现主要包括面部表情（面部肌肉变化的不同组合模式）、姿态（身体其他部分的动作）和语调（语言的声调、节奏、速度等方面的变化）。传统的情绪识别方法大多利用这三种信息进行识别。除了人的上述三种外部表现，研究表明，中枢神经系统以及自主神经系统的多种生理指标变化都与情绪状态变化有着紧密的联系，这些指标给情绪状态变化的量化评估提供了依据（Calvo & D'Mello，2010）。

目前，表示人的情绪的主要模型可以分为两类：离散情绪模型和连续情绪模型。在情绪识别研究中，最常用的离散情绪模型是由艾柯曼和凯尔特纳（Ekman & Keltner，1997）提出的，他们认为人的情绪状态主要包含六类基本情绪：高兴、悲伤、恐惧、厌恶、愤怒和惊讶。最常使用的连续情绪模型是由罗素（Russell，1980）提出的效价-唤醒（valence-arousal）情绪模型（图 5-1），他将情绪映射到二维空间，横轴和纵轴分别表示喜欢程度和兴奋程度。有学者（Bradley & Lang，1994）在罗素提出的模型的基础上增加了优势度（dominance）维度，表征对情绪的控制程度，从而将情绪模型扩展到三维空间。

图 5-1　效价-唤醒情绪模型（Russell，1980）

在情绪识别的实验室研究中，首要任务是诱发出被试的相关情绪并采集与情绪相关的数据。因此，如何设计实验能更好地诱发被试的情绪，是情绪识别研究的一个重要课题。皮卡德等（Picard et al.，2001）将情绪的诱发方法分为两类：主体诱发和事件诱发。主体诱发一般要求被试通过自身回忆或想象相关情景来产生相应的情绪；事件诱发则通过向被试提供图像、音频、视频和文本等刺激素材来诱发被试的情绪。由于事件诱发更为可控，因此被广泛用于情绪数据的采集实验。对于事件诱发中情绪刺激素材的选取，有学者（Ekman & Friesen，1976）提供了面部表情图片素材库（pictures of facial affect，POFA），也有学者（Lang et al.，1999）提供了由情绪场景图片构成的国际情感图片系统（international affective picture system，IAPS），还有学者（Bradley & Lang，1999）提供了由音频组成的国际情感数字化声音素材库（international affective digitized sounds，IADS）。如今，越来越多的研究人员开始使用视频作为情绪的刺激素材，以确保尽可能地诱发出被试的情绪（Nie et al. 2011）。

人体的许多信号都包含与情绪相关的信息，因此常被采集作为情感数据用于情绪识别。通常，可以将用于情绪识别的信号分为两大类：非生理信号和生理信号。其中，非生理信号主要包括语音语调、面部表情等外在的、较为主观的模态，而生理信号主要包括脑电（EEG）、功能磁共振成像（fMRI）以及皮肤电反应等。相较于非生理信号，生理信号具有更好的准确性和客观性。

在基于非生理信号的情绪识别中，有学者（Tzirakis et al.，2017）使用语音和视觉两个模态以及卷积神经网络（convolutional neural network，CNN）和深度残差网络（residual network，ResNet）对情绪在效价和唤醒两个维度上进行了分类，在REOLA数据集上的准确率分别达到了61.2%和71.4%；有学者（Zheng & Lu，2015）基于呼吸信号通过稀疏自编码器（sparse auto-encoder，SAE）进行特征提取，并利用逻辑斯蒂回归（logistic regression，LR）对情绪在效价和唤醒两个维度上分别进行了分类，准确率分别达到了73.06%和80.78%；还有学者（Kassem et al.，2017）提出了一种基于瞳孔直径进行情绪识别的方法，实验结果显示令人愉快和不愉快的内容分别会使瞳孔直径增加10%—15%和16%以上。

相较于外在的非生理信号，内在的生理信号能够更加客观地反映一个人的真实情绪状态。虽然fMRI能够更精确地探测到颅内的神经元活动状态，但是其设备昂贵、体积大、实验操作不便等诸多因素限制了其在研究中的使用和应用。随着人工智能、脑-机接口的迅速发展，基于脑电的情绪识别已经吸引了越来越多的研究人员。基于脑电的情绪识别研究将推动相关领域的发展，有助于神经科学揭示人脑的情绪处理机制，为精神心理疾病提供辅助治疗手段，为军队士兵情绪状态提供实时监测和预警，为游戏娱乐玩家提供更智能的游戏体验。

二、情绪识别脑电数据集

在基于脑电的情绪识别中，目前国内外使用最多的公开脑电数据集主要有三个：DEAP（Koelstra et al.，2012）、MAHNOB-HCI（Soleymani et al.，2012）以及SEED（Zheng & Lu，2015），如表5-1所示。DEAP数据集是由32名被试（男性和女性各16名）通过观看40段时长1分钟左右的音乐视频片段，并采用效价-唤醒情绪模型进行评价得到的。他们采集的信号主要包括32导脑电信号、面部视频、眼电、肌电以及外围生理信号（皮肤电反应、血容量波动、温度和呼吸）。

MAHNOB-HCI 数据集是由来自不同文化背景的 27 名被试（11 名男性和 16 名女性）通过观看 20 个情绪视频，并采用效价–唤醒–优势度情绪模型进行评价得到的。他们采集的信号主要包括 32 导脑电信号、面部视频、音频信号、眼部注视数据以及外围生理信号（心电、皮肤电反应、呼吸幅值和皮肤温度）。SEED 数据集是由 15 名（7 名男性和 8 名女性）中国被试通过三次实验，每次观看 15 段时长 4 分钟左右的情绪电影片段，并采用离散情绪模型对三类情绪（高兴、悲伤和中性）进行评价得到的。SEED 数据集的信号主要包括 62 导脑电信号和眼动信号。最近，SEED 数据集进一步增加了 SEED-Ⅳ 和 SEED-V 数据集，分别对应四类（高兴、悲伤、恐惧和中性）和五类（高兴、悲伤、恐惧、厌恶和中性）情绪识别的脑电数据。

表 5-1　常用的公开情感脑电数据集

情感脑电数据集	刺激素材	被试人数（男/女）	情绪模型	信号
DEAP	音乐视频片段	32（16/16）	连续	32 导脑电信号、面部视频、眼电、肌电、外围生理信号（皮肤电反应、血容量波动、温度和呼吸）
MAHNOB-HCI	情绪视频	27（11/16）	连续	32 导脑电信号、面部视频、音频信号、眼部注视数据、外围生理信号（心电、皮肤电反应、呼吸幅值和皮肤温度）
SEED	情绪电影片段	15（7/8）	离散	62 导脑电信号和眼动信号

第二节　基于脑电的情绪识别方法

本节介绍基于脑电情绪识别研究中常用的算法。基于脑电的情绪识别流程主要包含以下五个步骤：脑电信号采集、信号预处理、特征提取、特征平滑和降维、情绪分类模型训练和情绪预测（图 5-2）。

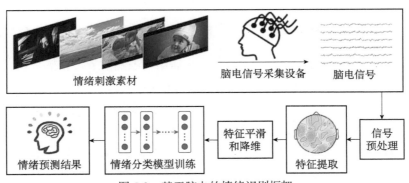

图 5-2　基于脑电的情绪识别框架

一、脑电信号采集与预处理

脑电信号主要反映了人脑活动时由神经元中的离子电流所产生的电压波动，通常为0—50Hz。因此，在脑电信号采集实验中，我们要尽可能减少被试自身运动以及外部环境对脑电信号产生的干扰。根据是否需要涂抹导电膏，脑电信号采集设备一般可分为两大类：湿电极脑电帽与干电极脑电帽。在情绪识别实验中，干电极脑电帽相对更容易穿戴与操作，但是采集到的脑电信号的质量不如采用湿电极脑电帽稳定。

有学者（Alarcão & Fonseca，2017）对2009—2016年情绪识别领域的进展进行系统的研究后指出，一共有17种不同的设备被用于脑电信号的采集。其中，4种常用的脑电采集设备是Biosemi Active Two[①]、Emotiv无线耳机t[②]、Neuroscan[③]和g.MOBIlab[④]，其使用率分别达到37.1%、16.1%、14.5%和4.8%。在这些脑电信号采集设备中，最便携且易操作的是Emotiv无线耳机。

由于采集到的原始脑电信号通常混杂噪声信号或伪迹信号，包括外部环境噪声以及被试自身的其他生理信号，如工频、电磁、心电、眼电以及肌电等，因此我们需要对信号进行预处理，去掉原始脑电信号中的噪声或伪迹。脑电信号预处理方法主要包括以下几种：滤波、主成分分析（principal component analysis，PCA）、独立成分分析（independent component analysis，ICA）以及盲源分离（blind source separation，BSS）等。

二、脑电信号的特征提取

在基于脑电的情绪识别研究中，传统方法通常基于时域或频域来提取表征情绪的脑电特征。考虑到脑电信号的非平稳特性以及原始脑电信号中通常混杂有其他伪迹成分，基于频域提取的脑电特征经常被用于情绪分类。此外，时域、频域以及空域等不同维度相结合的特征提取方法也被用于提取更复杂的脑电特征。随着深度学习的发展，深度学习模型逐渐被用于自动学习与情绪相关的脑电特征。

在基于时域的特征提取中，有学者（Georgieva et al.，2014）提取了事件相关电位（ERP）幅度和时延等特征。也有学者（Singh & Singh，2017）提取了

[①] 参见 https://www.biosemi.com/products.htm.

[②] 参见 https://www.emotiv.com.

[③] 参见 https://compumedicsneuroscan.com.

[④] 参见 https://www.gtec.at/products.

FZ、CZ、PZ 三个电极的 ERP，他们在被试相关的实验中提取了 12 个特征，包括 P100、PT100、N100、NT100、P200、PT200、N200、NT200、P300、PT300、N300 和 NT300，而在被试无关的实验中提取了 7 个特征，包括 P100、N100、P200、N200、P300、N300 和 PT100。

在基于频域的特征提取中，最常使用的脑电特征主要是基于短时傅里叶变换（short-time fourier transform，STFT）提取的能量谱、功率谱密度（power spectral density，PSD）、微分熵（differential entropy，DE）、不对称差（differential asymmetry，DASM）、不对称熵（rational asymmetry，RASM）和不对称性（asymmetry，ASM）等（Duan et al.，2013）。

基于多个不同维度对脑电信号进行特征提取，能够保留更多的信息用于情绪识别。其中，最常见的是基于时域-频域的特征提取。有学者（Kumar et al.，2016）采用双谱分析的方法提取了五个特征：标准化双谱熵、标准化双谱平方熵、平均双谱幅度、一阶谱矩和二阶谱矩。实验结果显示，基于双谱的脑电特征比功率谱特征的识别准确率更高。有学者（Lan et al.，2015）提取了分形维数（fractal dimension，FD）、能量特征、统计特征和 HOC 特征，并利用类内相关系数对这四类特征的稳定性进行了量化，结果显示稳定性由高到低依次为统计特征、FD、一阶 HOC 和能量特征。也有学者（Candra et al.，2015）利用离散小波变换（discrete wavelet transform，DWT）提取了小波能量和小波熵特征，结果显示小波熵特征性能更好。还有学者（Chen & Zhang，2017）比较了两种特征提取方法：一是利用小波变换提取的脑电信号的小波特征，包括小波能量、小波能量熵和小波熵；二是利用非线性分析的方法提取的近似熵和样本熵特征。实验结果显示，采用非线性动力特征比小波特征获得的准确率更高，而且将近似熵和样本熵两个特征结合效果更好。

除了时域、频域及二者的结合以外，不少研究人员在特征提取时还考虑到脑电信号的空间特性。有学者（Zhuang et al.，2017）利用经验模式分解（empirical mode decomposition，EMD）方法将脑电信号分解为本征模函数（intrinsic mode function，IMF），并提取了 IMF 的三个特征：时序一阶差分、相位一阶差分以及归一化能量。实验结果显示，相比较基于时域的特征提取方法，EMD 方法能够利用到更多的频域信息，而相比较基于时域-频域的特征提取方法，EMD 能够对脑电信号进行自动分解，而无须事先选择变换窗口。也有学者（Li et al.，2017a）利用 Welch 方法提取了 PSD 特征并映射为二维图像，最终融合了时域、频域和空域特性的一系列脑电多维特征图像序列来表示脑电信号中的情绪变化。还有学者（Dhindsa & Becker，2017）基于时域、频域和空域提取了多个特征，包括

PSD、交叉谱密度、相干性、交叉频率耦合、双谱、双相干性、二次相位耦合和 Alpha 非对称性。

目前，深度神经网络正逐渐被应用于脑电信号的高级特征表示。有学者（Ayata et al.，2017）比较了基于自编码器的无监督特征提取方法和 DWT 方法，结果显示无监督的特征提取方法更好。也有学者（Li et al.，2017b）基于 DEAP 数据集利用深度信念网络（deep belief network，DBN）提取了脑电信号的高级别特征，并与人工提取的 PSD 特征进行了比较，实验结果显示 DBN 提取的脑电特征性能更好。

三、特征平滑和选择

在采集到的脑电信号中，通常存在一些快速波动信号。这些快速波动信号通常是与情绪无关的其他脑电活动所产生的脑电信号。考虑到情绪的变化是一个渐变的过程，为减少脑电信号中的剧烈变化成分，通常要对提取到的脑电特征做平滑处理。其中，滑动平均与线性动力系统（linear dynamic system，LDS）（Duan et al.，2012）是最常用的脑电特征平滑方法。

由于提取的脑电特征通常对应着每个电极和每个频段，因此脑电特征的维度通常很高。选择与情绪最为相关的特征，不仅能够降低特征维度并减小情绪识别模型的计算开销，还能够揭示情绪对应的关键脑区和关键频段，从而推动情感脑-机接口的实际应用。有学者（Ackermann et al.，2016）利用最大相关最小冗余（minimum-redundancy maximum-relevancy，mRMR）算法对高阶交叉特征、H-H 谱特征以及基于 STFT 提取的脑电特征进行了降维，结果显示 H-H 谱特征和基于 STFT 提取的脑电特征更有价值。有学者（Huang et al.，2016）利用单向 ANOVA 方法对脑电信号的能量谱和 PSD 特征进行了特征预选择以减小计算开销，然后利用序列前向浮动搜索的方法进行了特征降维。也有学者（Liu et al.，2018）基于稀疏线性判别分析对脑电信号的 PSD 和 ASM 特征进行了选择，结果显示额叶 α 频段的非对称特征最为关键。还有学者（Zhang et al.，2016）基于 ReliefF 对脑电信号的频域特征（32 导、4 个频段）进行选择，并得到了与情绪最为相关的 15 个电极（按相关程度递减排序为 FP1、T7、PO4、PZ、FP2、F8、OZ、T8、P4、O1、AF4、FC5、C3、FC2 和 P3），他们的实验结果还显示跨被试情绪识别中的关键电极主要位于额叶和顶叶区域，且分布呈对称性。有学者（Hatamikia & Nasrabadi，2013）基于共同空间模式（common spatial pattern，CSP）进行了特征降维，并选择了关键的 2 个、4 个、6 个和 8 个电极。也有学者（Yano & Suyama，2016）提出了一种自顶向下的固定低秩约束的脑电空间滤波估计方法，结果显示该方法优于传统的自底向上的 CSP 方法。

一些研究人员对不同的特征选择和降维方法进行了比较。有学者（Chen & Zhang，2017）基于提取到的脑电信号不同频段的小波特征和非线性动力特征，比较了五种特征选择方法：基于核的谱回归、局部保留投影、PCA、mRMR 和 ReliefF。实验结果显示，前两种方法的准确率高，而且基于核的谱回归耗时最少、准确率更高。研究者（Nakisa et al.，2018）在 MAHNOB-HCI、DEAP 和自定义的数据集上对 4 类情绪进行识别，他们基于时域、频域和时域-频域提取了不同的脑电特征，并比较了 5 种基于进化计算的特征选择算法：蚁群优化、模拟退火、遗传算法、粒子群优化和微分进化。实验结果显示：微分进化算法最优，其次是粒子群优化和遗传算法；基于时域-频域的特征更好；基于 DEAP 数据集选出了 9 个关键电极（FP1、F7、FC5、AF4、CP6、PO4、O2、T7 和 T8），基于 MAHNOB-HCI 数据集选出了 5 个关键电极（FP1、FC1、F3、F7 和 AF4）。此外，还有一些电极也与情绪比较相关（CP1、CZ、CP6、C3、T8、C4 和 CP2），而且大脑额叶和中叶区域的 4 个电极（FP1、AF4、CZ 和 T8）在不同数据集上的情绪识别效果都很好。

四、情绪识别

机器学习和深度学习中的一些经典算法已被应用于情绪识别，如 K 近邻（KNN）、逻辑斯蒂回归（LR）、线性判别分析（LDA）（Zheng et al.，2015）、支持向量机（SVM）（Wang et al.，2014）、朴素贝叶斯（NB）、决策树（DT）、随机森林（RF）、隐马尔可夫模型（HMM）、卷积神经网络（CNN）、深度信念网络（DBN）（Zheng & Lu，2015）以及递归神经网络（RNN）等。

在基于 DEAP 数据集对情绪在效价和唤醒两个维度分别进行分类的研究中，有学者（Kumar et al.，2016）使用了最小二乘支持向量机作为分类器，同时利用人工神经网络（ANN）实现误差反向传播算法，最终对于效价和唤醒两个维度的识别准确率分别达到了 61.17% 和 64.84%。还有学者（Purnamasari et al.，2017）采用了双谱过滤的特征选择方法和概率神经网络（PNN）模型，在效价和唤醒维度上的分类准确率分别达到了 74.22% 和 77.58%，同时他们还选出了额叶、额顶叶和前额叶区域的 8 个关键电极（F3、F4、F7、F8、FP1、FP2、AF3 和 AF4）。

在基于 DEAP 数据集对基于效价-唤醒情绪模型的四类情绪（HVHA、HVLA、LVLA 和 LVHA）进行分类的研究中，有学者（Chen & Zhang，2017）

比较了 4 种机器学习模型：KNN、NB、SVM 和 RF，实验结果显示 SVM 和 RF 性能最优，最高准确率可达 92.70%，但是 SVM 计算效率更低。有学者（Li et al.，2017）提出了一种将 CNN 和长短期记忆（long-short term memory，LSTM）的 RNN 相结合的 CLRNN 模型，分类准确率达到了 75.21%。

在基于 SEED 数据集对三类情绪进行分类的研究中，有学者（Zheng & Lu，2015）采用深度信念网络（DBN）达到了 86.65%/8.62% 的平均准确率和标准差。有学者（Zheng et al.，2019）在基于图正则化极限学习机（graph regularized extreme learning machine，GRELM）模型的研究工作中，探讨了情绪的神经模式随时间变化的稳定性（2017），并将准确率提高至了 91.07%/7.54%。有学者（Zheng et al.，2015）比较了 10 种传统的机器学习算法：正则化 LR、LDA、二次判别分析（QDA）、KNN、SVM、GNB、DT、基于随机梯度下降（SGD）的正则化线性模型（LM）、RF 以及梯度提升（gradient boosting，GB），同时提出了一种基于堆叠的两层分类器结合方法。他们的实验结果显示：①LR、SVM 和 RF 三个分类器的准确率较高，分别为 81.26%、79.97% 和 78.74%。②在基于标记堆叠的分类器结合方法中，RF 和 GB 的准确率较高，分别达到了 82.05% 和 80.29%，而在基于概率堆叠的分类器结合方法中，LR、RF、LM 和 SVM 的准确率最高，分别为 82.18%、81.60%、80.99% 和 80.67%。③基于堆叠的分类器结合方法相比较于单一分类器，准确率几乎都更高。有学者（Li et al.，2017）基于分层卷积神经网络（HCNN）模型对脑电信号的 DE 二维图特征进行了学习，其识别准确率达到了 88.20%。有学者（Zheng et al.，2019）提出了一种基于组稀疏的典型相关分析（group sparse canonical correlation analysis，GSCCA）方法，能够同时进行脑电电极的选择和情绪识别，结果显示仅使用四个电极就可达到 80.20% 的识别准确率。

有学者（Hatamikia & Nasrabadi，2013）基于 MAHNOB-HCI 数据集对六类情绪（快乐、悲伤、恐惧、娱乐、中性和厌恶）两两组合进行了情绪的二分类实验。有学者（Wu et al.，2016）在 MAHNOB-HCI、DEAP 和 USTC-ERVS 三种数据集上，将被试信息作为特征信息，利用三节点贝叶斯网络进行了情绪识别；实验比较了被试相关的两类信息：一类是基于 K-means 聚类算法提取的被试组信息；另一类是被试个人信息。实验结果显示：①引入被试相关的信息可以提高情绪识别的准确率，且引入被试个人信息后，在 MAHNOB-HCI 和 DEAP 数据集上，喜欢型情绪的识别准确率比兴奋型情绪的识别准确率提高得更明显；②同一被试的情绪模式有很强的相似性，且情绪的神经模式在不同被试之间也存在相似性。

第三节 基于脑电的情绪识别研究进展

一、情绪的神经模式

研究情绪对应的神经模式随时间变化是否具有稳定性，对情感脑-机接口的实际应用有着十分重要的意义。前文介绍的三个公开情感脑电数据库中，SEED数据库包含同一被试在3个不同时间段所采集的脑电信号，因此有助于研究情绪的神经模式随时间的稳定性以及跨实验（cross-session）的情绪识别。

有学者（Zheng et al., 2019）基于频域提取了6种不同的脑电特征（PSD、DE、DASM、RASM、ASM和DCAU），采用了线性动力系统（LDS）方法进行特征平滑，通过主成分分析（PCA）和最大相关最小冗余（mRMR）算法进行特征选择，并利用KNN、LR、SVM，以及图正则化极限学习机（GRELM）模型在SEED和DEAP数据集上分别进行了情绪分类实验，准确率较高，分别达到91.07%和69.67%。实验结果显示，mRMR算法比PCA更适合用于脑电特征的选择，因为它能够选择出与情绪最相关且冗余度最小的特征，并保留频段和电极的原始域信息。他们进一步基于SEED数据集提取了DE脑电特征，探索了三类情绪的神经模式及其跨实验的稳定性。

图5-3显示了一次实验中T7电极的频谱图，图5-4则显示了部分电极（FPZ、FT7、F7、FT8、T7、C3、CZ、C4、T8、P7、PZ、P8和OZ）上全部被试在三

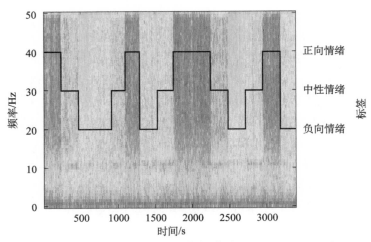

图5-3 一次实验中T7电极的频谱（Zheng et al., 2019）

次实验中的平均频谱图。从图 5-3 和图 5-4 中我们可以看出，不同的情绪激发的频谱图具有不同的模式。其中，高频振荡的动态性与正向/负向情绪的关系更大，尤其是在颞叶区域。而且，随着时间的推移，神经模式对于每次实验（session）都是相对稳定的。

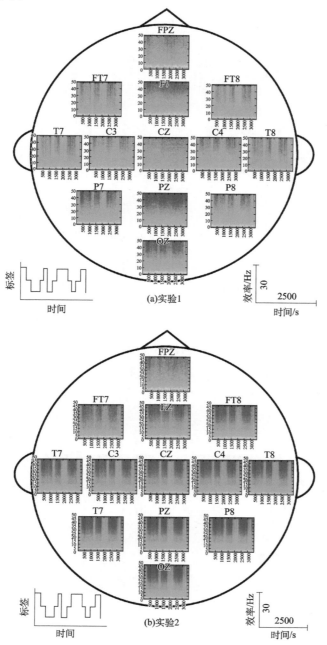

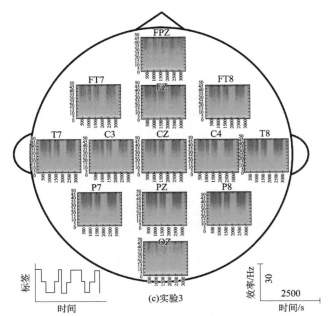

图 5-4　三次实验中部分电极上全部被试的平均频谱图（Zheng et al.，2019）

为了获得与情绪处理相关的神经模式，有学者（Zheng et al.，2019）将 DE 特征映射到脑壳图上，以判断高频振荡的时间动态变化特性和稳定模式。图 5-5 展示了在三类情绪下全部被试三次实验的平均神经模式。该图表明与三类情绪相关的神经模式确实存在：①在 β 和 γ 频段，侧颞叶区域在正向情绪下比在负向情绪下更容易被激活；②中性情绪的神经模式与负向情绪的神经模式较为相似，两者在颞叶区域都表现出较少的激活响应，但是中性情绪下的神经模式在顶叶和枕叶区域有更高的 α 频段响应；③负向情绪在顶叶和枕叶区域有较高的 δ 响应，在前额区域的 γ 频段反应也较高。

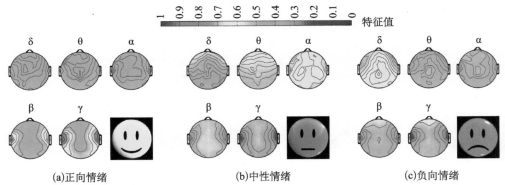

图 5-5　三类情绪（正向、中性和负向）对应的神经模式（Zheng et al.，2019）

如图 5-6 所示，学者（Zheng et al.，2019）进一步使用相关系数从脑电信号的 310 维 DE 特征中选择出了与被试无关的前 20 个特征，分别对应 α 频段的 1 个电极（FT8），β 频段的 9 个电极（AF4、F6、F8、FT7、FC5、FC6、FT8、T7 和 TP7），以及 γ 频段的 10 个电极（FP2、AF4、F4、F6、F8、FT7、FC5、FC6、T7 和 C5）。可以发现，选出来的特征大多来自 β 频段和 γ 频段，以及侧颞叶和额叶区域，这与上述时域频域的分析结果一致。

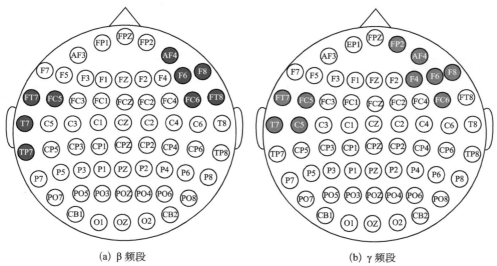

(a) β 频段　　　　　　　　　　　　(b) γ 频段

图 5-6　基于相关系数选择出的与被试无关的前 20 个特征（Zheng et al.，2019）

二、情绪脑电信号的关键频段和关键脑区

对于情绪脑电信号相关的脑区和频段的研究，既能够使我们更深入地了解大脑各区域的功能，又有利于选择更具代表性的电极进行情绪识别。这不仅可以减小计算代价，提高情绪识别模型的性能和鲁棒性（robustness），还有助于将情绪识别应用到现实世界的真实场景。例如，异常情绪预警、抑郁症诊疗、远程教育以及在线游戏等。

学者（Zheng & Lu，2015）基于 SEED 数据集提取了 DE 脑电特征，并采用深度信念网络（DBN）模型对三类情绪进行了分类。他们还比较了深度模型和浅层模型的性能，实验结果显示，DBN、SVM、LR 和 KNN 的平均准确率分别为 86.08%、83.99%、82.70% 和 72.60%。此外，他们还通过分析训练后的 DBN 模型的权值，研究了情绪的关键频段和关键电极。

图 5-7 为 DBN 模型的结构。如图 5-7（a）所示，DBN 的每一层由一个受限

玻尔兹曼机（RBM）组成，包含可见单元和隐藏单元。其中，可见单元之间无连接，隐藏单元之间也无连接，可见单元和隐藏单元各自有一个偏置向量。如图5-7（b）所示，DBN是通过将预先定义的几个RBM堆叠在一起构成的，其中低层RBM的输出是高层RBM的输入。一种高效的贪心分层算法被用于每一层网络的预训练。图5-7（c）显示的是展开的DBN模型结构。

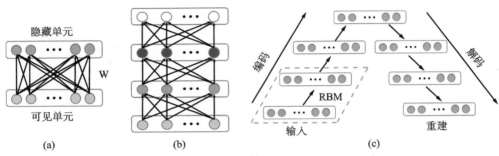

图 5-7　DBN 模型的结构（Zheng & Lu，2015）

在进行无监督和有监督学习时，DBN的高效性使得特征提取和特征选择可以相结合。图 5-8 为训练后的第一层 DBN 的平均绝对权重的分布，其中特征为脑电数据 5 个频段特征的直接拼接。从图 5-8 中我们可以看出，峰值主要位于 β频段和 γ 频段。由于输入某一维对应的权重越大表示该维的特征对神经网络的输出贡献越大，因此 β 频段和 γ 频段的特征分量对神经网络所学习的任务包含更重要的判别信息，即情绪识别的关键频段是 β 频段和 γ 频段。

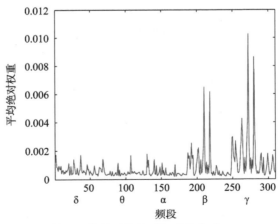

图 5-8　训练后的神经网络的平均绝对权重分布（Zheng & Lu，2015）

为了探索训练后的 DBN 所选择的关键频段，他们进一步将平均权重分布映射到脑壳图上。图 5-9 描绘了 5 个频段下大脑不同区域的权重分布。这些结果表明，与三类情绪相关的神经模式确实存在。而且，侧颞叶和前额叶区域在 β 频段和 γ 频段比其他区域更活跃。

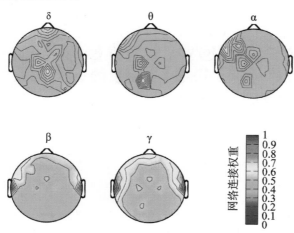

图 5-9　5 个频段下大脑不同区域的 DBN 权重分布（Zheng & Lu，2015）

　　为进一步研究三类情绪下的激活模式是否可以减少到一个更小的通道池，从而提高情绪识别模型的性能，他们根据权重分布峰值对应的脑电特征以及大脑情绪处理的不对称特性，设计了四种不同的电极布置方案，如图 5-10 所示。其中，方案（a）、（b）和（d）中的电极全部位于侧颞叶区域，方案（c）则在前额区域额外增加了 3 个电极。实验结果显示，仅采用 4、6、9、12 导电极对三类情绪的识别准确率分别可以达到 82.88%/10.92%、85.03%/9.63%、84.02%/10.34% 和 86.65%/8.62%，而 62 导的准确率是 83.99%/9.72%。这说明采用较少的电极也可以达到同样的情绪识别性能。

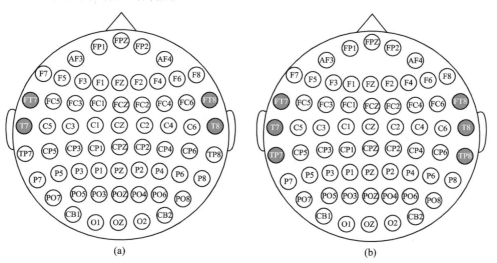

(a)　　　　　　　　　　　　　　　　(b)

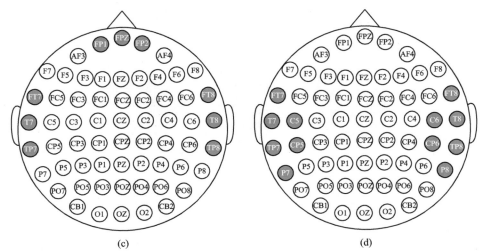

图 5-10　四种电极布置方案。（a）：4 电极，包括 FT7、FT8、T7 和 T8；（b）：6 电极，包括 FT7、FT8、T7、T8、TP7 和 TP8；（c）：9 电极，包括 FP1、FPZ、FP2、FT7、FT8、T7、T8、TP7 和 TP8；（d）：12 电极，包括 FT7、FT8、T7、T8、C5、C6、TP7、TP8、CP5、CP6、P7 和 P8（Zheng & Lu，2015）

三、基于迁移学习的跨被试情绪识别

考虑到脑电信号的非平稳特性和个体差异性，而且获取大量有标记的被试相关的脑电数据以及为每个被试构建一个情绪识别模型的代价很大。因此，有效减小个体差异对基于脑电的情绪识别造成的影响，对情绪识别应用的推广有着十分重要的意义。迁移学习（transfer learning，TL）能够将从源域学习到的知识迁移到目标域，因此可以实现在缺少有标记的目标数据的情况下，构建个性化的基于脑电的情绪识别模型。

有学者（Zheng & Lu.，2016）基于 SEED 数据集，提取了 DE 脑电特征，并比较了两种跨被试（cross-subject）的迁移方法：一种是通过迁移成分分析（transfer component analysis，TCA）和基于核函数的主成分分析（KPCA）来寻找不同被试之间的相同特征空间；另一种是在源域上训练多个分类器，并利用直推式参数迁移（transductive parameter transfer，TPT）模型将分类器参数迁移至目标域中。如图 5-11 所示，TPT 方法主要包括三个步骤：首先，在每个训练集上训练出多个独立的分类器；其次，训练一个回归函数来学习数据分布与分类器参数向量之间的映射关系；最后，利用目标特征分布以及数据分布到分类器参数之间的映射关系得到目标分类器。实验结果显示，TPT 方法能够获得最好的分类效果，准确率为 76.31%，相比于传统的通用分类器准确率提高了 19.58%。

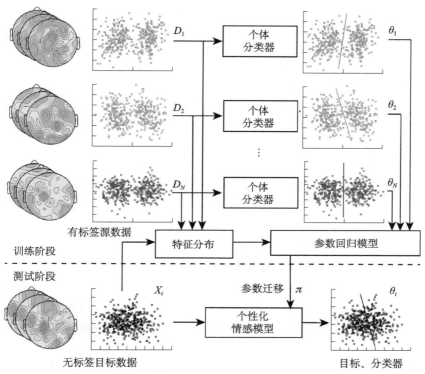

图 5-11　直推式参数迁移模型框架（Zheng & Lu，2016）

本 章 小 结

　　本章主要介绍了情感智能和情绪识别的相关背景、基于脑电的情绪识别的常用算法，以及基于脑电的情绪识别研究进展。情绪识别是一个涉及心理学、认知科学、神经科学和计算机科学等多个学科的交叉研究课题。基于脑电的情绪识别是情感脑-机接口领域的一个重要研究方向。一般，基于脑电的情绪识别主要包含以下 5 个步骤：设计实验并采集情感脑电信号，对脑电信号进行预处理以去除伪迹，通过传统数字信号处理算法或者深度学习算法提取脑电特征，对脑电特征进行平滑和降维以选出与情绪最为相关的特征，通过传统机器学习算法或深度学习算法对情绪模式进行学习和预测。目前，公开的情感脑电数据库主要包括 DEAP、MAHNOB-HCI 以及 SEED。最新的研究结果表明：①情绪对应的神经模式确实存在，而且随时间推移表现出稳定性；②侧颞和前额区域是情绪的关键脑区；③ γ 频段和 β 频段是情绪的关键频段；④迁移学习算法有助于跨被试的情绪识别，将极大地促进情感脑-机接口系统的应用和推广。

尽管基于脑电的情绪识别研究已经取得了很多进展，但距离情感脑-机接口系统的实用化和商业化还有很多问题有待解决。在未来的研究中，基于脑电的情绪识别需要关注以下四个方面的问题。

一是情感脑电数据库的构建。前文介绍的公开情感脑电数据库仍存在一定的缺陷，一个优质的情感脑电数据库的构建至少需要满足以下几个方面的要求：①逐步探索更多的情绪状态；②增加实验被试的数目，考虑不同性别、不同年龄段以及不同文化背景的被试；③考虑到脑电信号的非平稳特性，对同一被试需要在不同时间进行脑电信号采集实验；④将脑电信号与其他模态的信号相结合。

二是跨被试与跨实验的情绪识别。情绪识别系统要能广泛应用，必须考虑到脑电信号的非平稳性和个体差异。由于为每个个体单独训练一个情绪识别模型开销很大，因此，跨被试与跨实验的情绪识别研究将有利于构建一个普适的情绪识别系统，从而能够识别不同个体在不同时刻的情绪状态。

三是多模态情绪识别。人体的许多信号包含情绪相关的信息，仅采用脑电信号进行情绪识别必然会遇到瓶颈。目前，一些研究将脑电信号与眼动数据、面部表情等信号相结合，并取得了一定的进展。在未来的多模态情绪识别研究中，要尽可能考虑更多可用且有效的生理信号和非生理信号，从而构建更鲁棒的高精度情绪识别模型。

四是实时情绪识别。情绪识别的实时性是情感脑-机接口系统实用化的一项基本指标。在硬件层面上，实时情绪识别系统要求脑电信号的采集设备易携带、轻便且操作简单。对于情绪的关键脑区和频段的深入研究，将有助于采用更少且更为关键的频段和电极，并提取到更能够表征情绪状态的脑电特征，从而减小计算开销，提高情绪识别模型的性能，使情绪的实时识别成为可能。

基于脑电的情绪识别研究不仅能帮助我们了解大脑的情绪处理机制，还能将情绪识别系统应用到精神疾病辅助诊断与治疗、特殊岗位情绪异常监测和预警、远程教育、游戏娱乐等领域，从而推动情感脑-机接口和情感智能的发展。

参 考 文 献

Ackermann, P., Kohlschein, C., Bitsch, J., Wehrle, K., & Jeschke, S.（2016）. EEG-based automatic emotion recognition: Feature extraction, selection and classification methods. In *2016 IEEE 18th International Conference on e-Health Networking*, *Applications and Services*（pp. 1-6）.

Alarcão, S., & Fonseca, M.（2017）. Emotions recognition using EEG signals: A survey. *IEEE*

Transactions on Affective Computing, *10*（3）, 374-393.

Ayata, D., Yaslan, Y., & Kamasak, M.（2017）. Multi channel brain EEG signals based emotional arousal classification with unsupervised feature learning using autoencoders. In *25th Signal Processing and Communications Applications Conference*（pp. 1-4）.

Bradley, M., & Lang, P.（1994）. Measuring emotion: The self-assessment manikin and the semantic differential. *Journal of Behavior Therapy and Experimental Psychiatry*, *25*（1）, 49-59.

Bradley, M., & Lang, P.（1999）. *The International Affective Digitized Sounds*（*IADS*）. Gainesville, FL: NIMH Center for the Study of Emotion and Attention.

Calvo, R., & D'Mello, S.（2010）. Affect detection: An interdisciplinary review of models, methods, and their applications. *IEEE Transactions on Affective Computing*, *1*（1）, 18-37.

Candra, H., Yuwono, M., Handojoseno, A., Chai, R., Su, S., & Nguyen, H.（2015）. Recognizing emotions from EEG subbands using wavelet analysis. In *2015 37th Annual International Conference of the IEEE Engineering in Medicine and Biology Society.*（pp. 6030-6033）.

Chen, P., & Zhang, J.（2017）. Performance comparison of machine learning algorithms for EEG-signal-based emotion recognition. *Artificial Neural Networks and Machine-ICANNY2017*, *10613*, 208-216.

Dhindsa, K., & Becker, S.（2017）. Emotional reaction recognition from EEG. In *2017 International Workshop on Pattern Recognition in Neuroimaging*（*PRNI*）（pp. 1-4）.

Duan, R., Wang, X., & Lu, B.（2012）. EEG-based emotion recognition in listening music by using support vector machine and linear dynamic system. *Lecture Notes in Computer Science*, *7666*（4）, 468-475.

Duan, R., Zhu, J., & Lu, B.（2013）. Differential entropy feature for EEG-based emotion classification. In *2013 6th International IEEE/EMBS Conference on Neural Engineering*（*NER*）（pp. 81-84）.

Ekman, P., & Friesen, W.（1976）. *Pictures of Facial Affec*t. Palo Alto: Consulting Psychologists Press.

Ekman, P., & Keltner, D.（1997）. Universal facial expressions of emotion. *California Mental Health Research Digest*, *15*（2）, 27-46.

Georgieva, O., Milanov, S., Georgieva, P., Santos, I., Pereira, A., & Silva, C.（2014）. Learning to decode human emotions from event-related potentials. *Neural Computing and Applications*, *26*（3）, 573-580.

Hatamikia, S., & Nasrabadi, A.（2013）. Common spatial pattern method for channel reduction in EEG-based emotion recognition. *The Modares Journal of Electrical Engineering*, *13*（1）, 31-43.

Huang, X., Kortelainen, J., Zhao, G., Li, X., Moilanen, A., Seppänen, T., & Pietikäinen, M.（2016）. Multi-modal emotion analysis from facial expressions and electroencephalogram. *Computer Vision and Image Understanding*, *147*, 114-124.

Kassem, K., Salah, J., Abdrabou, Y., Morsy, M., El-Gendy, R., Abdelrahman, Y., &

Abdennadher, S. (2017). DiVA: exploring the usage of pupil diameter to elicit valence and arousal. In *16th International Conference on Mobile and Ubiquitous Multimedia* (*MUM*) (pp. 273-278).

Koelstra, S., Muhl, C., Soleymani, M., Jong-Seok Lee, Yazdani, A., & Ebrahimi, T. (2012). DEAP: A database for emotion analysis using physiological signals. *IEEE Transactions on Affective Computing*, *3* (1), 18-31.

Kumar, N., Khaund, K., & Hazarika, S. (2016). Bispectral analysis of EEG for emotion recognition. *Procedia Computer Science*, *84*, 31-35.

Lang, P. J., Bradley, M. M. & Cuthbert, B. N. (1999). *International Affective Picture System* (*IAPS*): *Technical Manual and Effective Ratings*. University of Florida.

Lan, Z., Sourina, O., Wang, L., & Liu, Y. (2015). Real-time EEG-based emotion monitoring using stable features. *The Visual Computer*, *32* (3), 347-358.

Li, J., Zhang, Z., & He, H. (2017a). Hierarchical convolutional neural networks for EEG-based emotion recognition. *Cognitive Computation*, *10* (2), 368-380.

Li, Y., Huang, J., Zhou, H., & Zhong, N. (2017b). Human emotion recognition with electroencephalographic multidimensional features by hybrid deep neural networks. *Applied Sciences*, *7* (10), 1060.

Liu, Y., Yu, M., Zhao, G., Song, J., Ge, Y., & Shi, Y. (2018). Real-time movie-induced discrete emotion recognition from EEG signals. *IEEE Transactions on Affective Computing*, *9* (4), 550-562.

Nakisa, B., Rastgoo, M., Tjondronegoro, D., & Chandran, V. (2018). Evolutionary computation algorithms for feature selection of EEG-based emotion recognition using mobile sensors. *Expert Systems with Applications*, *93*, 143-155.

Nie, D., Wang, W., Shi, L., & Lu, B. (2011). EEG-based emotion recognition during watching movies. In *5th International IEEE EMBC Conference on Neural Engineering* (pp. 667-670).

Picard, R. (2000). *Affective Computing*. Cambridge: The MIT Press.

Picard, R., Vyzas, E., & Healey, J. (2001). Toward machine emotional intelligence: Analysis of affective physiological state. *IEEE Transactions on Pattern Analysis and Machine Intelligence*, *23* (10), 1175-1191.

Purnamasari, P., Ratna, A., & Kusumoputro, B. (2017). Development of filtered bispectrum for EEG signal feature extraction in automatic emotion recognition using artificial neural networks. *Algorithms*, *10* (2), 63.

Russell, J. (1980). A circumplex model of affect. *Journal of Personality and Social Psychology*, *39* (6), 1161-1178.

Salovey, P., & Mayer, J. (1990). Emotional Intelligence. *Imagination Cognition and Personality*, *9* (3), 185-211.

Singh, M., & Singh, M. (2017). Development of a real time emotion classifier based on evoked EEG. *Biocybernetics and Biomedical Engineering*, *37* (3), 498-509.

Soleymani, M., Lichtenauer, J., Pun, T., & Pantic, M. (2012). A Multimodal database for affect recognition and implicit tagging. *IEEE Transactions on Affective Computing*, *3*（1），42-55.

Shan, W., Wang, S., Zhu, Y., Gao, Z., Yue, L., & Ji, Q.（2016）. Employing subjects' information as privileged information for emotion recognition from EEG signals. In *2016 23rd International Conference on Pattern Recognition*（ICPR）（pp. 301-306）.

Tzirakis, P., Trigeorgis, G., Nicolaou, M., Schuller, B., & Zafeiriou, S.（2017）. End-to-end multimodal emotion recognition using deep neural networks. *IEEE Journal of Selected Topics in Signal Processing*, *11*（8），1301-1309.

Wang, X., Nie, D., & Lu, B.（2014）. Emotional state classification from EEG data using machine learning approach. *Neurocomputing*, *129*, 94-106.

Xiang, L., Peng, Z., Dawei, S., Guangliang, Y., Yuexian, H., & Bin, H.（2015）. EEG based emotion identification using unsupervised deep feature learning. In *SIGIR 2015 Workshop on Neuro-Physiological Methods in IR Research*.

Yano, K., & Suyama, T.（2016）. A novel fixed low-rank constrained EEG spatial filter estimation with application to movie-induced emotion recognition. *Computational Intelligence and Neuroscience*,（1），1-12.

Zhang, J., Chen, M., Zhao, S., Hu, S., Shi, Z., & Cao, Y.（2016）. ReliefF-based EEG sensor selection methods for emotion recognition. *Sensors*, *16*（10），1558.

Zhang, Q., Chen, X., Zhan, Q., Yang, T., & Xia, S.（2017）. Respiration-based emotion recognition with deep learning. *Computers in Industry*, *92-93*, 84-90.

Zheng, W.（2017）. Multichannel EEG-based emotion recognition via group sparse canonical correlation analysis. *IEEE Transactions on Cognitive and Developmental Systems*, *9*（3），281-290.

Zheng, W., & Lu, B.（2015）. Investigating critical frequency bands and channels for EEG-based emotion recognition with deep neural networks. *IEEE Transactions on Autonomous Mental Development*, *7*（3），162-175.

Zheng, W., & Lu, B.（2016）. Personalizing EEG-based affective models with transfer learning. In *Twenty-Fifth International Joint Conference on Artificial Intelligence 2016*（pp. 2732-2738）.

Zheng, W., Santana, R., & Lu, B.（2015）. Comparison of classification methods for EEG-based emotion recognition. In *World Congress on Medical Physics and Biomedical Engineering*（pp. 1184-1187）.

Zheng, W., Zhu, J., & Lu, B.（2019）. Identifying stable patterns over time for emotion recognition from EEG. *IEEE Transactions on Affective Computing*, *10*（3），417-429.

Zhuang, N., Zeng, Y., Tong, L., Zhang, C., Zhang, H., & Yan, B.（2017）. Emotion recognition from EEG signals using multidimensional information in EMD domain. *Biomed Research International*, *2017*, 1-9.

第六章

癫痫的神经计算模型及临床应用

第一节 引 言

癫痫是一种慢性神经性脑部疾病，普遍认为是大脑内神经元异常同步放电引起的。癫痫发作是癫痫疾病的一种典型表现，具有突发性、短暂性和反复性等特征（洪震，江澄川，2007）。据世界卫生组织统计，癫痫是第二大神经性高发病，全球大约有6500万的癫痫患者，其中超过1/3的患者对抗癫痫药物不敏感。长期频繁的癫痫发作可导致患者大脑进一步受损，最终成为难治性癫痫，严重的癫痫发作甚至可能导致死亡（徐强等，2015）。在现实生活中，由于人们对癫痫认识的匮乏，很多癫痫患者在家庭生活和社会活动中产生了很大的精神压力。此外，巨额的医疗支出也给患者家庭和社会带来沉重的经济负担。如何有效地治疗和控制癫痫发作是当前脑科学领域亟待解决的重要问题之一。

依据癫痫发作的临床表现，癫痫通常被分为全面性癫痫发作、局灶性癫痫发作和不能分类的癫痫发作（Cross et al., 2017）。全面性发作也叫"大发作"，是指起源于双侧大脑皮质下结构所构成的致痫网络中的某一点并快速波及整个网络的发作。失神癫痫是一种常见的全面性癫痫，常见于青少年和儿童，发作时可观测到患者大脑双侧半球EEG出现2—4Hz的SWD放电（Cross et al., 2017）。局灶性发作又叫"部分性发作"，指大脑半球某部分神经元首先被激活的发作，包括简单局灶性发作、复杂局灶性发作和继发全面性发作（洪震，江澄川，2007；Cross et al., 2017）。简单局灶性发作时，患者意识存在；复杂局灶性发作时，患者会产生不同程度的意识障碍；继发全面性发作指最初起源于局部然后扩散到整个大脑的发作。临床上，较为典型的局灶性癫痫包括颞叶癫痫、额叶癫痫等。此外，也有部分癫痫发作由于目前的资料不充足或者不完整而不能分类，因此将其归类于不能分类的发作中，例如痉挛性发作。

作为大脑系统的一种典型动力学疾病，癫痫具有极其复杂的动态行为

（Stefanescu et al., 2012）。近年来，癫痫的神经计算模型作为一种强有力的研究方法应运而生，它与实验和理论之间是相辅相成的。首先，实验既能够在真实的环境中认识大脑的结构和生理功能，为建立数学模型提供解剖和生理上的支持，也能够对模型的合理性进行验证。反过来，通过癫痫计算模型的仿真，不仅可以验证实验中的现象，而且能够对多个潜在的状态变量进行动态研究，并对实验现象做深层次的剖析。与此同时，根据模型仿真预测的结果可以提出新的假说，推动实验的进行和新理论的形成。进一步，理论的建立能够为实验和模型研究创造更大的空间，同时也对模型的优化提出了更高的要求。模型作为一种工具手段，能够从各个层次［包括从微观（如离子和分子细胞模型）到宏观（如神经元群模型、平均场模型和大尺度的脑网络模型等）］进行研究，并对实验数据和理论进行完善。因此，针对特定类型癫痫发作，建立其对应的神经计算模型，可以有效地整合不同层次的实验数据，也为在连续参数空间内探索脑疾病的致病和调控机理提供了可能，其成果创新了癫痫疾病的诊断和治疗。

第二节　癫痫的神经计算模型研究进展

癫痫是一种多因素诱发的神经系统疾病，其自身具有典型的放电特征，这使得神经计算模型在癫痫机制的研究中广泛应用。接下来，我们将从局灶性癫痫（以颞叶癫痫为主）和全面性癫痫（以失神癫痫为主）两个方面分别综述这两类癫痫的近期神经计算模型研究进展。

一、局灶性癫痫的神经计算模型研究进展

在局灶性癫痫的神经计算模型方面，早期研究以典型的颞叶癫痫为突破口，通过建立海马相关区域的神经计算模型，探索其发作机制。早在 1994 年，有学者（Traub et al., 1994）就建立了海马 CA3 区网络模型，他们发现低［Mg^{2+}］状态下网络中大量神经元同步放电，锥体细胞会产生颞叶癫痫间歇期样放电。后来，有学者（Wendling et al., 2002）采用神经元群模型构建了抽象的海马局部神经回路。他们发现当兴奋性和抑制性神经连接的比率大于特定阈值时，网络将从放电前状态发展为癫痫样放电状态，这一结果支持了网络兴奋性活动的提高导致癫痫发作的观点。通过结合电生理和海马 CA3 区计算模型联合分析，有学者（Dugladze et al., 2007）进一步揭示 O-LM 类型的中间神经元的兴奋性输入和突触整合能力的改变，推测这可能是引起内侧颞叶癫痫患者海马振荡节律改变的主要因素。近年

来，越来越多的神经计算模型工作开始关注齿状回在触发颞叶癫痫样放电的作用。系列研究发现，齿状回中由苔藓纤维发芽导致的异常突触重排，可以诱导该区域神经元产生长时间颞叶癫痫发作样放电模式，暗示齿状回可能在颞叶癫痫异常放电的产生过程中起关键作用（Santhakumar et al.，2005）。目前，人们已普遍认为海马CA3区与颞叶癫痫间歇期样放电模式有关，而发作期放电可能是由齿状回触发的。

局灶性癫痫的异常放电存在时间尺度分离现象（图6-1），这种现象在非线性动力学系统里可以由不同时间尺度的快-慢耦合系统表征。基于这一观点，伊尔萨（V. K. Jirsa）所领导的国际"虚拟脑"团队近年建立了癫痫振子模型，发现局灶性癫痫的发作可能与一对"鞍点分岔"和"同宿分岔"有关，而快-慢耦合系统的介导参数慢动力学特性控制了这两个分岔的发生（El Houssaini et al.，2015；Guo et al.，2017；Jirsa et al.，2014；Proix et al.，2014）。重要的是，这种从动力学角度阐述癫痫发作本质的研究在低等级大鼠和斑马鱼到高等级猴子和人的电生理实验中均得到了验证（El Houssaini et al.，2015；Jirsa et al.，2014）。

图6-1　大鼠海马局灶性癫痫发作场电位记录。可见由快速放电和棘慢波构成的时间尺度分离现象（Jirsa et al.，2014）

另外，离子浓度的变化在局灶性癫痫发作中有重要意义。有研究发现，局灶性癫痫的发作和传播抑制源于细胞内钾离子的缺乏；而钠离子浓度的异常则与癫痫发作有着紧密的关系，同时传播抑制也需要持续的钠离子（Laxer et al.，2014）。癫痫动物细胞内的电极记录结果表明，细胞外 $[K^+]$ 的升高和 $[Ca^{2+}]$ 的降低，出现大量的去极化漂移，并且以比正常细胞传播更加快的速率向周围扩散（Cohen et al.，2002）。有学者（Kager et al.，2007）通过改变这些离子通道，模拟了神经元簇发放电活动。还有学者（Gressman，2009）在 Hodgkin-Huxley（H-H）神经元模型基础上考虑到神经胶质细胞和细胞外的环境对神经元放电的作用，通过研究钠离子和钾离子如何影响神经元的兴奋性，模拟了癫痫样放电，并以此解释自发性癫痫的周期性发作。也有学者（Wei et al.，2014）通过探究不同 O_2 水平下兴奋性和抑制性神经元的放电状况，证明癫痫发作与 O_2 浓度相关。有学者（Krishnan et al.，2011）用尖锥细胞和中间神经元研究了影响自发性癫痫终止的因素，包括细胞内外的钠离子、钾离子和细胞外的 Ca^{2+} 和 Cl^-。他们发现，细胞内的钠离子在兴奋性和抑制性电流的调节上具有重要作用。此外，星型胶质细胞最重要的功能是去除细胞外的钾离子，在调节中枢神经系统正常的生理活动中起重要作用。近期研究发现，星形细胞 Kir4.1 通道和星型胶质细胞之间的突触耦合都与［K⁺］的降低有密切关系（Du et al.，2018）。两者中任意一个产生功能障碍都会导致［K⁺］异常变化，进而引起癫痫发作。然而，由这两者所引起的癫痫发作的程度仍然不明。复旦大学于玉国课题组建立了由 4 个星型胶质细胞和单个神经元组合而成的模型，着重研究了突触的作用（Du et al.，2018）。他们的结果首次证实了 Kir 4.1 通道失活和突触强度降低都能引起自发性癫痫。

随着神经计算建模方法的发展，已有少数基于模型的局灶性癫痫研究工作开始关注整个致痫区，甚至拓展到全脑网络。例如，有学者（Sinha et al.，2017）发展了难治性局灶癫痫患者致痫区皮层的动力学网络模型构建方法，他们由患者非发作期的脑电记录推测网络的连接矩阵，并使用此连接矩阵构建癫痫灶区域皮层网络。他们发现，约 83.1% 的患者在模型上高度致痫的区域与临床上被鉴别为发作开始的区域重叠，手术切除这些区域降低发作的整体可能性。此外，对手术不成功的患者，该模型方法能够建议另外的切除靶点，并且基于模型的研究能够在机制上给出临床手术失败的可能原因。有学者（Hutchings et al.，2015）分别利用颞叶癫痫患者和正常被试的数据建立全脑网络模型，发现患者的脑模型更倾向从正常状态到癫痫状态转化，而癫痫启动脑区具有左侧偏侧性，并且这些脑区与已知的颞叶癫痫关键脑区吻合。他们发现模型预测关键脑区的成功率与真实的结果接近，因此认为可以利用患者大尺度脑模型的仿真结果做术前预判。

二、全面性癫痫的神经计算模型研究进展

失神癫痫是一类最常见的全面性癫痫，对其发作和调控机制的研究将有助于我们对全面性癫痫的理解。作为失神癫痫特征性 EEG 表现（图 6-2），2—4Hz SWD 放电的产生机制普遍被认为与皮层-丘脑网络环路异常有关（Crunelli & Leresche，2002）。近 20 年来，利用皮层-丘脑局部神经回路模型对失神癫痫的发作动力学和调控机制进行研究，已经成为失神癫痫研究领域的一个重要方面。

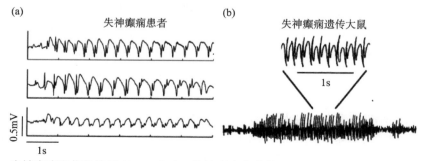

图 6-2 失神癫痫发作的特征 SWD。（a）：失神癫痫患者的 SWD；（b）：失神癫痫遗传大鼠的 SWD（Marten et al.，2009）

　　基于神经元群理论，有学者（Suffczynski et al.，2004）最先建立了皮层-丘脑网络集成参数模型，该模型包含皮层兴奋性锥体神经元、抑制性中间神经元，丘脑皮层中继神经元和丘脑网状核神经元。通过数值模拟，他们发现失神癫痫的发作状态和非发作状态之间的转换与双稳态的皮层-丘脑网络系统有关，SWD 放电行为的出现发生在动力学分岔处，外界的刺激可以改变发作行为。这一发现清晰地揭示了失神癫痫发作机制的动力学特征，为刺激可以改变发作行为提供了理论参考。基于平均场理论和解剖学先验，有学者（Roberts & Robinson，2008；Robinson et al.，2002）构建了著名的"皮层-丘脑网络平均场模型"，并开展了系列的研究工作。通过在高维空间内调整模型参数，学者（Robinson et al.，2002）发现该模型可以产生多种状态下脑电（正常状态、稳态、非稳态、癫痫失神发作态）的变化情况，并且模型的输出对参数具有极强的敏感性，微弱的参数改变都会使得模型输出由正常状态变到癫痫状态。此外，他们还发现皮层-丘脑回路间的传递延迟或者丘脑皮层间的耦合强度异常均可能诱导 SWD 的产生，由此推测儿童易出现失神发作可能是由髓鞘增加导致的皮层传导率改变引起的（Roberts & Robinson，2008）。近期，有研究（Marten et al.，2009）发现，丘脑网状核到特定丘脑中继核的 $GBAB_B$ 受体调制的神经投射异常也可能是诱发失神癫痫样放电的主要原因之一。在罗宾逊（P. A. Robinson）工作的基础上，布雷克斯皮尔等（Breakspear et al.，2006）进一步深化了皮层-丘脑模型和相关理论，他们发现对全面性癫痫的不同发作模式皮层-丘脑网络平均场模型均能够给出动力学上的统一性解释，即大脑由正常的状态变换到失神癫痫的状态是一种跨临界变换，而不同发作模式的出现对应着模型参数在动力学分岔上的改变。这样，皮层-丘脑网络平均场模型结合动力学知识就能够很好地将大脑的不同癫痫状态统一起来，为人们对包含失神癫痫在内的全面性癫痫的进一步认识提供了有意义的理论基础。

　　近年来，人们开始关注失神癫痫典型的放电行为的神经回路调控机制，并开展了一系列工作。结合解剖学结构连接数据和已有电生理、神经成像的暗示，郭大庆等建立了失神癫痫的皮层-丘脑-基底节神经场模型（Chen et al.，2014；Chen et al.，2015）。通过计算机模拟，他们发现基底节中黑质网状部神经元的发放活性对失神癫痫异常放电行为具有重要的调控作用，从正常状态降低或升高其活性均可能有效地抑制典型失神癫痫放电的产生（Chen et al.，2014）。在此基础上，他们将最近解剖学实验中发现的基底节中的苍白球外侧核团（GPe）与皮层间存在的抑制性投射整合到皮层-丘脑-基底节神经场模型中，发现该神经投射对失神发作同样有着重要的调节作用（Chen et al.，2015）。这些结果表明，基底节回路可能对失神癫痫具有多重调控作用。

　　此外，目前已有少数研究者将全脑皮层网络模型应用到对失神癫痫相关问题的研究中，并取得了一些有意义的研究成果。有学者（Taylor et al.，2013）通过使用大尺度全脑模型对特定的失神癫痫患者 SWD 放电的动力学特征进行了分析。他们发现，尽管患者的解剖结构网络存在异质性，但失神癫痫发作与非发作状态转换的时空动力学仍然可以通过模型仿真获得，而且可以表现出与患者类似的发作时空演化模式。也有研究（Yan & Li，2013）发现，由解剖学连接以及神经传输延迟构建的时空耦合关系可能在大脑达到全局同步的过程中扮演着重要角色，并由此推测异常的白质纤维连接是 SWD 放电的主要诱因。同时，他们还发现大脑神经元群能够表现出各个频段的振荡，但是全脑的同步性往往出现在低频段，这可能是 SWD 放电的特征频率较低的缘故。另外，仿真也发现 SWD 放电可能在某些脑区首先出现，因此，结构连接对 SWD 放电的产生起到很大的作用。

第三节　基于随机癫痫振子模型的局灶性癫痫研究

局灶性癫痫具有明确的癫痫起源脑区，一般被称为癫痫病灶（EZ）（Jirsa et al.，2014）。在癫痫发作时，该脑区的神经元首先产生超同步性放电，并通过神经纤维连接向外传输。从动力学的观点，癫痫发作从静息态向发作态转变主要是系统中的关键系数发生改变，或者是该系数在双稳态之间的波动导致的（Baier et al.，2017）。有关人和动物的癫痫实验数据表明，癫痫发作有明显的时间尺度分离现象，而在非线性动力学中可以通过采用快-慢耦合系统来表征这一现象（Jirsa et al.，2014）。在本节中，我们利用癫痫振子模型研究局灶性癫痫的异常放电机制。该模型由快-慢系统耦合而成，它们之间通过缓慢变化的介电系数进行耦合。最近电生理和模型研究均表明，介电系数在调节局灶性癫痫放电过程中起着重要的作用。

此外，随机噪声广泛地存在于神经系统中。神经系统噪声主要源于外界干扰和内部波动（Guo et al.，2018）。内部波动包括细胞的新陈代谢和神经元之间的相互作用。近年来，许多研究致力于噪声在神经系统中的作用。大量文献表明，噪声可以丰富神经系统的动力学行为（Guo et al.，2018）。例如，可以通过给神经系统引入噪声使系统同步，调节爆发性放电，增强或者减弱信息传输和调节癫痫发作等。这些研究表明噪声对调节神经系统的放电起着重要的作用（Guo et al.，2017；Guo et al.，2018）。目前，在大多数神经系统研究中，噪声通常被理想化为高斯白噪声或者色噪声。

在癫痫振子模型中，缓慢变化的介电系数与细胞内稳态密切相关，包括细胞外的离子浓度，组织中氧气的浓度和其他新陈代谢等。许多的病理因素，如细胞外离子浓度反常的波动，氧气的缺乏和新陈代谢紊乱等都可以破坏细胞的稳态平衡，从而给细胞引入介电系数的噪声（Jirsa et al.，2014）。理论上，介电系数随机浮动会影响快-慢神经群的耦合强度，从而影响局灶性癫痫的异常放电。

针对这一问题，我们在本节采用计算神经科学方法探究局灶性癫痫异常放电的现象。为此，我们针对标准版本的癫痫振子模型的介电系数，为其引入了高斯白噪声，进而探索介电系数的随机浮动对局灶性癫痫放电的影响。模拟结果表明，介电系数的随机浮动对调节局灶性癫痫发作起着重要的作用，这为进一步研究局灶性癫痫的发作机理提供了一定的理论基础。

一、随机癫痫振子模型

在本节中，我们以伊尔萨等（Jirsa et al.，2014）提出的癫痫振子模型为基础，研究局灶性癫痫的异常放电机制。该模型包含快系统（x_1，y_1）和慢系统（x_2，y_2），这两个神经群的耦合包括直接的神经群相互作用和间接的介电系数耦合，如图 6-3 所示。

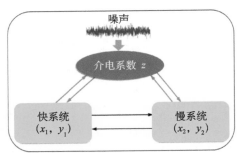

图 6-3　随机癫痫振子模型框架。该模型由快系统（x_1，y_1）和慢系统（x_2，y_2）组成。两个子系统的耦合包括直接的神经群相互作用和间接的介电系数耦合。为了模拟细胞内外环境波动，我们对介电系数引入噪声（Guo et al.，2017）

本节中用 z 来代表缓慢变化的介电系数，控制着癫痫发作期和间歇期之间的转换。在发作期，快系统主要负责产生快速放电；慢系统则主要负责产生 SWD。细胞内外环境的变化和新陈代谢活动会产生噪声，使介电系数随机浮动。因此，本节研究了介电系数随机浮动条件下的癫痫振子模型，该模型如下所示：

$$\frac{dx_1}{dt} = \frac{1}{\tau_1}[y_1 - f_1(x_1, x_2) - z + I_1] \tag{6-1}$$

$$\frac{dy_1}{dt} = y_0 - 5x_1 - y_1 \tag{6-2}$$

$$\frac{dz}{dt} = \frac{1}{\tau_0}[4(x_1 - x_0 + \sqrt{\sigma}\xi(t)) - z] \tag{6-3}$$

$$\frac{dx_2}{dt} = -y_2 + x_2 - x_2^3 + I_2 + 2u - 0.3(z - 3.5) \tag{6-4}$$

$$\frac{dy_2}{dt} = \frac{1}{\tau_2}[-y_2 + f_2(x_2)] \tag{6-5}$$

$$\frac{du}{dt} = -0.01(u - 0.1x_1) \tag{6-6}$$

其中，

$$f_1(x_1, x_2) = \begin{cases} x_1^3 - 3x_1^2, & x_1 < 0 \\ -[-x_2 + 0.6(z - 4)^2]x_1, & x_1 \geq 0 \end{cases} \tag{6-7}$$

$$f_2(x_2) = \begin{cases} 0 & x_2 < -0.25 \\ a_2(x_2 + 0.25), & x_2 \geq -0.25 \end{cases} \tag{6-8}$$

式中，$\xi(t)$是高斯白噪声，z是快-慢耦合系统的介电系数，参数τ_0和x_0分别是介电系数的时间常数和致痫因子，该模型的其他具体参数见文献（El Houssaini et al.，2015）。值得注意的是，该模型是一个无量纲的动力系统，可采用欧拉-丸山法进行数值仿真，当计算步长为 0.01 时，可以保证该模型数值精度。根据已有文献，我们采用$\psi = x_1 + x_2$表示癫痫振子所产生的神经信号，将该信号 1280 个仿真步长对应于 1s 脑电数据，并用 5 阶巴特沃斯数字带通滤波器进行滤波，截断频率为 0.16—97Hz（El Houssaini et al.，2015；Jirsa et al.，2014；Proix et al.，2014）。当癫痫发作的短期平均活动大于阈值-0.5 并且能够保持 10s 以上时，定义为一次癫痫发作事件。

二、介电系数控制的局灶癫痫发作动力学机制

我们首先探索了介电系数 z 的时空变化对局灶性癫痫发作的影响。图 6-4 给出了不同噪声下随机癫痫振子模型放电情况。我们可以发现，在不同噪声强度下，该模型可以有效地重复癫痫发作的典型动力学特征。有趣的是，我们观测到癫痫发作事件出现在介电系数 z 从相对较小的值开始上升的阶段，而终止于较大 z 值（图 6-4 虚线框）。此外，引入一定的噪声强度可以使系统产生随机浮动的放电行为。与无噪声情况相比，介电系数的随机浮动使得癫痫振子模型产生了一定程度的时空变异性，并且该变异性随着噪声强度的增大而变强。显然，介电系数中噪声的存在使得癫痫振子模型产生了更接近于真实癫痫病人实际记录的癫痫发作。

为了从理论上刻画癫痫放电动力学对介电系数耦合的依赖性，我们在无噪声

情况下分析了参数 x_1 随介电系数 z 变化的分岔情况（Guo et al., 2017），结果如图 6-5 所示。与文献报道一致（El Houssaini et al., 2015；Jirsa et al., 2014；Proix et al., 2014），该癫痫振子模型的动力学特性由两个分岔点控制，分别是不变环上的鞍结分岔（SNIC）和同宿分岔（HB）。当介电系数 z 从大到小经过 SNIC 分岔点 z_1^*=2.91 时，该模型从发作间歇期向发作期转换；当 z 从小到大经过 HB 分岔点 z_2^*=3.896 时，该模型从发作期向发作间歇期转化。当该模型介电系数 z 位于两个分岔点之间时，系统则处于双稳态。上述理论分析从非线性动力学的角度解释了该模型为什么仅在介电系数上升阶段产生局灶性癫痫发作的典型动态。

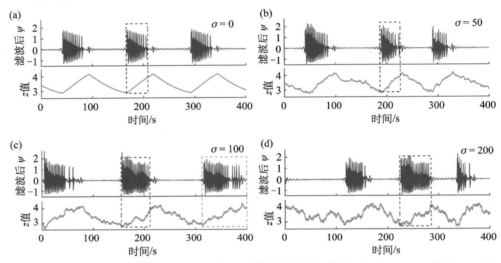

图 6-4　不同介电系数噪声耦合下，随机癫痫振子的发作状况。（a）：σ=0；（b）：σ=50；（c）：σ=100；（d）：σ=200。图中蓝色线表示滤波后的神经信号，红色的线代表介电系数的周期性变化，标志着癫痫发作期和发作间歇期的周期性转换（Guo et al., 2017）

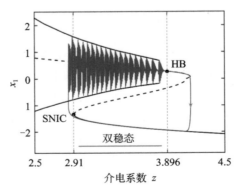

图 6-5　癫痫放电动力学对介电系数耦合的依赖性。癫痫振子模型 x_1 与介电系数 z 的分岔图。在 z_1^* = 2.91 时，该模型经过不变环上的鞍点分岔。在 z_2^* = 3.896 时，该模型经过了同宿分岔。红色的箭头代表癫痫振子模型周期性变化方向。在 $z \in [2.91, 3.896]$ 时，该癫痫振子处于双稳态（Guo et al., 2017）

三、介电系数随机浮动调控局灶性癫痫发作

接下来，我们考察介电系数的时间常数τ_0是如何影响该癫痫振子模型产生癫痫放电的。图 6-6（a）中给出了在 3 个不同介电时间常数水平下该癫痫振子模型所产生的模拟神经信号。从公式 6-3 可知，增长介电时间常数τ_0趋向于减缓介电系数的动态变化速度，因此理论上会增长介电系数的上升和下降时间。上述定量分析暗示介电系数参与了局灶性癫痫的动力学调控，并且较大的介电时间常数τ_0趋向增长癫痫平均发作时间而减少癫痫的发作次数〔图 6-6（a）〕。为了定量刻画介电时间常数对癫痫发作的调控，我们进一步计算了癫痫发作的平均时间长度（MST）、发作率（R）以及癫痫事件的变异系数（CV）随τ_0变化的趋势，结果如图 6-6（b）—图 6-6（d）所示。与上理论推测一致，在所有外加噪声强度下，癫痫发作的介电时间常数与癫痫事件的平均发作时间呈正相关，而与发作率呈负相关。此外，我们发现增强介电时间常数τ_0可以极大地减弱癫痫事件的时间变异性。理论上，这是由于随机噪声在介电快-慢系统耦合时受到低通滤波的影响，而较长的介电时间常数τ_0趋向降低介电系数的随机浮动，这在一定程度上导致相对弱的癫痫事件时间变异性。

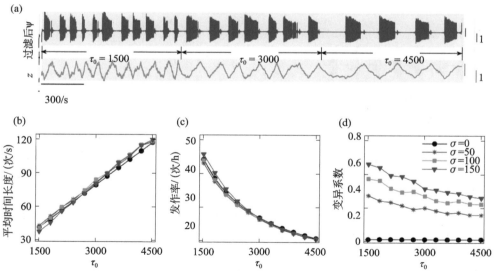

图 6-6　不同介电系数噪声σ和介电时间常数τ_0对随机癫痫振子模型的影响。（a）：在噪声$\sigma=50$时，不同介电时间常数下随机癫痫振子模型的发作状态；（b）：在不同噪声强度下，平均时间长度（MST）随介电时间常数τ_0变化的趋势；（c）：在不同噪声强度下，发作率（R）随介电时间常数τ_0变化的趋势；（d）：在不同噪声强度下，癫痫事件的 CV 随介电时间常数τ_0变化的趋势（Guo et al.，2017）

事实上，癫痫振子的随机动态不仅受介电系数的时间常数的影响，还高度依

赖致痫因子x_0的水平。理论上讲，参数x_0的取值在一定程度上决定了介电系数的耦合强度，因此与模型的癫痫发作程度相关。已有研究表明，在无噪声情况下，降低致痫因子x_0的水平可以使该模型经过极限环上的SNPO，从而驱动癫痫振子从致痫区向非致痫区转变（El Houssaini et al.，2015）。

　　为了验证这一理论在随机癫痫振子模型中是否依然有效，图6-7（b）中显示了不同致痫因子和噪声强度条件下模型所产生的模拟神经信号，与前人报道一致，在无噪声条件下（$\sigma=0$），降低致痫因子x_0的水平可以终止模型的癫痫发作。通过进一步的分岔分析，我们发现该模型的SNPO分岔发生在$x^*=-2.05$附近［图6-7（c）］。当$x \geqslant x^*$时，癫痫振子位于致痫区；当$x < x^*$时，癫痫振子位于非致痫区。然而，即便当癫痫振子处于非致痫区，通过引入一定的介电系数随机浮动依然可以使该模型产生自发的癫痫发作，并且随着噪声强度增大，癫痫自发发作次数呈现增加的趋势。理论上，这是由于介电系数的噪声可以驱动癫痫振子模型本身在SNPO分岔点两边浮动，因此在恰当的条件下可以触发模型产生局灶性癫痫的放电。

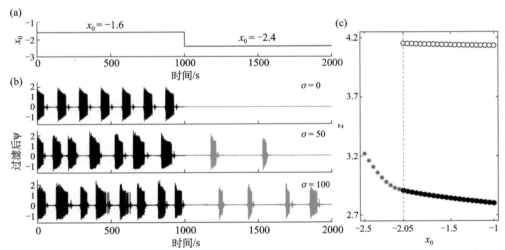

图6-7　不同介电系数噪声强度 σ 下，致痫因子 x_0 对随机癫痫振子模型的影响。(a)：致痫因子随时间的函数。（b）：不同介电系数噪声和致痫因子下的癫痫发作状态。从上到下，噪声强度分别为：$\sigma=0$（无噪声）、$\sigma=50$ 和 $\sigma=100$。（c）：介电系数关于致痫因子 x_0 的分岔图。其中，星形代表稳定的介电系数值，空心的圆心代表发作时介电系数的最大值，实心的圆心代表发作时介电系数的最小值（Guo et al.，2017）

四、小结与讨论

　　局灶性癫痫作为一种最常见的癫痫病，可对患者造成严重的意识损伤。认识和理解局灶性癫痫的发作机制，是当今脑科学一个重要的主题。局灶性癫痫有着复杂的时间尺度，在非线性动力学中可以通过快-慢系统来表征这一现象。近年来有许多模型研究局灶性癫痫，这些模型都有一个重要的特点，即通过介电系数来耦合快-慢系统。

本章研究在前人的研究基础上，通过对快-慢系统的介电系数引入随机噪声，发展了一类随机癫痫振子模型，并考察了介电系数的随机浮动对癫痫振子模型的影响。我们发现随机癫痫振子模型可以产生更接近真实癫痫患者实际记录的癫痫发作。此外，理论分析揭示了局灶性癫痫的发作可能起始于不变环上的鞍点分岔，结束于同宿分岔，而癫痫在发作和终止之间的转化主要由慢时间尺度介电系数控制。进一步，我们的结果还证实介电系数的时间常数和致痫因子对该模型的癫痫发作动力学具有重要调控作用。当模型处于非致痫区时，介电系数的随机波动依然能使该癫痫振子产生癫痫样放电，这暗示介电系数的随机波动可能提高局灶性癫痫患者的易感性。事实上，大多数局灶性癫痫患者只是偶尔产生自发性癫痫发作。因此我们推测，癫痫患者的致痫因子位于非致痫区，而其癫痫发作可能是反常的介电系数随机波动引起的。

上述结果表明，随机浮动的介电系数在调节局灶性癫痫发作中有着重要的作用。特别是在癫痫振子模型中，介电系数代表细胞内外离子的浓度、细胞外的氧浓度和其他新陈代谢等。呼吸急促、疲劳、肿瘤、中风和创伤等多种因素均可诱发局灶性癫痫发作（Jirsa et al.，2014）。事实上，这些致痫因素不仅可以导致介电系数动力学的变化，还可以给介电系数引入一定程度的噪声，最终导致局灶性癫痫发作。这些结果对进一步研究局灶性癫痫有着重要的生理和临床指导意义。

第四节　失神癫痫的计算模型研究

失神癫痫是一种常见的特发性全面性癫痫，主要发病于儿童时期（Engel & Pedley，1997）。反复的失神癫痫发作是此慢性神经大脑症状的主要特征，且会导致突然的意识丧失。失神癫痫患者发作期间，我们可以在其脑电上观测到双侧同步的 2—4Hz SWD，这一特征放电被视为失神癫痫发作的电生理标志（Crunelli & Leresche，2002；Engel & Pedley，1997）。尽管失神癫痫产生的起源仍存在争论，但是越来越多的研究表明失神癫痫特征放电的产生是皮层和丘脑间的异常相互作用导致的，而合理地干预皮层-丘脑内异常振荡造成的 SWD，可能有助于失神癫痫发作的控制（Robinson et al.，1998）。

基底节是由一组相互作用的皮层下脑区构成的。众多研究发现基底节与一系列的大脑功能和疾病有密切关系，比如认知、情绪功能、运动控制、帕金森病和癫痫疾病等（Groenewegen，2003；Packard & Knowlton，2002；Stocco et al.，2010）。在解剖学上，基底节接收来自大脑皮层和丘脑的多重神经投射，并直接和间接地输出投射到丘脑。这些输出神经投射使基底节的神经活动能够有效地影响皮层-丘脑系统的动力学状态。因此，我们推测基底节可能在引发失神癫痫患者的发作和非发作状态之间起到了积极作用，而这一推测已经得到部分早期动物实验和近期人类神经影像数据研究的证实（Deransart et al.，1998；Luo et al.，2012）。但是，由于基底节与丘脑之间复杂的相互作用，基底节中关键核团对失神癫痫发作活动调控的神经机制迄今仍然不清楚。

在解剖结构上，黑质网状部（SNr）是基底节到丘脑投射的一个重要输出核团。基于啮齿类动物的实验证实，适当地改变 SNr 神经元的放电活动能够调节失神癫痫发作的产生（Deransart & Depaulis，2002；Paz et al.，2007）。研究发现，通过向 SNr 注射 GABA 激动剂或谷氨酸拮抗剂，可以降低 SNr 神经元的活性，并抑制失神癫痫发作（Paz et al.，2007），其抗癫痫作用被归功于上丘中继的、由 SNr 到丘脑的间接投射的整体抑制性（Deransart & Depaulis，2002）。除了上述间接性抑制通路以外，SNr 也存在直接投射到丘脑的抑制性通路，包括其发往 TRN 和特定丘脑中继核（SRN）的两条抑制性通路（Gulcebi et al.，2012；Haber & Calzaara et al.，2009）。理论上，改变 SNr 神经元的激活水平能够显著影响 SRN 和 TRN 的活性，可能更有利于中断皮层-丘脑系统中 SWD 的产生，并能够为调控典型的失神癫痫发作活动提供一种新的机制。但据我们了解，目前直接基底节-丘脑通路是否参与调控失神癫痫发作尚不清楚。

在本节中，我们根据基底节-皮层-丘脑网络（BGCT 网络）的解剖结构，建立了基于生物物理的 BGCT 网络平均场计算模型。通过使用多种动力学分析技术，首次发现基底节中黑质网状部可以通过其发往丘脑的两条抑制性通路双向调节失神癫痫发作。该研究成果不仅为失神癫痫患者提供了新的治疗策略，同时论文中所建立的模型在今后对其他类型癫痫以及帕金森等疾病的研究中，同样具有重要的参考作用。

一、BGCT 网络平均场计算模型

基于已有解剖学先验，我们首先抽取了 BGCT 网络的连接结构。如图 6-8 所示，本章所建立的 BGCT 网络由皮层、丘脑以及基底节三部分构成，共含 9 个神经元群，分别是锥体神经元群（e）、抑制性中间神经元群（i）、TRN（r）、

SRN（s）、纹状体 D1 型神经元群（d_1）、纹状体 D2 型神经元群（d_2）、SNr（p_1）、GPe（p_2）和 STN（ξ）。考虑到 SNr 与苍白球内侧（GPi）的输入和输出具有紧密的相关性，并且在细胞学和功能上也具有高度相似性，因此，我们在构建模型时将这两个核团视为一个整体结构（van Albada & Robinson，2009；van Albada et al.，2009）。在图 6-8 中，不同颜色和标记的线形表示不同类型的神经投射，其中，神经元群包括：锥体神经元群（e），抑制性中间神经元群（i），丘脑网状核（TRN，r），特定丘脑中继核（SRN，s），纹状体 D1 型神经元群（d_1），纹状体 D2 型神经元群（d_2），黑质网状部（SNr，p_1），苍白球外侧（GPe，p_2）和底丘脑核（STN，ξ）。带箭头的红线表示谷氨酸介导的兴奋性投射，带方形头的蓝色实线和虚线分别表示由 $GABA_A$ 和 $GABA_B$ 受体介导的抑制性投射。

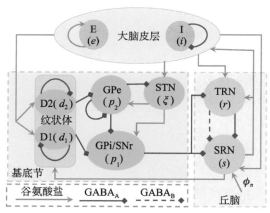

图 6-8　基于解剖学先验知识的 BGCT 网络连接拓扑结构（Chen et al.，2014；Chen et al.，2015）

　　对于 BGCT 网络中的每一个神经元群，我们采用鲁宾逊课题组提出的平均场模型对其动力学进行模拟。该模型主要刻画的是每个神经元群中平均膜电压、平均放电率和突触前神经活动之间的动态变化关系（Robinson et al.，1997）。对于给定的神经元群 a，其平均放电率 Q_a 与其对应的平均膜电压 V_a 之间的关系满足如下 Sigmoid 函数（Robinson et al.，1997；Robinson et al.，2001）：

$$Q_a(r,t) = \frac{Q_a^{\max}}{1 + \exp\left[-\dfrac{\pi}{\sqrt{3}} \dfrac{\left[V_a(r,t) - \theta_a \right]}{\sigma} \right]} \qquad (6\text{-}9)$$

这里，$a \in A$ 代表不同的神经元群，$Q_a^{\max}$ 指神经元群的最大放电率，r 表示神经元群在大脑内的空间位置，θ_a 指平均放电阈值，σ 表示放电率阈值的标准方差。位置 r 处的平均膜电压 V_a 在接收来自其他神经元群输入的突触后电压时，其平均膜电压变化可通过下面的公式进行建模（Robinson et al.，1997；Robinson et al.，2001）：

$$D_{\alpha\beta}V_a(r,t) = \sum_{b\in A} v_{ab} \cdot \phi_b(r,t) \tag{6-10}$$

$$D_{\alpha\beta} = \frac{1}{\alpha\beta}\left[\frac{\partial^2}{\partial t^2} + (\alpha+\beta)\frac{\partial}{\partial t} + \alpha\beta\right] \tag{6-11}$$

其中，$D_{\alpha\beta}$是微分算子，用于表征输入信号的突触和树突滤波。α和β分别是细胞体对输入信号响应的衰减和上升时间常数的倒数。v_{ab}是神经元群b到神经元群a投射的耦合强度。$\phi_b(r,t)$表示神经元群b到神经元群a的输入脉冲率。为了简化模型，我们忽略 BGCT 平均场模型中大部分神经投射的传输延迟，而仅考虑引入延迟τ到由 GABA$_B$ 所介导的慢神经投射 $[\phi_b(r,t-\tau)]$，来仿真相对较慢的突触动力学特性（Marten et al.，2009）。

针对考察的 BGCT 网络系统，假设其每个神经元群 a 的脉冲以平均传导速率v_a传播到其他神经元群时会引起场ϕ_a。在连续范围内，这种传播近似于衰减的波动方程（Robinson et al.，1997；Robinson et al.，2001）：

$$\frac{1}{\gamma_a^2}\left[\frac{\partial^2}{\partial t^2} + 2\gamma_a\frac{\partial}{\partial t} + \gamma_a^2 - v_a^2\nabla^2\right]\phi_a(r,t) = Q_a(r,t) \tag{6-12}$$

这里，∇^2表示拉普拉斯算子（二阶空间导数），$\gamma_a = v_a/r_a$控制脉冲的时间衰减率，r_a表示神经元群a轴突的特征范围，在此模型中，一般可认为只有皮层锥体神经元群的轴突足够长，才能够产生显著的传播效果。此外，考虑到失神癫痫发作是一种典型的广义性发作，其动力学活动遍布整个大脑，因此假设该平均场模型中的空间活动是均匀分布时，可以忽略其空间导数（$\nabla^2 = 0$）。在此基础上，我们假设皮层内连接性的耦合强度与其突触数目成比例，这样就进一步简化了该平均场模型，使其在数值仿真上变得更容易处理。模型的具体参数和简化后的一阶微分方程组详见参考文献 Chen et al.，2014。

二、BGCT 网络中失神癫痫发作的产生

早期的动物实验结果和基于皮层-丘脑网络神经计算模型的研究指出，TRN-SRN 通路中 GABA$_B$ 受体的慢动力学特性作为一个关键致痫病理因素，有助于失神癫痫发作活动的产生（Hosford et al.，1992；Marten et al.，2009）。为了探讨该机制是否适用于本节所构建的 BGCT 网络平均场模型，我们将延迟参数τ设置为 50ms，并在图 6-9（a）中显示了不同抑制性耦合强度$-v_{sr}$下的锥体神经元群的典

型时间序列ϕ_e。结果表明，在 BGCT 网络平均场模型中，不同的模型动力学状态对应于不同的$-v_{sr}$值。当耦合强度$-v_{sr}$较弱时（Ⅰ：饱和状态），来自 TRN 的抑制性不能有效地抑制 SRN 的放电率。在这种情形下，由于锥体神经元群的强兴奋性输入，SRN 的放电率在仿真开始后不久迅速达到了高水平放电状态。SRN 的高水平激活反过来驱动皮层神经元在两个振荡周期内达到饱和放电状态。

随着耦合强度$-v_{sr}$逐渐增大，来自 TRN 的抑制性开始影响 SRN 的放电率。由于 SRN 通过 GABA$_A$ 和 GABA$_B$ 受体介导的抑制性通路同时接收 TRN 的输入信号，这种具有时间差特性的双重抑制将为 SRN 的放电率提供复杂且有效的塑造机制。对于适中的耦合强度$-v_{sr}$，我们的模型可能产生两种不同的振荡状态。第一种是 SWD 振荡状态［图 6-9（a）Ⅱ］，其在一个振荡周期内含多对极大值和极小值。我们推测，延迟τ在此过程中起了关键的作用。对于每一个振荡周期，当 GABA$_A$ 介导的抑制性开始抑制 SRN 神经元放电后，这些神经元需要一定恢复时间来使它们的平均放电率重新达到上升状态。理论上，如果这一恢复时间少于 GABA$_B$ 介导的投射的延迟，SRN 神经元群就会出现另外一个由延迟的 GABA$_B$ 抑制性诱导的尖峰。这意味着我们的模型需要适当长的 GABA$_B$ 延迟来确保 SWDs 波形的产生。当 GABA$_B$ 的延迟较小时，SRN 神经元在 GABA$_B$ 介导的抑制性到来前没有足够的时间恢复到上升状态。在这种情况下，我们将观察到模型仅能产生单峰的振荡状态，即简单的振荡状态［图 6-9（a），Ⅲ］。但当耦合强度$-v_{sr}$过强时，SRN 的放电率几乎全被 TRN 抑制，此时模型的输出会被压制到低放电状态区域，系统长时间处于低放电率状态［图 6-9（a）Ⅳ］。

为了检验上述结果的稳定性，我们在二维参数空间$(-v_{sr}, \tau)$上对 BGCT 网络动力学进行了状态分析。如图 6-9（b）所示，整个平面被划分为四个状态区域，分别对应着上述的四种放电状态，即饱和状态，SWD 振荡状态，简单振荡状态以及低放电率状态。特别是在适中的耦合强度$-v_{sr}$和较大的延迟τ下，我们观测到 BGCT 平均场模型工作在 SWD 振荡状态，这一结果与上述的典型时间序列相一致，表明我们的模型具有很好的稳定性。进一步的频率分析揭示，简单振荡和 SWD 振荡的主频率主要受参数τ的影响［图 6-9（c）］，特别是较小的延迟τ可能导致 SWD 的主频率超出典型的 2—4Hz 频率范围。结合图 6-9（b）和图 6-9（c）中的结果，我们进一步勾画出主频率在 2—4Hz 范围内的 SWD 振荡区域（星号区域），发现大部分的 SWD 振荡区域分布在 2—4Hz。我们之所以强调这一特定的频率范围，是因为在失神癫痫病人的脑电上经常可以观测到这个典型频率范围的棘慢波。

在接下来的研究中，我们将基于上述构建的 BGCT 网络平均场模型，进一步探讨基底节在控制失神癫痫发作活动中的潜在作用。考虑到 SNr 是基底节的主要输出核团，并且从 SNr 出发存在两条发往丘脑的直接抑制性投射（SNr-TRN 通路和 SNr-SRN 通路），我们将主要关注 SNr 的激活水平是如何影响模型动力学行为的。为此，我们拟通过控制 STN-SNr 通路兴奋性耦合强度$v_{p_1\xi}$来改变 SNr 的激活水平，并通过引入尺度因子$K = v_{rp_1}/v_{sp_1}$来控制 SNr-TRN 通路与 SNr-SRN 通路的相对强度。

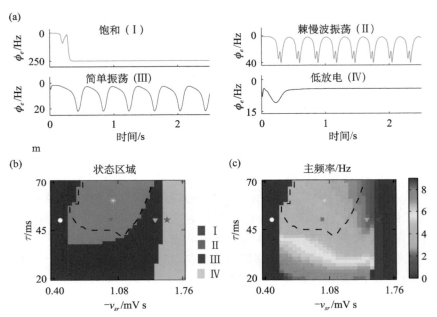

图 6-9　GABA$_B$ 慢动力学介导的失神癫痫发作活动。（a）：当延迟参数$\tau = 50$ ms 时，不同抑制性耦合强度$-v_{sr}$下的锥体神经元群的典型时间序列ϕ_e。BGCT 网络展示了四种不同的动力学模式，包括饱和状态（Ⅰ；$v_{sr} = -0.48$ mVs），SWD 振荡状态（Ⅱ；$v_{sr} = -1$ mVs），简单振荡状态（Ⅲ；$v_{sr} = -1.48$ mVs）以及低放电状态（Ⅳ；$v_{sr} = -1.6$ mVs）。（b）：二维参数空间 BGCT 网络状态分析，不同的颜色区域对应着不同的动力学状态。（c）：二维参数空间 BGCT 网络频率分析。其中，（b）和（c）中，星号标示的区域是频率范围在 2—4 Hz 的 SWD 振荡区域（Chen et al.，2014）

在图 6-10（a）和图 6-10（b）中，我们给出了二维参数空间$(K, v_{p_1\xi})$上 BGCT 网络的状态及频率分析结果。不同于前面所展示的结果，这里我们只发现了三种动力学状态区域，依次是 SWD 振荡状态（Ⅱ），简单振荡状态（Ⅲ）和低放电状态（Ⅳ）。我们推测饱和状态的缺失可能有以下两个原因：①来自基底节黑质网状部 SNr 对丘脑的双重抑制；②丘脑网状核 TRN 到特定丘脑中继核 SRN 相对较强的抑制。由图 6-10（a）可以看到，SWD 压制的现象出现在K值较大的区域。对于抑制性区域中相对较小的K值，我们发现从正常状态下增加和降低 SNr 神经元的激活水平 [图 6-10（a），双箭头] 都能够有效地终止 SWD 的产生。这种双向抑制的行为可能是 SNr-TRN 和 SNr-SRN 通路之间的竞争导致的。当尺度因子 K 值较大时，上述双向通路的竞争平衡被打破，此时 SNr-TRN 通路的抑制性逐渐主宰了模型的动力学行为（Breakspear et al.，2006）。此时，SWD 的压制只有通过降低 SNr 神经元的激活水平才能完成。但需要注意的是，尽管在这一区域增强 SNr 的激活水平不能直接抑制 SWD 的产生，但是倾向将 SWD 的主频率降到 2Hz 以下 [图 6-10（b）]，这可能是 SNr-TRN 通路的强抑制性导致的（Chen et al.，2014）。

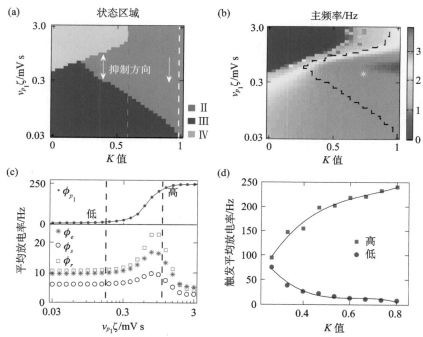

图 6-10 竞争诱导的基底节黑质网状部双向调控失神癫痫。（a）：BGCT 网络状态分析。（b）：BGCT 网络振动频率分析。在（a）与（b）中，K 为尺度因子，参数 $v_{p_1}\xi$ 为 STN-SNr 兴奋性通路耦合强度。图中的三种动力学状态的定义与前文相同；白色的虚线表示可抑制区域的边界，红色虚线是双向控制区域与单向控制区域的分界线，其左侧是双向调控区域，白色箭头表示抑制方向。（c）：皮层-丘脑核心神经元群放电率（$K=0.6$ 时）。（d）：SNr 神经元群最高和最低触发平均放电率随尺度因子 K 的变化曲线（Chen et al.，2014）

在双向调控区域内，我们的 BGCT 模型揭示了对于某一个固定尺度因子，SNr 神经元存在最低和最高触发平均放电率 [图 6-10（c）]。当 SNr 神经元的平均放电率处于这两个触发平均放电率之间时，失神放电很容易被触发。并且由于 SNr-TRN 和 SNr-SRN 通路之间竞争性的存在，皮层与丘脑中关键神经元群的放电活动展现出较为复杂的变化趋势。随着底丘脑核到黑质网状兴奋性耦合强度的增大，双通路的竞争使得其平均放电率均呈现钟形曲线。为进一步考察最低和最高触发平均放电率对尺度因子 K 的依赖性，我们绘制了触发平均放电率作为 K 函数的关系图。如图 6-10（d）所示，随着耦合强度 K 的增大，这两个触发平均放电率均以不同的形式迅速改变，其中最高触发平均放电率从相对较低的值达到饱和值，而最低触发平均放电率从相对较高的值逐渐降低为零。显然，这两种触发平均放电率的反向趋势也归因于 SNr-TRN 和 SNr-SRN 抑制性通路竞争。

　　上述研究表明，基底节黑质网状部可以通过发向丘脑的两条抑制性通路双向调控失神癫痫的放电。考虑到失神癫痫是一个可以由多因素诱发的全面性癫痫，一个自然的问题是：上述基底节双向调控是否是抑制失神癫痫发作的一个普遍机制？通过引入其他病理学机制，我们后来进一步证实了基底节双向控制失神癫痫发作可扩展到其他致痫病理因素（Chen et al.，2014，2015）。

三、小结与讨论

　　在本节研究中，我们使用包含基底节、皮层和丘脑的宏观平均场模型，首次研究了基底节是如何通过 SNr 直接发出到丘脑关键核团的投射来控制失神癫痫发作的。通过数值仿真，我们发现在 TRN-SRN 通路中引入 $GABA_B$ 慢突触动力学，可以成功诱导模型产生失神癫痫发作活动。在此基础上，我们进一步证实了 BGCT 网络平均场模型产生的 SWD 可以通过增加或者降低 SNr 神经元的激活水平来终止。其中，降低 SNr 神经活动实现对失神癫痫发作的有效控制与早期的动物实验发现相一致。更重要的是，基于理论模型，我们的结果第一次指出基底节能够双向控制失神癫痫发作。虽然这一发现仍需要进一步的实验支持，但是其能够加深我们关于基底节在调控失神癫痫发作中的功能的传统理解。对于失神癫痫患者而言，这些结果表明基底节一些功能（特别是与 SNr 神经元相关的功能）的丧失，可能进一步恶化失神癫痫发作。我们希望此模型研究得到的理论预测不仅能够为未来电生理实验提供可检测的实验假设，也能够为失神癫痫发作提供新的治疗策略。

本 章 小 结

　　癫痫是一种古老而常见的临床神经系统疾病，其发作呈现复杂的动力学特性。虽然人们对癫痫进行了大量研究，然而目前的研究结果显示，其发作原理仍然没有完全被理解。癫痫发作机制难以被完全理解主要有两方面原因：一方面，不同的癫痫有着不同的发病机制；另一方面，即使同一发病原因导致的癫痫，患者的临床表现和大脑的 EEG 数据也有明显差异。通过实验和计算模型相结合的研究手段，可以极大地帮助我们探索癫痫发作的机制，并为治疗癫痫提供参考和理论支持。

局灶性癫痫有着复杂的时间尺度，在非线性动力学中可以通过快-慢系统来表征这一现象。近年来出现了许多模型研究局灶性癫痫，而这些模型都有一个重要特点，即通过慢介电系数来耦合快-慢系统来对其进行模拟，其中介电系数代表了细胞内外环境的变化和新陈代谢等。本章的前半部分内容以前人的研究结果为基础，首先探究了介电系数的随机浮动对宏观和微观两个层次的局灶性癫痫模型的影响。随后运用数值仿真，我们发现该模型能产生癫痫样放电。在此基础上，我们利用非线性动力系统理论，揭示了该随机癫痫振子模型发作起始于不变环上的鞍点分岔，结束于同宿分岔。介电系数的周期性变化表明了癫痫反复发作，这论证了局灶性癫痫是一类动力系统疾病。我们进一步探究了许多相关变量的作用，这些结果表明随机浮动的介电系数在调节癫痫放电过程中起重要作用。

作为一类典型的全面性癫痫，失神癫痫的发作被认为与皮层-丘脑网络交互异常高度相关，而已有实验证据表明基底节可能参与到失神癫痫的调控。在本章的后半部分中我们系统地探索了基底节在失神癫痫发作控制中的作用。我们从计算仿真的角度证实了 BGCT 网络平均场模型产生的 SWD 可以通过增加或者降低 SNr 神经元的激活水平终止。其中，降低 SNr 神经活动水平实现对失神癫痫发作的有效控制与早期的动物实验发现相一致。更重要的是，基于理论模型，我们的结果首次证实基底节能够双向控制失神癫痫发作。虽然该发现还有待进一步的实验支持，但是其能够加深我们关于基底节在控制和调控失神癫痫发作中的功能的传统理解。对于失神癫痫患者而言，这些结果指出基底节一些功能（特别是与 SNr 神经元相关的功能）的丧失，可能进一步加剧失神癫痫发作。

我们希望这些模型研究得到的理论结果不仅对最终阐明癫痫发生和调控的神经机制具有深刻的理论意义，而且能够为未来电生理实验提供可检测的实验假设，并进一步为癫痫的临床诊断和治疗提供全新的思路。

参 考 文 献

洪震，江澄川 .（2007）. *现代癫痫学* . 上海：复旦大学出版社 .

徐强，陆玲丹，朱冬雨，陆征宇，赵虹 .（2015）. 癫痫的危害及防治教育. *健康教育与健康促进* ，（2），122-125.

Robert, S., Fisher, J., Cross, H., & 陈佳.（2017）. 2016 年国际抗癫痫联盟癫痫发作分类的更新及介绍. *癫痫杂志*, *3*（1）, 60-69.

Baier, G., Taylor, P. N., & Wang, Y.（2017）. *Understanding Epileptiform After-Discharges as Rhythicoscillatory Transients.* https://www.frontiersin.org/articles/10.3389/fncom.2017.00025/full.

Breakspear, M., Roberts, J. A., Terry, J. R., Rodrigues, S., Mahant, N., & Robinson, P. A.（2006）. A unifying explanation of primary generalized seizures through nonlinear brain modeling and bifurcation analysis. *Cerebral Cortex*, *16*（9）, 1296-1313.

Chen, M., Guo, D., Li, M., Ma, T., Wu, S., Ma, J., ... & Yao D. Z.（2015）. Critical roles of the direct GABAergic pallido-cortical pathway in controlling absence seizures. *PLoS Computational Biology*, *11*（10）, e1004539.

Chen, M., Guo, D., Wang, T., Jing, W., Xia, Y., Xu, P., ... & Yao D. Z.（2014）. Bidirectional controlof absence seizures by the basal ganglia: A computational evidence. *PLoS Computational Biology*, *10*（3）, e1003495.

Cohen, I., Navarro, V., Clemenceau, S., Baulac, M., & Miles, R.（2002）. On the origin of interictal activity in human temporal lobe epilepsy in vitro. *Science*, *298*（5597）, 1418-1421.

Cross, A. T., Stevens, J. C., & Dixon, K. W.（2017）. One giant leap for mankind: Can ecopoiesis avert mine tailings disasters? *Plant and Soil*, *421*（1-2）, 1-5.

Cressman, J. R., Ullah, G., Ziburkus, J., Schiff, S. J., & Barreto, E.（2009）. The influence of sodium and potassium dynamics on excitability, seizures, and the stability of persistent states: I. Single neurondynamics. *Journal of Computational Neuroscience*, *26*（2）, 159-170.

Crunelli, V., & Leresche, N.（2002）. Childhood absence epilepsy: Genes, channels, neurons and networks. *Nature Reviews Neuroscience*, *3*（5）, 371-382.

Deransart, C., & Depaulis, A.（2002）. The control of seizures by the basal ganglia? A review of experimental data. *Epileptic Disorders*, *4*, S61-S72.

Deransart, C., Vercueil, L., Marescaux, C., & Depaulis, A.（1998）. The role of basal ganglia in the control of generalized absence seizures. *Epilepsy Research*, *32*（1-2）, 213-223.

Destexhe, A.（1998）. Spike-and-wave oscillations based on the properties of GABA$_B$ receptors. *Journal of Neuroscience*, *18*（21）, 9099-9111.

Du, M., Li, J., Chen, L., Yu, Y., & Wu, Y.（2018）. Astrocytic Kir4.1 channels and gap junctions account for spontaneous epileptic seizure. *PLoS Computational Biology*, *14*（3）, e1005877.

Dugladze, T., Vida, I., Tort, A. B., Gross, A., Otahal, J., Heinemann, U., ... & Gloveli T. et al.（2007）. Impaired hippocampal rhythmogenesis in a mouse model of mesial temporal lobe epilepsy. *Proceedings of the National Academy of Sciences*, *104*（44）, 17530-17535.

El Houssaini, K., Ivanov, A. I., Bernard, C., & Jirsa, V. K.（2015）. Seizures, refractory status epilepticus, and depolarization block as endogenous brain activities. *Physical Review E*, *91*（1）, 010701.

Engel, J., & Pedley, T. A.（1997）. *Epilepsy: A Comprehensive Textbook*. Philadelphia:

Lippincott Raven.

Gressman, P. T. (2009). L^p-improving properties of averages on polynomial curves and related integral estimates. *Mathematical Research Letters*, *16* (6), 971-989.

Groenewegen, H. J. (2003). The basal ganglia and motor control. *Neural Plasticity*, *10* (1-2), 107-120.

Gulcebi, M. I., Ketenci, S., Linke, R., Hacıoğlu, H., Yanalı, H., Veliskova, J., et al. (2012). Topographical connections of the substantia nigra pars reticulata to higher-order thalamic nuclei in therat. *Brain Research Bulletin*, *87* (2-3), 312-318.

Guo, D., Perc, M., Liu, T., & Yao, D. (2018). Functional importance of noise in neuronal information processing. *EPL*, *124* (5), 50001.

Guo, D., Xia, C., Wu, S., Zhang, T., Zhang, Y., Xia, Y., et al. (2017). Stochastic fluctuations of permittivity coupling regulate seizure dynamics in partial epilepsy. *Science China Technological Sciences*, *60* (7), 995-1002.

Haber, S. N., & Calzavara, R. (2009). The cortico-basal ganglia integrative network: The role of the thalamus. *Brain Research Bulletin*, *78* (2-3), 69-74.

Hosford, D. A., Clark, S., Cao, Z., Wilson, W. A., Lin, F. H., Morrisett, R. A., et al. (1992). The role of GABA$_B$ receptor activation in absence seizures of lethargic (lh/lh) mice. *Science*, *257* (5068), 398-401.

Hutchings, F., Han, C. E., Keller, S. S., Weber, B., Taylor, P. N., & Kaiser, M. (2015). Predicting surgery targets in temporal lobe epilepsy through structural connectome based simulations. *PLoS Computational Biology*, *11* (12), e1004642.

Jirsa, V. K., Stacey, W. C., Quilichini, P. P., Ivanov, A. I., & Bernard, C. (2014). On the nature ofseizure dynamics. *Brain*, *137* (8), 2210-2230.

Kager, H., Wadman, W. J., & Somjen, G. G. (2007). Seizure-like afterdischarges simulated in a model neuron. *Journal of Computational Neuroscience*, *22* (2), 105-128.

Krishnan, G. P., & Bazhenov, M. (2011). Ionic dynamics mediate spontaneous termination of seizures and postictal depression state. *Journal of Neuroscience*, *31* (24), 8870-8882.

Laxer, K. D., Trinka, E., Hirsch, L. J., Cendes, F., Langfitt, J., Delanty, N., et al. (2014). The consequences of refractory epilepsy and its treatment. *Epilepsy & Behavior*, *37*, 59-70.

Luo, C., Li, Q., Xia, Y., Lei, X., Xue, K., Yao, Z., ... & Yao, D. (2012). Resting state basal ganglia network in idiopathic generalized epilepsy. *Human Brain Mapping*, *33* (6), 1279-1294.

Marten, F., Rodrigues, S., Benjamin, O., Richardson, M. P., & Terry, J. R. (2009). Onset of polyspike complexes in a mean-field model of human electroencephalography and its application to absence epilepsy. *Philosophical Transactions of the Royal Society A: Mathematical, Physical and Engineering Sciences*, *367* (1891), 1145-1161.

Packard, M. G., & Knowlton, B. J. (2002). Learning and memory functions of the basal ganglia. *Annual Review of Neuroscience*, *25* (1), 563-593.

Paz, J. T., Chavez, M., Saillet, S., Deniau, J. M., & Charpier, S. (2007). Activity of ventral medial thalamic neurons during absence seizures and modulation of cortical paroxysms by the nigrothalamic pathway. *Journal of Neuroscience*, *27* (4), 929-941.

Proix, T., Bartolomei, F., Chauvel, P., Bernard, C., & Jirsa, V. K. (2014). Permittivity coupling across brain regions determines seizure recruitment in partial epilepsy. *Journal of Neuroscience*, *34* (45), 15009-15021.

Roberts, J. A., & Robinson, P. A. (2008). Modeling absence seizure dynamics: implications for basic mechanisms and measurement of thalamocortical and corticothalamic latencies. *Journal of Theoretical Biology*, *253* (1), 189-201.

Robinson, P. A., Rennie, C. J., & Rowe, D. L. (2002). Dynamics of large-scale brain activity in normal arousal states and epileptic seizures. *Physical Review E*, *65* (4), 041924.

Robinson, P. A., Rennie, C. J., & Wright, J. J. (1997). Propagation and stability of waves of electrical activity in the cerebral cortex. *Physical Review E*, *56* (1), 826-840.

Robinson, P. A., Rennie, C. J., Wright, J. J., & Bourke, P. D. (1998). Steady states and global dynamics of electrical activity in the cerebral cortex. *Physical Review E*, *58* (3), 3557-3571.

Robinson, P. A., Rennie, C. J., Wright, J. J., Bahramali, H., Gordon, E., & Rowe, D. L. (2001). Prediction of electroencephalographic spectra from neurophysiology. *Physical Review E*, *63* (2), 021903.

Santhakumar, V., Aradi, I., & Soltesz, I. (2005). Role of mossy fiber sprouting and mossy cell loss in hyperexcitability: A network model of the dentate gyrus incorporating cell types and axonal topography. *Journal of Neurophysiology*, *93* (1), 437-453.

Sinha, N., Dauwels, J., Kaiser, M., Cash, S. S., Westover, M. B., Wang, Y., et al. (2017). Predicting neurosurgical outcomes in focal epilepsy patients using computational modelling. *Brain*, *140* (2), 319-332.

Stefanescu, R. A., Shivakeshavan, R. G., & Talathi, S. S. (2012). Computational models of epilepsy. *Seizure*, *21* (10), 748-759.

Stocco, A., Lebiere, C., & Anderson, J. R. (2010). Conditional routing of information to the cortex: A model of the basal ganglia's role in cognitive coordination. *Psychological Review*, *117* (2), 541-574.

Suffczynski, P., Kalitzin, S., & Da Silva, F. L. (2004). Dynamics of non-convulsive epileptic phenomena modeled by a bistable neuronal network. *Neuroscience*, *126* (2), 467-484.

Taylor, P. N., Goodfellow, M., Wang, Y., & Baier, G. (2013). Towards a large-scale model of patient-specific epileptic spike-wave discharges. *Biological Cybernetics*, *107* (1), 83-94.

Traub, R. D., Jefferys, J. G., & Whittington, M. A. (1994). Enhanced NMDA conductance can account for epileptiform activity induced by low Mg^{2+} in the rat hippocampal slice. *Journal of Physiology*, *478* (3), 379-393.

van Albada, S. J., & Robinson, P. A. (2009). Mean-field modeling of the basal ganglia-thalamocortical system. I: Firing rates in healthy and parkinsonian states. *Journal of Theoretical*

Biology, *257*（4）, 642-663.

van Albada, S. J., Gray, R. T., Drysdale, P. M., & Robinson, P. A.（2009）. Mean-field modeling of the basal ganglia-thalamocortical system. II. *Journal of Theoretical Biology*, *257*（4）, 664-688.

Wei, Y., Ullah, G., Ingram, J., & Schiff, S. J.（2014）. Oxygen and seizure dynamics：Ⅱ. Computational modeling. *Journal of Neurophysiology*, *112*（2）, 213-223.

Wendling, F., Bartolomei, F., Bellanger, J. J., & Chauvel, P.（2002）. Epileptic fast activity can be explained by a model of impaired GABAergic dendritic inhibition. *European Journal of Neuroscience*, *15*（9）, 1499-1508.

Yan, B., & Li, P.（2013）. The emergence of abnormal hypersynchronization in the anatomical structural network of human brain. *NeuroImage*, *65*, 34-51.

第七章

认知计算的神经振荡模式
分析及意义

认知神经科学是一门研究认知行为的神经生理过程与机制的科学，其核心在于研究大脑中神经元之间的连接方式及其在认知过程中的作用（Gazzaniga，2014）。这一领域研究的理论与方法涵盖了神经生理学和计算神经科学等方面。在神经生物学领域，关于学习和记忆的一个经典假设就是赫布理论（Hebbian theory）。该理论以神经元的突触可塑性为基础，解释了神经元如何具有适应性变化的能力（Hebb，1949）。赫布理论往往被总结为"一起放电的神经细胞总会联系在一起"（Löwel & Singer，1992）。在中枢神经系统中，这种"一起放电"的模式可以用多种电生理方法检测，其中最有代表性的是峰电位序列、LFP以及更大规模的振荡如EEG。观测以上这些信号发现，神经元群的活动通常具有一定的节律性，因此将这种规模性的神经元群的节律性活动定义为神经振荡。

赫布还指出神经细胞A与神经细胞B相联系并同步放电的一个重要条件是时间间隔，即B细胞放电时A细胞不可以刚刚放过电或正在放电。如今，这个结论被总结为峰值间隔依赖的可塑性（spike-timing-dependent plasticity）并被计算神经学家接受（Caporale & Dan，2008）。例如，有实验就展示了EPSP幅值随着峰值间隔变化情形（Thomson & West，2003）。根据这个实验，不同的峰值间隔对EPSP幅值有不同的影响，这尤其体现在20ms（50Hz）的峰值间隔附近。而峰值间隔是与放电的频率相对应的，15—30ms的放电周期大约对应于33—66 Hz的γ节律（图7-1）。

神经振荡现象可追溯到1924年，由当时的德国精神病学家伯格（Berger，1934）观察到。多年来，神经振荡作为脊柱动物的一种固有特征已被广泛接受，然而它的功能还有待更加深入的理解。有研究发现，许多认知功能如信息传递、知觉形成、运动控制和记忆形成均与神经振荡及其同步性有关（Fries，2005；

Fell & Axmacher, 2011; Schnitzler & Gross, 2005), 尤其在睡眠中, 不同的EEG
节律(频段)可以用于区分不同阶段的睡眠(Dement & Kleitman, 1957)。其
中最早被发现的是在人的头皮脑电EEG中的α节律(7.5—12.5 Hz)(Gerrard &
Malcolm, 2007), 在放松的清醒状态下, 枕叶的α节律会在闭眼时显著增加
(Berger, 1934)。此后被发现的还有δ节律(0.5—4Hz)(Walker, 1999)、θ节律
(4—10Hz)(Jung & Kornmüller, 1938; Kramis et al., 1975; Green & Arduini,
1954)、β节律(12.5—30Hz)(Rangaswamy et al., 2002)和γ节律(12.5—30Hz)
(Hughes, 2008)。上述节律中, 高频γ节律还被认为与知觉形成的捆绑问题
(binding problem)相关(Buzsáki, 2006; Pollack, 1999; Singer & Gray, 1995),
即大脑是如何将知觉信息进行区分与结合的(Revonsuo, 1999; Smythies,
1994)。综上, 神经振荡及其同步性在认知功能上扮演了非常重要的角色(Engel
& Singer, 2001; Varela et al., 2001)。

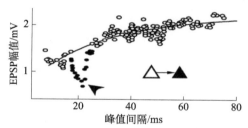

图 7-1 双细胞内记录(dual intracellular recordings)下的成年大鼠和猫的新皮层(neocortex)
锥体细胞的皮层 II 中; EPSP 幅值与峰值间隔的变化关系。三角形表示突触前后的锥体细胞。
(箭头处对应 γ 节律; 15—30ms)(Thomson & West, 2003)

　　总之, 神经振荡研究是认知神经科学中非常重要且基本的内容, 神经振荡的
同步性普遍被认为是信息传递与认知形成的重要机制。计算神经科学家以动力
学、信号与系统、概率论与统计学和信息论等学科为研究工具发展出了不同的神
经振荡计算的算法。目前, 神经振荡的分析大多建立在节律(频段)的分类上,
以研究不同节律、不同脑区间的同步关系以及编码模式。据此, 本章基于同等节
律到交叉节律的顺序, 分别介绍主流的神经振荡计算及其同步性分析方法, 并对
各个分析方法的适应性及其应用加以讨论。

第一节　同等节律分析

同等节律是指相对应的节律, 比如不同脑区间的 θ-θ 节律或 γ-γ 节律等。同

等节律可以从多个角度进行分析。其中，相关性问题一直是科学家关注的焦点，即不同脑区间相同频带上的神经振荡是否同步，以及同步性与信息流编码的关系等。

在大脑执行认知任务的过程中，位于不同脑区的神经元通过神经振荡被协调起来，其中一个表现为神经元放电的同步性（Buzsaki，2006）。同步性的一个具体表现为神经振荡的相位同步。有研究发现，相位同步可能是工作记忆和长期记忆的基础，其机制可能在于增强神经元的信息交换和突触可塑性（Fell & Axmacher，2011）。在观察两个脑区间的信息传递时，相位同步性有时会表现出相位滞后的特点，这是神经传导的延迟效应的表现（Axmacher et al.，2006）。但在有的脑区和节律上也会出现无延迟的情形（Narayanan et al.，2007；Reymann & Frey，2007）（图 7-2）。

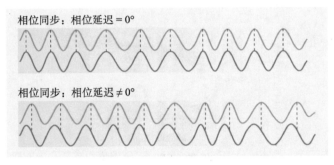

图 7-2　延迟和无延迟的相位同步（Juergen et al.，2011）

此外，根据是否区分信息传递的方向，又可把同等节律分析的相关算法进一步分为无方向性算法和方向性算法。

一、无方向性算法

（一）相干性

相干性（coherence）是一种衡量两个信号的相关程度的指标，其基础为多窗口功率谱分析（multitaper spectral analysis），最终结果为相干-频率图（coherence-frequency plot），可以把它看作各个频段上同等节律的相关性分布图。设 S_x 和 S_y 是对信号 x 与 y 的功率谱估计，对于有 K 个窗口的功率谱估计（参数 K 代表窗口数，可由 $K=2TW-1$ 求得。参数 T 代表窗口长度，参数 W 表示频率带宽），可以由下式得到功率谱估计：

$$S_x(f) = \frac{1}{K}\sum_1^K |\tilde{x}_k(f)|^2 \qquad (7\text{-}1)$$

$$S_y(f) = \frac{1}{K}\sum_1^K |\tilde{y}_k(f)|^2 \qquad (7\text{-}2)$$

$S_{xy}(f)$为功率谱估计的交叉项，其构造方式如下：

$$S_{xy}(f) = \frac{1}{K}\sum_1^K \tilde{y}_k(f)\tilde{x}_k^{\ *}(f) \qquad (7\text{-}3)$$

相关性指标变化范围为 0—1，1 表示在这个频率上两信号完全线性相干，0 表示完全线性不相干。用C_{xy}代表相干性，其具体的表达式如下（Fries et al.，2008）：

$$C_{xy}(f) = \frac{S_{yx}(f)}{\sqrt{S_x(f)S_y(f)}} \qquad (7\text{-}4)$$

但是这一算法无法确定信息流传递的方向。为了确定方向性，定向相干性的方法被提出来，用以描述格施（Gersch）因果性（Gersch，1972）。这种方法被广泛应用在 EEG、fMRI 和峰电位序列的分析上，但对噪声很敏感，即鲁棒性较弱，这可能导致对方向信息的错误估计。

有学者（Colgin et al.，2009）用相干性衡量了 MEC-CA1 和 CA3-CA1 神经通路上信息流的同步性。结果发现同步性最强的峰出现在 θ 节律上，但是 γ 节律也有较为显著的同步性。在 MEC-CA1 通路中，慢波 γ（25—55 Hz）表现出了较弱的同步性，快波 γ 上的同步性则明显强于慢波 γ。CA3–CA1 通路的相干性图则显示，慢波 γ 在 40 Hz 上有一个仅次于 θ 波的峰值，而快波 γ 的相干性则相对较弱（图 7-3）。

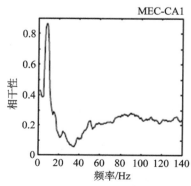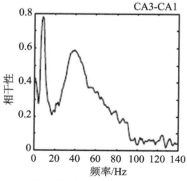

图 7-3　用相关性衡量的不同脑区间 γ 节律的同步性（Colgin et al.，2009）

（二）相位锁定值

相位锁定值（PLV）是另一种同等节律的同步性指标，重点评估的是不同神经振荡之间相位上的同步强度（Rosenblum et al.，1996）。具体方法为先用（Hilbert）变换提取两导信号的相位，分别记作ϕ_1和ϕ_2。再由下列公式求得：

$$\text{PLV} = \left| \frac{1}{N} \sum_{j=1}^{N} \exp\left(i\left[\phi_1(j\Delta t) - \phi_2(j\Delta t)\right]\right) \right| \qquad （7\text{-}5）$$

其中，N代表信号长度，$\frac{1}{\Delta t}$代表采样频率。PLV 值为 0—1，1 代表完全同步，0 代表完全非同步。

在对血管性痴呆（VD）大鼠的相关研究（Xu et al.，2012）中，*PLV* 显示 VD 大鼠相对于其对照组的相位同步程度明显减弱（PLV 在四个节律上显著降低），揭示了 VD 大鼠中海马神经元活动的同步性受到了明显削弱。随后在抑郁模型（chronic unpredictable stress，CUS）大鼠的丘脑到前额叶皮层通路的研究中，也发现了 *PLV* 在抑郁样大鼠上显著降低，经过美金刚治疗后又出现了某种程度的恢复（Zheng & Zhang，2013）（图 7-4）。另一项研究发现，产前应激会影响子代 Wistar 大鼠的 PLV，其子代海马 CA3-CA1 通路的 PLV 要显著低于对照组（Baccala et al.，2007）。

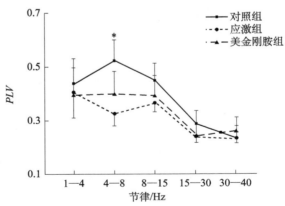

图 7-4　用 *PLV* 衡量的 LD-mPFC 脑区上各个节律间的同步性。对照组、应激组和美金刚胺（MEM）组（$n=6$）在 5 个频段的外侧（LD）丘脑和 mPFC 之间的 LFPs 的 PLV。*$p < 0.05$，说明对照组与应激组之间的同步性存在显著差异（Zheng & Zhang，2013）

二、方向性算法

上小节所介绍的均为无方向性的算法，其优点在于计算算法简洁，物理和生物学意义都易于理解，但上述算法不能表征脑区间神经信息流的强度与方向。而实际的神经网络连接中，突触传递具有方向性，比如海马 CA3 到 CA1 的映射就是一个单方向的连接。因此，下面将针对信息流动的方向，介绍四个方向性算法及应用：gPDC、CMI、PCMI 和 EMA，它们不仅可以衡量出不同脑区间的驱动关系，也可以计算强弱关系。

（一）广义部分方向一致性

广义部分方向一致性是一种基于格兰杰因果关系的方向性指标（Xu et al.，2013）。该方法的理论基础为多元变量自回归模型（multivariate vector autoregressive model，MVAR）。这个算法被广泛应用于分析不同脑区之间神经元群活动的耦合强度与方向。假设有两个信号 X_1 和 X_2，定义 X_1 到 X_2 部分方向一致性指数为 gPDC$_{1\to2}$，反之亦然。用 d 来表征整合两个方向指数之后的综合影响强度与方向：

$$d_{\mathrm{gPDC}} = \frac{\mathrm{gPDC}_{1\to2} - \mathrm{gPDC}_{2\to1}}{\mathrm{gPDC}_{1\to2} + \mathrm{gPDC}_{2\to1}} \tag{7-6}$$

其中，$d_{\mathrm{gPDC}} = 1$ 代表 X_1 区域对 X_2 区域有影响，同时 X_2 对 X_1 无影响；$d_{\mathrm{gPDC}} = 0$ 代表双方的影响对称；$d_{\mathrm{gPDC}} = -1$ 表示 X_2 区域对 X_1 区域有影响，同时 X_1 对 X_2 无影响。该算法的输入数据采用信号本身，既包括信号的幅值也包括信号的相位，在某种程度上可降低由于脑区间相隔太近而在记录神经元群活动的信号时产生的互相干扰现象，因此算法的鲁棒性较强。而那些基于相位信号的算法由于其假设往往是弱耦合，有时表现出较弱的鲁棒性。

同样，在关于 VD 大鼠的研究中，我们应用 gPDC 算法量化分析了海马 CA3-CA1 脑区之间神经元群活动的耦合指数，其中神经元群活动信号为两列同时采集的时间序列。计算结果显示，在 θ 节律和 γ 节律上，VD 组相比于对照组，其方向指数 d 显著降低（$p < 0.05$）；而且单方向 CA3 → CA1 的指数值在这两个节律上减小，组间具有统计学差异；如果与神经元突触可塑性的指标联系起来观察，如 LTP，可以看到同样在海马 CA1 脑区，病理状态下的突触可塑性也发生了显著性降低（Xu et al.，2012）。这一算法在神经生理与认知科学的其他研究中也获得了进一步应用，如有学者（Xu et al.，2013）在探讨三聚氰胺的神经毒理时，研究了 CA3—CA1 在 θ 节律和高频 γ 节律的方向耦合情况，发现单一方向指数 CA3 → CA1 在这两个频段上都显著降低，而 CA1 → CA3 方向指数没有显著变化。这一方面表明 CA3 → CA1 是神经信息流的主要方向，另一方面也提示三聚氰胺严重影响了这条通路上的两个主要节律的耦合状态。此外，gPDC 算法也可以被用来分析在正常大鼠的感觉系统中的磁共振成像（MRI）信号（Tropini et al.，2009）、帕金森病患者的 EEG 信号（Taxidis et al.，2010）以及皮层之间的功能连通性（Taxidis et al.，2010；Wyner，1978）等领域。

（二）条件互信息

在信息论中，条件互信息被定义为在给定条件下两个随机变量互信息的期望值（Palus & Stefanovska，2003）。2003 年，Milan Palus 提出用 CMI 分析神经信息流方向性的方法，并指出该指标更适用于弱耦合的神经振荡（Zhang et al.，2011）。

两个随机变量的 X_1 和 X_2 的互信息 $I(X_1;X_2)$ 被定义为：

$$I(X_1;X_2) = H(X_1) + H(X_2) - H(X_1, X_2) \tag{7-7}$$

其中，$H(X_1)$、$H(X_2)$ 分别为 X_1 和 X_2 的信息熵，$H(X_1, X_2)$ 为 (X_1, X_2) 联合分布的信息熵。

于是，条件互信息则被定义为：

$$I(X_1;X_2 \mid Y) = H(X_1 \mid Y) + H(X_2 \mid Y) - H(X_1, X_2 \mid Y) \tag{7-8}$$

在提取两列信号 $\{X_1\}$ 和 $\{X_2\}$ 的瞬时相位信号后，用 $I(\phi_2;\phi_\tau \mid \phi_1)$ 来估计包含在过程 $\{X_2\}$ 中的过程 $\{X_1\}$ 在未来 τ 时间的净信息，作为对耦合方向的度量，反之亦然。于是条件互信息就被定义为：

$$i_{1,2} = I(\phi_{2,1}(t), \Delta_\tau \phi_{1,2} \mid \phi_{1,2}(t)) \tag{7-9}$$

其中，对每一个时间点 k，定义相位增量为 $\Delta_{1,2}(k) = \phi(t_k + \tau) - \phi(t_k)$，则 CMI 算法的耦合方向指数定义为：

$$d_{\mathrm{CMI}} = \frac{i_2 - i_1}{i_2 + i_1} \tag{7-10}$$

式中，单向耦合系数 i_2 度量了系统 X_1 在多大程度上驱动了系统 X_2，即 i_2 的值越大，表示当已知系统 X_1 的信息对系统 X_2 进行预测时，预测的准确度越高，反之亦然。单一耦合系数 i_2 和 i_1 可以被用来度量单方向的信息传递量，而被归一化的方向指数 d_{CMI} 则指的是两个系统相对的驱动关系。而 d_{CMI} 的值域为 $[-1,1]$，当 d_{CMI} 为 1 或-1 时，分别表示 $X_1 \to X_2$ 和 $X_2 \to X_1$ 的单向耦合；当 d_{CMI} 为 0 时，表示对称的双向耦合；当 $-1 < d_{\mathrm{CMI}} < 0$ 或 $0 < d_{\mathrm{CMI}} < 1$，表示不对称的双向耦合，这种情况多为发生。

有学者（Zheng & Zhang，2015）报道了在正常大鼠海马 CA1 和 CA3 脑区，通过采集 LFP 信号宽频与窄频之间 CMI 计算的不同结果。窄带信号提取的瞬时相位具有稳定性，当提取宽带信号的瞬时相位时则呈现出缺口状，因而不满足 Hilbert 变换的前提条件，进而得出此算法仅适用于窄带信号的结论。进一步的研究显示，通过增加移动窗口，得到只有超过 8000 个数据点的窄带信号，CMI 方向指数的计算才趋于收敛。此外，有学者（Zheng et al.，2012）还报道了同时应用 EMA 和 CMI 算法计算 CUS 大鼠丘脑-皮层之间的神经信息流耦合强度与方向，结果显示此模型大鼠的 θ 节律上 CMI 方向指数显著降低，表明抑郁引起认知功能损害可能源于丘脑-皮层回路的信息流减少。

（三）排列条件互信息

排列条件互信息算法提出的相对较晚，它于 2008 年被提出（Bandt & Pompe，2002），排列互信息算法被认为是互信息法的一个创新，通过把互信息法中的信息熵用排列熵代替是此算法的重要变化。这两种算法都基于信息理论，因此是典型的非线性算法。简单地理解，排列熵就是在信息熵的原理上，用时间序列的不同排列作为元素，构造全体排列的集合。然后估计集合中各个元素（排列）的概率分布，然后依据此概率分布计算信息熵。

可以把时间序列 $\{x(t); t=1,2,\cdots,N\}$ 按照递增顺序排列，也就是说可以任意地从时间序列中提取一个 n 长的次序信息。具体地，我们首先从长度为 N 的时间序列 $\{x(t)\}$ 中得到长度为 n 的子列 $\vec{x}(i)$：

$$\vec{x}(i)=[x(i),x(i+\tau),x(i+2\tau),\cdots,x(i+(n-1)\tau)],$$
$$i=1,2,\cdots,N-(n-1)\tau \tag{7-11}$$

然后，按照强度递增的顺序对 $\vec{x}(i)$ 重排，从而得到原时间序列的一个排列：

$$\vec{x}^{*}(i)=[x(i+j_1-1),x(i+j_2-1),\cdots,x(i+j_n-1)],$$
$$i=1,2,\cdots,N-(n-1)\tau \tag{7-12}$$

显然，$\pi_j=(j_1,j_2,\cdots,j_n)$ 也是 $(1,2,\cdots,n)$ 的一个排列，其互不相同的排列共有 $n!$ 种。

这样，每一个 $\vec{x}(i)$ 都可以找到一个 π_j 与之对应，就可以用 π_j 的序列来表征一段时间序列。一段时间序列中，每一个符号 π_j 的出现频率可以用 $f(\pi_j)$ 来表示。因此，π_j 的出现概率 $p(\pi_j)$ 可以被近似地用下式计算：

$$p(\pi_j)=\frac{f(\pi_j)}{N-(n-1)\tau},\ j=1,2,\cdots,m,m\leqslant n! \tag{7-13}$$

而时间序列 $\{x(t)\}$ 的排列熵被定义为（Morabito et al.，2012；Li & Ouyang，2010）：

$$H(X) = -\sum p(\pi_j) \log p(\pi_j) \qquad (7\text{-}14)$$

对于两个时间序列$\{x(t)\}$和$\{y(t)\}$，令$H(X)$和$H(Y)$分别表示X和Y各自的排列熵。X和Y的排列的联合概率分布$p(\pi_j^x, \pi_j^y)$也可以被计算出来（Kreuzer et al.，2014）：

$$H(X) = -\sum p_x(\pi_j) \log p_x(\pi_j) \qquad (7\text{-}15)$$

$$H(Y) = -\sum p_y(\pi_j) \log p_y(\pi_j) \qquad (7\text{-}16)$$

$$H(X,Y) = -\sum \sum p_{x,y}(\pi_i, \pi_j) \log p_{x,y}(\pi_i, \pi_j) \qquad (7\text{-}17)$$

令X_δ(或Y_δ)是序列$\{X(t)\}$(或$\{Y(t)\}$)的差分序列。δ是差分距离：

$$X_\delta\text{：} \ X_{t+\delta} - X_\delta \quad (\text{或} Y_\delta : Y_{t+\delta} - Y_\delta) \qquad (7\text{-}18)$$

由此，可以计算$\{X(t)\}$，$\{Y(t)\}$的条件互信息：

$$I_{X \to Y}^{\delta} = I(X; Y_\delta \mid Y) = H(X \mid Y) + H(Y_\delta \mid Y) - H(X, Y_\delta \mid Y) \qquad (7\text{-}19)$$

以及

$$I_{Y \to X}^{\delta} = I(Y; X_\delta \mid X) = H(Y \mid X) + H(X_\delta \mid X) - H(X, Y_\delta \mid X) \qquad (7\text{-}20)$$

因此，序列$\{Y(t)\}$对$\{X(t)\}$的影响为：

$$I_{Y \to X} = \frac{1}{N} \sum_{\delta=1}^{N} I_{Y \to X}^{\delta} \qquad (7\text{-}21)$$

其中，N是最大的差分阶数。与广义一致性算法相同，$I_{Y \to X}$同理。

最后，信息流方向指数定义为：

$$D = \frac{I_{X \to Y} - I_{Y \to X}}{I_{X \to Y} + I_{Y \to X}} \qquad (7\text{-}22)$$

其中，D值的范围是-1—1。若$D>0$，则表明X对Y的影响大，即X驱动Y，当$D=1$时，表示X完全驱动Y，而Y对X没有驱动作用；若$D<0$，则表明Y驱动X，当$D=-1$时，则表明X对Y没有反馈作用。

目前，排列熵算法也已经被广泛应用于脑电数据的分析当中。例如，对麻醉与清醒状态下脑电的分析（Rosenblum & Pikovsky，2001），对老年痴呆症脑电数据的分析（Li & Ouyang，2010）等。作为 CMI 的改进算法，PCMI 可被用作评估神经集群间因果联系的工具，有学者（Li & Ouyang，2010）认为在神经信号分析中 PCMI 优于 CMI 和格兰杰因果关系检测法的算法。但排列熵算法目前只可以分析两导数据，还无法对多导数据进行信息流度量。

（四）演化映射法

EMA 是由罗森布拉姆（Rosenblum）和皮考夫斯基（Pikovsky）于 2001 年提出来的度量耦合方向和强度的分析算法（Rosenblum et al., 2002；Zheng et al., 2011）。这是一个基于相位动力学理论发展的分析算法，通过重构相位动力学系统来估计耦合方向。简单叙述如下：应用 Hilbert 变换提取出原序列的相位信息，即 $\phi_{1,2}$。假设两个动力学系统 X_1 和 X_2，它们的相位之间存在这样的耦合关系：

$$\dot{\phi}_1 = \omega_1 + q_1(\phi_1) + \varepsilon_1 f_1(\phi_1, \phi_2) + \zeta_1(t)$$
$$\dot{\phi}_2 = \omega_2 + q_2(\phi_2) + \varepsilon_2 f_2(\phi_2, \phi_1) + \zeta_2(t)$$

（7-23）

其中，ϕ_1 和 ϕ_2 表示两个序列的相位变量，$q_{1,2}$ 和 $f_{1,2}$ 是以 2π 为周期的函数，参数 $\omega_{1,2}$ 是系统振子的自然频率，$\zeta_{1,2}$ 是随机的噪声干扰项。

应用 Fourier 级数在最小二乘意义下近似的拟合方程 $F_{1,2}[\phi_{1,2}(k), \phi_{2,1}(k)]$：

$$F_{1,2} = \sum_{m,l} a_{m,l} \cos(m\phi_1 + l\phi_2) + b_{m,l} \sin(m\phi_1 + l\phi_2)$$

（7-24）

定义为单向耦合系数：

$$c_{1,2}^2 = \int_0^{2\pi} \int_0^{2\pi} \left(\frac{\partial F_{1,2}}{\partial \phi_{2,1}} \right)^2 d\phi_1 d\phi_2$$

（7-25）

将 $F_{1,2}$ 的方程代入上式中，推导出计算耦合系数的表达式：$c_1 = \sqrt{\sum_l l^2 (a_{m,l}^2 + b_{m,l}^2)}$，同理推导出 c_2 的表达式。进而，应用单向耦合系数来计算方向指数：

$$d_{\text{EMA}} = \frac{c_2 - c_1}{c_2 + c_1}$$

（7-26）

其中，d_{EMA} 和 c_1、c_2 的物理含义分别与 CMI 算法中的 d_{CMI} 和 i_1、i_2 相同。下面举例说明其应用。在 CUS 大鼠的研究中，有学者应用了 EMA 算法确定了丘脑-皮层回路的神经信息流方向，结果显示耦合方向指数在 CUS 大鼠中显著偏转（正/负值），同时单一方向指数，即表征丘脑驱动前额叶皮层的神经信息流强度显著下降，且与突触可塑性的改变呈正相关（Quan et al., 2011；Zhang et al., 2011）。这一结果表明认知功能的损害部分是由于丘脑-皮层回路中信息流的强度减弱（Zheng et al., 2012）。随后，在 CUS 大鼠的丘脑-皮层 θ 振荡的研究显示，在对照组大鼠中丘脑-皮层的耦合反应是双向的，但丘脑驱动前额叶皮层的影响占主导，因为计算结果显示除了 δ 频段，在其余的所有频段上 EMA 方向指数均大于 0。结合相关的其他指标，可以推测出丘脑是大脑中信息传递和处理的中心（Zhang et al.，2014）。

在神经振荡同等节律分析的研究中，不同的计算指标有其适用范围。因此，可以从不同角度来度量不同脑区和同等节律之间的相互作用和影响。

在同等节律的无方向耦合分析中，PLV 与一致性是两个代表性指标。PLV 使用相位差来直接衡量两个脑区间同一节律神经振荡的相位同步，对于噪声有较好的鲁棒性。传统的方法是基于 Hilbert 变换提取相位并计算 *PLV*，这在实际中已被广泛应用。但是 Hilbert 变换本身被认为存在某些问题，比如会导致负的瞬时频率而不具有实质的物理意义；算法本身仅适用于计算平稳数据等。有学者（Zhang et al.，2014）提出基于 H-H 变换的瞬时相位提取技术并应用于比较缺氧组和对照组的非平稳 EEG 信号。计算结果表明，基于 H-H 变换提取的相位信号分析的 PLV，在疾病识别率方面高于传统方法。相关性是关于两个脑区之间神经振荡功率谱的相关性，其结果既受相位同步状态的影响，也受幅值耦合的影响，虽然其反映的是信号间的综合作用，但是该算法容易受噪声的干扰。

此外，有研究（Lowet et al.，2016）发现，相干性的测量在较大的参数范围内偏离了相位锁定的预期，而且随着信噪比的增大，相干性并没有收敛到期望值。尤其是在部分（间歇性）同步的状态下，相干性很容易失效。然而，这种间歇性的神经振荡同步恰恰是最符合预期的同步形式。他们认为这种失效可能是由同步性带来的频率与振幅的快速改变引起的。随后，他们通过峰电位序列（spike train）的 TE 来分析相干性是否能反映神经网络的信息流。结果发现，在许多同步性调节（synchronization-mediated）的神经信息流的实例上，相干性不能稳健地反映其变化。基于对瞬时相位的重构，有学者（Lowet et al.，2016）用 PLV 作为替代方法发现，PLV 估计表现出了广泛的适用性（不依赖于信号的平稳性）。在不同脑区间的大范围的神经振荡同步上，PLV 比相关性的准确度有了显著提高，也更好地反映了同步性调节的神经信息流的变化。

在同等节律分析的方向性算法中，gPDC 是线性算法中具有典型性代表的算法之一，PCMI 是非线性算法的代表之一。有学者（Mi et al.，2014）对这两种算法从数值仿真的神经元集群模型（neural mass model，NMM）到动物在体实验的 VD 大鼠海马 LFP 信号的多个方面进行了全面、深入的比较（图 7-5）。数值模拟中比较了不同连接强度下算法的灵敏度、计算误差以及数据长度对结果分析的影响。而在体实验数据的应用进一步验证了基于仿真数据获得的结论。研究结果显

示，对于双向 NMM 模拟来说，PCMI 值更接近真实值；从方差分析来看，PCMI
的稳定性较高，更适合测量两个脑区间耦合强度的绝对水平；然而，gPDC 算法
在单向 NMM 中表现较好，对于耦合强度的改变 gPDC 有更好的敏感性，对于不
同类型的耦合也有更好的区分度（图 7-5）。研究者推测其原因是 gPDC 的灵敏度
是一个二元函数，受两个方向的共同影响；而 PCMI 灵敏度是一个一元函数，只
会受所度量方向的影响。对数据长度的分析中，PCMI 需求较小（4000—5000 个
数据点），gPDC 至少 8000 个数据点才能达到稳定。在体实验数据的计算结果也
有相似的结果（Mi et al.，2014）。

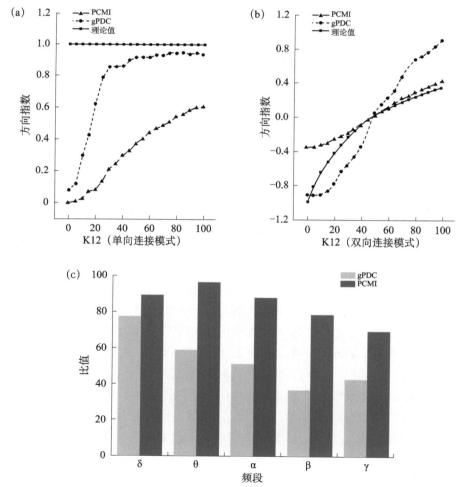

图 7-5　gPDC 和 PCMI 的比较。两种方向性指标测量。（a）：单向连接模式下 PCMI 和 gPDC
的结果；（b）：双向连接方式下两种测量结果；（c）：采用 gPDC 和 PCMI 算法分别在 5 个频
段测量 VD 与对照组的方向性指数比值（Mi et al.，2014）

　　EMA、CMI 等方向性的算法与 gPDC 和 PCMI 不同的是，前者是基于相位信号，后者是基于全信号。EMA、CMI 算法的应用基础是基于神经系统活动为弱耦合的假定，根据非线性动力学理论，弱耦合主要体现在相位的耦合及其改变上。在实际应用中，这两个算法通常会得出一致的结果。此外，EMA 和 gPDC 算法都是属于参数估计算法，即先假设所分析系统满足某个特定的模型，然后应用算法来估计模型中的参数，进而计算耦合强度；而 CMI 和 PCMI 基于信息理论，不假设信号来自哪一个模型，而是统计出信号的某个特征的概率分布，以这个概率分布来计算信号的信息量以及信号间的联合信息，从而表征信号之间的耦合强度。一般而言，海马 CA1 区与前额叶皮层 mPFC 之间为双向通路，常常表现为弱耦合，推荐使用 EMA 或 CMI 算法；但是海马的其他神经通路，如 PP-DG，或者 CA3-CA1 是单向神经通路，通常认为是非弱耦合，因此建议应用 gPDC 算法，计算分析可能会得到更接近真实的情况。对于某些非弱耦合的双向通路，PCMI 算法表现或许更优越。

第二节　交叉节律分析

　　神经振荡的同步性包含许多形式，除了在同等节律上的耦合以外，在不同节律之间也存在着相互作用。这种发生在不同的频段之间的互相作用，被称为交叉节律耦合（CFC），在促进神经信息流传递和增强突触可塑性等方面往往扮演重要角色。基于神经元群活动的 CFC 具有多种形式，其中，交叉节律的 PAC 被认为能够快速响应外部的感觉、运动和认知等信息输入，在工作记忆任务中与学习表现相关。一般来说，高频节律反映的是大脑局部区域较快的信息处理，低频节律则能够根据外部的感觉输入和内部的认知事件的动态驱动在不同脑区的传播（Buzsáki & Draguhn，2004；Saleh et al.，2010）。因此，CFC 可能整合了不同时间空间尺度的神经网络活动，使神经信息能够在两个不同尺度的时空之间有效地进行交流。除 PAC 以外，交叉节律耦合还包含其他形式，如相位-相位耦合（PPC）和幅值-幅值耦合（AAC）。据此，本节分别介绍以上三种耦合形式，并结合已经发现的 δ-γ 节律耦合，分别介绍各自的代表算法及其应用。

一、相位-幅值耦合

　　同一节律在不同的脑区之间可表现为相位同步，它能够调节区域间的信息交流（Fries，2005；Gregoriou et al.，2009）。对于不同的节律之间的同步或耦合，如果发生在同一区域，则主要是调节不同时空尺度的信息交流（Holz et al.，2010；Tort et al.，2009）。当然，在不同脑区之间也有不同节律之间的耦合现象（Xu et al.，2013）。目前已被揭示的神经振荡 CFC，主要指 PAC，即低频节律的相位调节高频节律的幅值（图 7-6）。

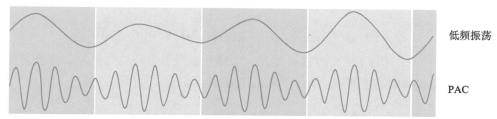

低频振荡

PAC

图 7-6　神经振荡的高频节律和低频节律间的 PAC 现象。高频振荡的振荡活动可能与低频振荡的相位有关。明暗的条形将低频振荡的连续周期分开（Fell & Axmacher，2011）

　　PAC 指的是高频节律的幅值（能量）被锁定在低频节律的相位上，或者说被低频节律的相位所调制。PAC 现象已在啮齿类动物的海马、基底核和猕猴的新皮质以及人类的皮层中发现（Axmacher et al.，2010；Canolty et al.，2006；Cohen et al.，2008；Tort et al.，2009，2010；Xu et al.，2013）。

（一）PAC-PLV、PAC-EMA 和 PAC-CMI

　　如果把分析同等节律的指标稍加改造，也可以用于度量交叉节律的耦合情况。在本小节，将介绍三种稍加改进便可以用来分析交叉节律耦合的指标：PLV、EMA 和 CMI。在各个指标前加上 PAC 来与同等节律分析的情形加以区分。

　　PAC-PLV 被用于分析交叉节律耦合（Penny et al.，2008）的方法与同等节律分析时相似，先用 Hilbert 变换提取信号的低频节律相位 $\phi_{\text{low}}(t)$ 和高频节律幅值 $A_{\text{high}}(t)$，对 $A_{\text{high}}(t)$ 再进行 Hilbert 变换得到其相位，记为 $\phi_{\text{high}}(t)$。然后计算 $\phi_{\text{low}}(t)$ 和 $\phi_{\text{high}}(t)$ 之间的 PLV：

$$\text{PAC-PLV} = \left| \frac{1}{N} \sum_{j=1}^{N} \exp\left(i \left[\phi_{\text{low}}(j\Delta t) - \phi_{\text{high}}(j\Delta t) \right] \right) \right| \tag{7-27}$$

其中，N 代表信号长度，$\dfrac{1}{\Delta t}$ 代表采样频率，PAC-PLV 的值为 0—1，所代表的意义与之前提到的相同，即 1 代表 $\phi_{\text{low}}(t)$ 和 $\phi_{\text{high}}(t)$ 完全同步，0 代表二者无任何同步关系。

　　PAC-EMA 是由演化映射法发展而来的算法，其基本思想仍然是相位动力学的原理。同样，先用 Hilbert 变换提取信号的低频节律相位 $\phi_{\text{low}}(t)$ 和高频节律幅值 $A_{\text{high}}(t)$，对 $A_{\text{high}}(t)$ 再进行 Hilbert 变换得到其相位，记为 $\phi_{\text{high}}(t)$。建立的相位动力学模型与第一节的 EMA 类似：

$$\dot{\phi}_{\text{low}} = \omega_{\text{low}} + q_{\text{low}}(\phi_{\text{low}}) + \varepsilon_{\text{low}} f_{\text{low}}(\phi_{\text{low}}, \phi_{\text{high}}) + \zeta_{\text{low}}(t) \qquad (7\text{-}28)$$

$$\dot{\phi}_{\text{high}} = \omega_{\text{high}} + q_{\text{high}}(\phi_{\text{high}}) + \varepsilon_{\text{high}} f_{\text{high}}(\phi_{\text{high}}, \phi_{\text{low}}) + \zeta_{\text{high}}(t) \qquad (7\text{-}29)$$

同上一节中计算 EMA 的方法类似，求解上述微分方程，我们可以得到低频相位 $\phi_{\text{low}}(t)$ 和高频幅值的包络 $\phi_{\text{high}}(t)$ 间的 PAC 指标，公式如下：

$$\text{PAC-EMA} = \int_0^{2\pi} \int_0^{2\pi} (\frac{\partial \Delta \phi_{\text{high}}}{\partial \phi_{\text{low}}})^2 d\phi_{\text{low}} d\phi_{\text{high}} \qquad (7\text{-}30)$$

首先，需要建立相位的动力学模型众所周知，不同脑区之间的神经信息传递需要时间，即时间滞后性，此时瞬时性的 PAC 方法可能会出现较大的偏差。而前面两种 PAC 分析方法都是提取信号的瞬时信息然后对其进行分析的，即仅考虑系统瞬时时刻的状态。这仅适用于分析近似没有时间滞留效应的神经脑区的神经元群活动。

为了解决时间滞留效应的问题，在 CMI 算法的基础上进行了进一步推广而获得了 PAC-CMI 算法，即条件互信息算法。这样既考虑了时间滞后的影响，也考虑了信息传递的方向性。类似 PAC-PLV 的方法，首先提取信号的低频部分的相位 $\phi_{\text{low}}(t)$ 和高频幅值 $A_{\text{high}}(t)$ 再次 Hilbert 变换后的相位 $\phi_{\text{high}}(t)$，它们的条件互信息采用指标：

$$\text{PAC-CMI} = I(\phi_{\text{low}}(t); \Delta_\tau \phi_{\text{high}}(t) | \phi_{\text{high}}(t)) \qquad (7\text{-}31)$$

同样认为，PAC-CMI 值越大，PAC 强度越大。有学者（Xu et al., 2013a）用 PAC-CMI 算法得到的结果与 gPDC 算法结果一致，即在三聚氰胺模型大鼠的海马 CA3-CA1 神经通路上，其单一方向指数有显著降低，并且与神经元突触可塑性 LTP 的变化一致相符。由此推断出大鼠海马 CA3-CA1 神经通路的连接受损是学习与记忆功能出现明显减弱的重要原因。学者（Xu et al., 2013b）进一步应用 PAC-CMI 和 MI 算法，同时量化分析了脑缺血模型大鼠 CA3-CA1 神经通路的交叉节律耦合。结果显示在脑缺血组中，计算获得的两个指标均有降低，其中 MI 算法的指标有统计学差异，而 CMI 算法的指标相对于对照组没有显著性差异，这说明对于算法的适用性、敏感度等问题仍然有待于进一步探讨。

（二）平均向量长度

平均向量长度（MVL）算法由卡诺迪等（Canolty et al.，2006）提出。首先使用希尔伯特变换提取低频节律的相位信号$\phi_{\text{low}}(t)$和高频节律的幅值信号$A_{\text{high}}(t)$以构造一个复数信号序列：

$$Z(t) = A_{\text{high}}(t)e^{i\phi_{\text{low}}(t)} \tag{7-32}$$

然后对这个复数序列取均值，并求均值的模长，以此来表征 PAC 的强度：

$$\text{MLV} = |\,\text{average}(Z(t))\,| \tag{7-33}$$

如果低频节律与高频节律之间不存在 PAC，那么高频节律的幅值将沿着低频信号的相位序列（沿时间进程）随机分布，MVL 值将趋于 0；反之，如果高频节律的幅值是受到低频节律的相位调节的，那么在特定的低频相位上，高频幅值将达到相对较大的数值，在其他相位上则幅值较小。这种不均匀的分布将使得MVL 有一个明显的正值。

一般来说，MVL 值越大，说明高频节律幅值受低频节律相位的调节影响越大。使用 MVL 算法，有研究（Canolty et al.，2006）发现，在人类新皮质中低频 θ 节律（4—8 Hz）的相位调节高频 γ 节律（80—150 Hz）的能量（幅值的平方），这是最早报道的对人类 PAC 现象的研究。该研究还发现不同的行为学任务将导致皮层不同区域产生不同的 θ-γ 节律耦合模式。这些结果表明，低频和高频节律的耦合能够协调皮层中不同区域的神经元群活动，这可能是一种人类认知过程中信息有效交流的机制之一。在另一项应用 MVL 算法的研究中（Voytek et al.，2010），使用 ECoG 记录，在人类视皮层区域发现高频 γ 节律（80—150 Hz）耦合到 θ 节律（4—8Hz）和 α 节律（8—12Hz）的波谷；而在视觉任务中，α-γPAC 优先增加。这些结果表明，PAC 是由行为学任务调节的，PAC 的改变可能是因为认知过程中大脑选择了不同的神经子网络参与信息交流。

更进一步，利用 MVL 算法，有研究（Zheng & Zhang，2015）发现，对照组大鼠海马的 CA1 区存在 θ 节律与 γ 节律的 PAC，而在抑郁样模型大鼠中这种 PAC 现象基本消失。有学者（Xu et al.，2013a）应用 MVL 算法发现，正常大鼠海马 CA3 区存在 θ 节律与低频 γ 节律的 PAC，同时 CA3 区的 θ 节律也与 CA1 区的低频 γ 节律间存在 PAC。然而在血管性痴呆大鼠中，这两个节律之间的 PAC 几乎消失。作者又利用硫氢化钠作为干预手段，发现在血管性痴呆大鼠上，θ-γ 节律间的 PAC 有一定的恢复（Xu et al.，2015）。此外在另一项研究中，学者（Xu et al.，2013b）也发现 Wistar 大鼠被施用三聚氰胺后，相较于对照组，在模型大鼠海马 CA3 区域的 θ 节律与高频 γ 节律的 PAC 明显降低，同时在 CA1 脑区以及 CA3-CA1 上 θ-γ 节律的 PAC 基本消失。此外，利用 MVL 算法，有研究（Li et al.，2018）发现，与正常组相比，Notch1[+/-] 组小鼠的海马 DG 区的 PAC 会有明显损伤。以上这些研究表明，海马 θ-γ 节律上的 PAC 与啮齿类动物正常的神经信息交流相关，而相应的神经损伤会降低 θ-γ 节律上的 PAC 进而影响神经信息的通信与交流。

（三）调节指数

调节指数（MI）是由托尔特等（Tort et al.，2009）提出的，主要基于高频节律的幅值在低频节律相位信号上的分布来计算该分布的信息熵，从而表征该分布的不均匀性，并且使用均匀分布时的信息熵最大值进行归一化。

具体方法是，先提取低频节律的相位信号 $\phi_{low}(t)$ 与高频节律的幅值信号 $A_{high}(t)$，然后将相位信号 $\phi_{low}(t)$ 的每个周期平均分割成 n 等份，计算第 j 个相位区间对应的高频幅值的均值 $\langle A_{high}(t)\rangle_\theta(j)$，再将每一份相位区间对应的幅值的均值除以 n 份均值的和，得到高频节律的幅值在低频节律相位上的分布为：

$$P(j) = \frac{\langle A_{high}(t)\rangle_\theta(j)}{\sum_{k=1}^{n}\langle A_{high}(t)\rangle_\theta(k)} \qquad (7-34)$$

然后根据上述 $P(j)$ 计算幅值在相位上的分布的信息熵：

$$H(P) = -\sum_{j=1}^{n} P(j)lb[P(j)] \qquad (7-35)$$

当 $P(j)$ 是均匀分布时，$H(P)$ 将达到最大值 $lb(n)$，所以可以将上述信息熵归一化为：

$$MI = \frac{lb(n)-H(P)}{lb(n)}, MI \in [0,1] \qquad (7-36)$$

显然，MI 值越大，代表低频节律相位对高频节律幅值的调节作用越强。

使用该算法，托尔特等（Tort et al.，2010）首次发现，海马 CA3 和 CA1 脑区有不同的 PAC 模式，即在 CA3 区主要是 θ 节律与低频 γ 节律的耦合，而在 CA1 区 θ 节律与高频 γ 节律间的 PAC 占主导（图 7-7）。

在一项人的后内侧皮层（PMC）静息状态下神经振荡活动模式的研究中（Foster & Parvizi，2012），根据 MI 算法计算后发现，θ 节律（4—7Hz）振荡的

相位能够调节高频 γ 节律（70—180Hz）的幅值。在另一项恒河猴的初级视皮层（primary visual cortex，V1）的局部场电位的研究中（Spaak et al.，2012），使用 MI 算法计算后发现，V1 层深部的 α 相位能够调节颗粒层和表层的 γ 幅值，揭示了视皮层区域不同层之间也存在明显的 CFC 现象。

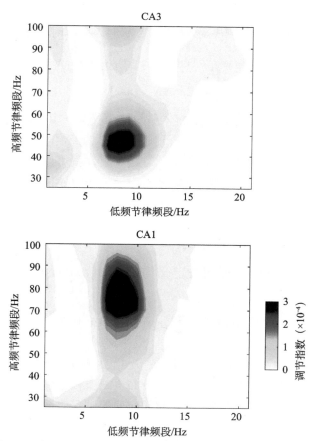

图 7-7　在 CA3 和 CA1 脑区，θ 节律相位调节 γ 节律幅值的表现。在 CA1 和 CA3 区域之间，通过 θ 节律相位进行 γ 幅值调制的特性有差异。在内容探索任务下同时记录的 LFP 分别在 CA3（左）和 CA1（右）脑区的相位幅制耦合情况（Tort et al.，2010）

（四）排列互信息

排列互信息（PMI）是 2016 年学者（Cheng et al.，2016）提出的 PAC 算法，其主要的理论基础为排列熵（Bandt & Pompe，2002）与互信息（Hlaváčková-Schindler et al.，2007）。我们可以把时间序列 $\{x(t); t = 1, 2, \cdots, N\}$ 按照递增顺序排

列，也就是说，可以任意地从时间序列中提取一个 n 长的次序信息。具体地，我们首先从长度为 N 的时间序列 $\{x(t)\}$ 中得到长度为 n 的子列 $\vec{x}(i)$ ：

$$\vec{x}(i) = [x(i), x(i+\tau), x(i+2\tau), \cdots, x(i+(n-1)\tau)] \tag{7-37}$$

$$i = 1, 2, \cdots, N-(n-1)\tau \tag{7-38}$$

然后，按照强度递增的顺序对 $\vec{x}(i)$ 重排，从而得到原时间序列的一个排列：

$$\overset{*}{\vec{x}}(i) = [x(i+j_1-1), x(i+j_2-1), \cdots, x(i+j_n-1)] \tag{7-39}$$

$$i = 1, 2, \cdots, N-(n-1)\tau \tag{7-40}$$

显然，$\pi_j = (j_1, j_2, \cdots, j_n)$ 也是 $(1, 2, \cdots, n)$ 的一个排列，其互不相同的排列共有 $n!$ 种。

这样，每一个 $\vec{x}(i)$ 都可以找到一个 π_j 与之对应，就可以用 π_j 的序列来表征一段时间序列了。一段时间序列中，每一个符号 π_j 的出现频率可以用 $f(\pi_j)$ 来表示。因此，π_j 的出现概率 $p(\pi_j)$ 可以被近似的用下式计算：

$$p(\pi_j) = \frac{f(\pi_j)}{N-(n-1)\tau}, \quad j = 1, 2, \cdots, m, m \leqslant n! \tag{7-41}$$

而时间序列 $\{x(t)\}$ 的排列熵被定义为（Bandt & Pompe，2002；Morabito et al.，2012）

$$H(X) = -\sum p(\pi_j)\log(p(\pi_j)) \tag{7-42}$$

对于两个时间序列 $\{x(t)\}$ 和 $\{y(t)\}$，令 $H(X)$ 和 $H(Y)$ 分别表示 X 和 Y 各自的排列熵。X 和 Y 的排列的联合概率分布 $p(\pi_j^x, \pi_j^y)$ 也可以被计算出来（Li & Ouyang，2010）。由此我们得到了两个时间序列的排互信息：

$$I(X,Y) = H(X) + H(Y) - H(X,Y) \tag{7-43}$$

快波的幅值信号 $A_{\text{high}}(t)$ 和慢波的相位信号 $\phi_{\text{low}}(t)$ 的互信息也可以用 PMI 来测得。然而慢波的相位序列 $\phi_{\text{low}}(t)$ 是一个关于时间的周期函数，而且在每个周期里随着时间单调上升。因此，$\phi_{\text{low}}(t)$ 的排列比较简单，对于分析 $\phi_{\text{low}}(t)$ 和 $A_{\text{high}}(t)$ 的耦合会显得不足。相反，在有明显的 PAC 现象时，$\cos(\phi_{\text{low}}(t))$ 与 $A_{\text{high}}(t)$ 的强度次序则比较相似。所以 $\cos(\phi_{\text{low}}(t))$ 和 $A_{\text{high}}(t)$ 间的 PMI 更适于分析 PAC。

事实上，通过希尔伯特变换：

$$Low(t) = \text{Re}(A_{\text{low}}(t)e^{i\phi_{\text{low}}(t)}) \tag{7-44}$$

$A_{\text{low}}(t)$和$\phi_{\text{low}}(t)$是慢波的幅值和相位序列。

由此，$\cos(\phi_{\text{low}}(t))$可以通过用$Low(t)$除以瞬时幅值$A_{\text{low}}(t)$来得到：

$$\frac{Low(t)}{A_{\text{low}}(t)} = \mathrm{Re}(e^{i\phi_{\text{low}}(t)}) = \cos(\phi_{\text{low}}(t)) \qquad (7\text{-}45)$$

因此，$\cos(\phi_{\text{low}}(t))$的强度次序仅依赖慢波的相位序列，这更适合 PAC 的计算。在产生了相位序列后，进一步应用 Hilbert 变换获得高频振荡的幅值信号$A_{\text{high}}(t)$。两个时间序列的 PMI 可以表示为：

$$\mathrm{PMI} = I(\cos(\phi_{\text{low}}(t)), A_{\text{high}}(t)) \qquad (7\text{-}46)$$

其中，I表示的是两个时间序列的排列熵的互信息。根据经验取排列长度$n=3$比较多见，因此，PMI 值可以衡量慢波相位和快波幅值间的调节强度。如果快波幅值和慢波相位间是独立的，PMI 值会接近 0；如果快波幅值的包络和慢波相位具有相同的形状，PMI 值将等于$\cos(\phi_{\text{low}}(t))$的排列的自信息$I(\cos(\phi_{\text{low}}(t)))$。

由于$\mathrm{PMI} \leqslant \min\{H(\cos(\phi_{\text{low}}(t)), H(A_{\text{high}}(t)))\} \leqslant H(\cos(\phi_{\text{low}}(t)))$，PMI 值可以进一步被正则化：

$$\mathrm{PMI}_{\text{Nom}} = \frac{\mathrm{PMI}}{H(\cos(\phi_{\text{low}}(t)))}; \quad \mathrm{PMI} \in [0,1] \qquad (7\text{-}47)$$

或者，我们可以简单地将 PMI 定义成

$$\mathrm{PMI} = \frac{I(\cos(\phi_{\text{low}}(t)), A_{\text{high}}(t))}{H(\cos(\phi_{\text{low}}(t)))}; \quad \mathrm{PMI} \in [0,1] \qquad (7\text{-}48)$$

一方面，PMI 值在两个时间序列相互独立时趋近 0；另一方面，当两个时间序列来自相同的概率分布且拥有同样的排列次序时，PMI 值达到最大。在最近的研究中，PMI 值总是采用正则化后的形式。

二、相位-相位耦合

神经振荡的交叉节律耦合的另一种形式是相位-相位耦合 PPC，即不同节律上的振荡在其相位上存在同步。在一项需要对工作记忆的内容进行维持和整合的心算任务中，研究者使用脑磁图记录，发现人类皮层在 α 节律、β 节律和 γ 节律之间的交叉节律相位同步的强度对应该任务出现了显著的增强现象（Palva et al., 2005）。同时，此项研究也发现工作任务负荷的增加导致了 α 节律和 γ 节律间的相位同步的增强。这表明 PPC 是人类皮层活动的又一显著特征，且可以被认知任务的需求调节。PPC 的增强可能是不同时空尺度活动的整合机制之一。

在一项抑郁样 CUS 模型大鼠丘脑与前额叶皮层神经活动相位同步的研究中，有学者（Zheng & Zhang，2013）研究发现，对照组大鼠丘脑 θ 节律与前额叶皮层 γ 节律存在 1∶6 的相位锁定，但是，在抑郁样大鼠中这种锁定关系明显地被扰乱，揭示认知损伤可能是通过改变 θ-γ 节律间的相位动力学特征实现的。在另一项脑缺血模型大鼠神经动力学及突触可塑性的研究中，有学者（Xu et al.，2013a）研究了海马 CA3 的 θ 节律和 CA1 的 γ 节律间的 PPC 以及 CA3-CA1 通路上的突触可塑性，得到在 $n∶m=1∶8$ 时，与对照组相比，缺血组的交叉节律 PPC 值显著降低，并且这种 PPC 的减弱与缺血组的突触可塑性的降低一致。这些结果表明，脑区间的交叉节律 PPC 与突触可塑性呈正相关（图 7-8）。在一个关于大鼠迷宫探索和快速眼动睡眠研究中（Belluscio et al.，2012），研究者发现海马 CA1 区存在可信的 θ 节律与低频 γ 节律（30—50 Hz），以及 θ 节律与高频 γ 节律（50—90Hz）之间的交叉节律 PPC。作者认为，交叉节律的 PPC 可能支持大脑对神经元发放的多重时间尺度的控制。在一项视觉短期记忆容量的研究中，研究者发现后顶叶记录的 θ 节律和高频 γ 节律间的 PPC 与记忆容量相关（Sauseng et al.，2009）。以上这些研究表明，PPC 在工作记忆中起重要的作用。比例相位锁定值（$n∶m$ Phase Locking Value，$n∶m$PLV）。交叉节律的 PPC 一般也被称为 $n∶m$ 比例的相位同步，常使用 $n∶m$ 比例的相位锁定值度量。对于两个振荡节律 f_1 和 f_2，假如存在 PPC，则两个振荡节律 $n∶m$ 相位锁定，即 n 个 f_1 的振荡环里有 m 个 f_2 的振荡环。比例相位锁定值常被应用于探究两个不同节律的相位同步情况，其值与振荡幅值无关。

应用 Hilbert 变换提取低频和高频节律的瞬时相位 $\theta_{\text{low}}(t)$ 和 $\theta_{\text{high}}(t)$，这里的相位同步定义为相位差 $\varphi_{n,m} = m \cdot \theta_{\text{low}}(t) - n \cdot \theta_{\text{high}}(t)$ 小于某个常数，并以此来定量计算两个信号的同步程度：

$$n∶m\text{PLV} = \left| \frac{1}{N} \sum_{i=1}^{N} e^{i[m \cdot \theta_{\text{low}}(t) - n \cdot \theta_{\text{high}}(t)]} \right| \quad (7\text{-}49)$$

其中，$n∶m$PLV 的值域范围是 [0，1]，当且仅当 $\varphi_{n,m}$ 是固定值时，$n∶m$PLV 达到 1，此时达到完全相位同步；当 $\varphi_{n,m}$ 是均匀分布时，$n∶m$PLV 等于 0，此时两个不同节律信号的相位不具备任何交叉同步关系。

有学者（Zheng & Zhang，2013）应用 $n∶m$PLV 方法并发现，抑郁样模型大鼠丘脑 θ 节律与前额叶皮层 γ 节律间的 PPC 相较于正常组明显地被扰乱。有学者（Xu et al.，2013a）用 $n∶m$PLV 方法研究了脑缺血模型大鼠中 θ 节律和 γ 节律的 PPC，得到在 $n∶m=1∶8$ 时，脑缺血组的 $n∶m$PLV 值相对于对照组显著降低（图 7-8）。

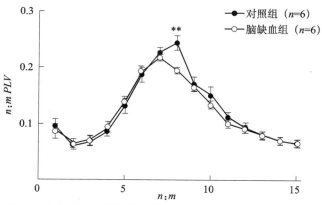

图 7-8 θ 节律和 γ 节律的相位－相位耦合（Xu et al., 2013）

三、幅值-幅值耦合

幅值-幅值耦合（AAC）指的是低频振荡的幅值（能量）与高频振荡的幅值（能量）有明确的相关性。基于不同脑区的功率谱密度的相关性分析，弗里斯顿（Friston，1997）的研究发现，前额叶皮层的 γ 节律活动与顶叶皮层 20 Hz 左右的低频振荡的能量具有相关性。但是，公开报道的实验证据不多，其生物学意义也有待于进一步阐明。

（一）频谱交叉节律辅调节分析

为了评估神经活动 AAC 强度，频谱交叉节律辅调节分析（SCFCA）可以被用来计算功率谱时间序列所对应频率的相关性（Shirvalkar et al., 2010）。对于一列信号，这个方法可以简单地分为两步：①用多窗口功率谱分析得到一个带滑动时间窗口的时间-频率功率谱；②计算两个配对节律的功率谱密度时间序列的互相关，从而得到一个 AAC 的能量辅调节作用。

有学者（Yeh et al., 2016）认为，SCFCA 的时-频功率谱的分辨率是由傅里叶变换和滤波的参数来决定的。例如，对窗口宽度为 3s 的功率谱，识别两个仅有远大于 1/3 Hz 的振荡成分的耦合是不可能的。

（二）本征模态幅值-幅值耦合（IMAAC）

相比于傅里叶变换，经验模态分解（EMD）可以更好地提取非平稳的非线性信号（Huang et al., 1998）。由此，有学者（Yeh et al., 2016）提出了基于

EMD 的 AAC 计算方法，即 IMAAC 算法。

具体步骤如图 7-9 所示：①用 EMD 方法提取神经振荡的几个固有模式函数（IMF），所得结果为几个窄带的振荡。为了避免模态混杂（明确的信号成分可能不是每次都能分解到相同的 IMF 中）（Lo et al., 2008），这里使用增强噪声经验模态分解（enhanced-noise empirical mode decomposition, EEMD）代替传统的 EMD 方法。②所有 IMF 的瞬时幅值信号（或其包络）和频率均可由（Hilbert）变换得到。③用调节指数（modulation index, MI）计算两个配对的 IMFs 的包络的交互作用。最后，对所有的 MI 取平均值就得到了 AAC 的调节作用。

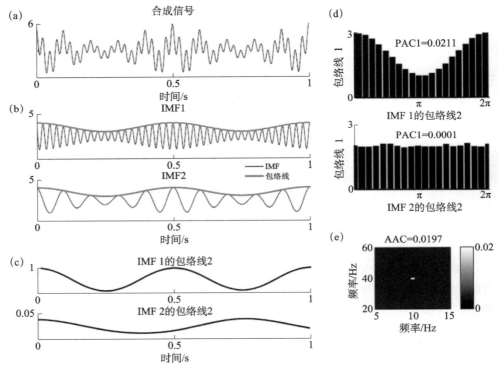

图 7-9　IMAAC 的算法示意图。本征模态幅值-幅值耦合（IMAC）分析的演示。(a)：一种具有 10Hz 和 40Hz 振荡的合成信号，其振幅同时由 2Hz 的正弦波调制。(b)：(a) 中信号的两个本征模函数（IMF）及其瞬时振幅（包络线）。使用 EEMD 获得 IMF。IMF1 和 IMF2 分别是原始数据中的 40Hz 和 10Hz 振荡分量。每个 IMF 的包络是用 Hilbert 变换得到的，即 IMF1 的包络线 1 和 IMF2 的包络线 2。(c)：(b) 中包络线 2 的两个 IMF。第一个 IMF 对应于 2Hz 振荡。(d)：包络线 2（相位）和包络线 1（振幅）的第一个 IMF（2Hz）和第二个 IMF 之间的相位-振幅分布（PA 分布）。(e)：调制指数是根据 (d) 中的 PA 分布计算的，IMF1 和 IMF2 之间的 MI 是根据包络线 2 的 IMF 的标准差加权平均得出的［见 (c)］。MI 将被分配到 10—40Hz 坐标处的频率-频率平面，因为在所有周期中，IMF1 和 IMF 2 的频率分别为 40Hz 和 10Hz（Yeh et al., 2016）

第三节 算 法 比 较

PAC 是交叉节律耦合中研究与应用最广的一种神经振荡特征，由此也发展了多个计算方法。不同的计算方法可以得到不同的 PAC 指标，这些指标各自代表的意义也有所不同。然而截至目前，并没有得到一种相对全面的 PAC 指标，只能根据研究问题的特点与信号来源的特征，在每个算法的"优缺点"中寻找平衡。对于这些算法间的性能比较，主要是基于仿真数据来说明的。例如，托尔特等（Tort et al., 2010）比较了交叉节律 PAC 的 8 种算法并指出没有一个黄金标准来选择算法，只能视具体问题而定。另外，彭妮等（Penny et al., 2008）也对 4 种 PAC 算法进行了比较，建议使用 GLM 算法（一种将高频节律幅值拟合成低频节律相位的函数的线性算法）。然而，托尔特等（Tort et al., 2010）的研究发现，GLM、PAC-PLV 等算法都只能检测 PAC 现象是否存在，不能评估 PAC 强度，而 MI 算法虽然能够评估 PAC 强度，但却会受到信号幅值的干扰。克雷默等（Kramer et al., 2008）的研究发现，计算结果可能出现虚假的 PAC 现象，这可能源于信号是非正弦的函数。对仿真数据的正弦信号的轻微偏差都会影响到交叉节律耦合的度量，因此，建议使用相位-相位交叉节律耦合来检测虚假的 PAC。另外，对于不同脑区之间的 PAC，由于存在时间滞后与方向性的影响，PAC-CMI 或 PAC-EMA 算法可能更适用。MI 或者 $n : m$PLV 等瞬时耦合的算法可能更适合单一脑区的 PAC。不过，也有少部分学者使用 MI 算法来表征不同脑区间（如 CA3-CA1）的 PAC。

一、PAC-EMA、PAC-CMI 和 PAC-PLV 的比较

作为同等节律分析的算法，PLV、EMA 和 CMI 都可以被拓展到交叉节律的分析中。有研究者（Li et al., 2016）明确地阐述了 PAC-EMA 和 PAC-CMI 的算法步骤，并比较了这两个指标的计算性能，发现它们与 PAC-PLV 或 PAC-MI 在相位幅值耦合的计算上基本一致。根据数值模拟实验，结果显示两个推广后的算法都可以有效地度量 PAC 的强度，而且在分析真实的脑电数据（LFPs）的测试中，PAC-EMA 和 PAC-CMI 的计算结果都表明神经胶质瘤会显著损伤 CA3-CA1 脑区的 θ 节律-LG 相位幅值耦合，这也从应用的角度说明 PAC-EMA 和 PAC-CMI 都可以有效地反映神经振荡活动模式的改变。

有学者（Li et al., 2016）还应用仿真数据进行数值模拟实验（图 7-10），评

估了两种算法得到平稳的 PAC 指标所需的数据点长度。根据数值模拟实验的结果，随着数据点长度的增加，两个指标都出现了线性增长的情况且其变化率都接近一个常数：在采样频率为 1000Hz 的情况下，PAC-EMA 算法在数据点长度为 8000 采样点左右时，其数值的变化率逐渐趋于常数；而 PAC-CMI 在数据点长度为 5000 采样点左右时，其数值变化率逐渐趋近常数。在之前的报道中也得到过类似的结果（Zhang et al.，2011；Yokota，2004）。此外，学者（Li et al.，2016）的数值实验还测试了 PAC-EMA、PAC-CMI、PAC-PLV 和 PAC-MI 4 个指标随着耦合强度升高时的变化情况。其中，耦合强度由参数 a 来代表，其大小为 0—1，滑动时间窗口设定为 4 万个点一个窗口，重叠率为 50%。结果显示，4 个 PAC 指数都明显地随着耦合强度的增加而增加。这表明 PAC-EMA 和 PAC-CMI 都可以有效地识别耦合强度的变化。这里的耦合强度是指参数 a 代表的弱耦合。其中，PAC-EMA 和 PAC-PLV 的测试曲线还反映了 PAC 指数和耦合强度之间存在一定的线性相关关系。值得注意的是，PAC-PLV 是一个线性算法，而 PAC-EMA 是非线性算法。这两个算法得到相似性质的结果可能是由于其指标间存在着某种换算关系。此外，CMI 的指标曲线比具有非线性的特征，这可能是其优越性的一种表现。而 PAC-MI 指标在耦合参数 a 较小（0—0.5）时，其数值不尽如人意。

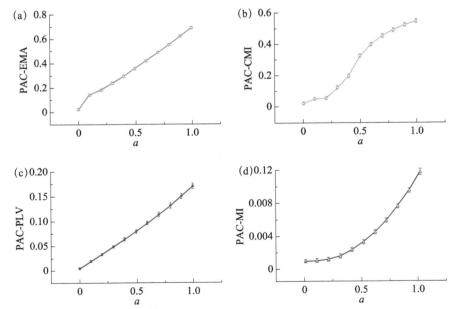

图 7-10　各个 PAC 指标的数值模拟。分别包括 PAC-EMA、PAC-CMI、PAC-PLV、PAC-MI。参数 a 表示 PAC 的耦合强度，范围为 0—1，步长为 0.1。所有数据点用 $M \pm \mathrm{SEM}$ 表示。SEM 表示误差线（Li et al.，2016）

　　现有的 PAC 算法大多是基于相位-幅值耦合和幅值包络的相位-相位耦合，进而对两者的相互作用进行评估，但是鲜有算法可评估耦合的方向性。近年来，有研究报道了基于相位斜率指数（phase-slope index）来估计不同节律间的方向性特征的方法（Jiang et al., 2015），我们认为 PAC-EMA 和 PAC-CMI 可能也具有类似的估计方向性相位-幅值耦合的潜力，因为 EMA 和 CMI 原本就是用来衡量同等节律上的两个相位信号的方向性关系的。然而在高频节律的相位包络是否会驱动低频相位等问题上，方向性指数的电生理意义仍有探讨的空间。

二、MVL、MI 和 PMI 的比较

　　上一小节对由同等节律分析推广而来的几个算法进行了横向比较。本节我们将继续比较其他介绍过的算法，其中包括易于理解的 MVL，较多应用的 MI 和较为新颖的 PMI。以上这些算法各具特色且数学意义比较明确。由于出发点各有不同，其计算性能和适用范围也存在一定的区别。

　　最近，有研究（Cheng et al., 2016）对 MVL、MI 和 PMI 分别进行了简明阐释并比较了各自的计算性能。结果显示，3 种 PAC 算法所得指标均与耦合强度参数间呈正相关关系，且各自的相位-幅值分布图（phase-amplitude plots）也符合预期。该研究使用的数值模拟信号分别由正弦函数和滤波后的 LFP 实验数据产生。模拟信号根据组成的不同还被分为了 3 种类型。类型 I 包括由两种振荡组成的慢波节律，其中有且仅有一个慢波振荡负责调节快波振荡的幅值信号。其具体表达式如下：

$$raw = k \cdot low_{5\text{Hz}}(t) + (1-k)low_{7\text{Hz}}(t) + A_{\text{high}}(t) \cdot high_{40\text{Hz}}(t)$$
$$+\sigma^* WN \tag{7-50}$$

其中，原始模拟信号的慢波节律包括 5Hz 和 7Hz 两个正弦信号，而快波节律的 $A_{\text{high}}(t)$ 则由 Von-Mises 耦合产生。耦合参数 k 是指 5Hz 正弦信号在慢波振荡中所占的比例，其取值范围是 [0，1]。由于 $A_{\text{high}}(t)$ 信号仅会被 5Hz 的慢波振荡调节但与 7Hz 的慢波振荡无关，因此，k 可以用来代表 PAC 强度。而 $low_{7\text{Hz}}(t)$ 则代表了相位-幅值耦合的干扰因子。由此，得到了由参数 k 调节 PAC 强度的原始模拟信号，其中，k 的取值以 0.1 为步长，最大值 1 代表完全耦合，最小值 0 代表完全不耦合。

　　图 7-11 展示了 3 种 PAC 算法（MVL、MI 和 PMI）在类型 I 的数值模拟实验中的表现。结果显示由三种算法得到的 PAC 强度均与参数 k 呈正相关。当 $k<0.4$ 时，MVL 的大小几乎与 k 呈正比例线性相关。当 $0.4<k<0.7$ 时，MVL 快速增长然后在 $k>0.8$ 后保持一个较高的结果。对于 MI 和 PMI 而言，PAC 数值在 $k<0.2$

时没有明显响应。当 k 值为 0.3—0.8 时，MI 值开始显著增大，并且在 $k>0.8$ 后增幅减缓且保持较大的数值。然而 PMI 的结果在 $k>0.3$ 后保持了一个相对线性的增长趋势。对比在不同级别的噪声影响下的 PAC 计算结果发现 ［图 7-11（c）］，PMI 在 $k>0.9$ 后表现得对噪声十分敏感。

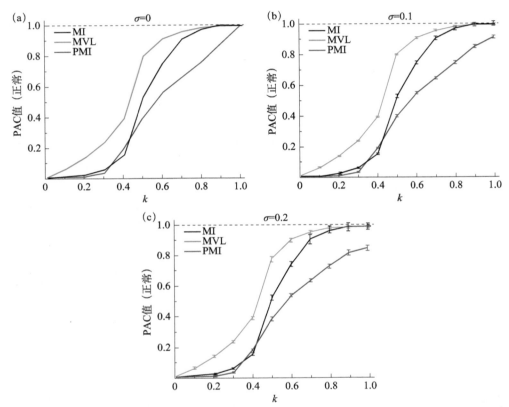

图 7-11　模拟类型 I 下的 3 种 PAC 指标的表现。干扰振荡为正弦振荡。（a）：仿真数据是在没有噪声的情况下构建的。PAC 强度 k 在 0—1 范围内变化，每一条曲线在 20 条试验中平均。当 $k=1$ 时，用 PAC 值的平均值对三种方法得出的 PAC 值进行标准化。整个研究过程中都采用了这种模拟程序。（b）：噪声水平 $\delta=0.1$。（c）：噪声水平 $\delta=0.2$（Cheng et al.，2016）

　　除了使用正弦信号外，原始模拟信号还可以用下式来产生：

$$raw = k \cdot low_{5Hz}(t) + (1-k)low_{4\sim6Hz}(t) + A_{high}(t) \cdot high_{40Hz}(t) \qquad (7-51)$$

其中，7Hz 的正弦信号被实验记录所得的 $low_{4\sim6Hz}(t)$ 替换。$low_{4\sim6Hz}(t)$ 是由实验记录的 LFPs 信号再经过滤波产生的。该方法下 k 仍然可以代表耦合强度。

　　图 7-12 的结果显示，无论 LFP 数据来自成年大鼠的 CA3 还是 CA1 脑区，3

个指标的响应曲线与图 7-11 的结果基本一致，而且发现 MVL 在 $k<0.3$ 时还出现了无法正确地估计 PAC 强度的情况。

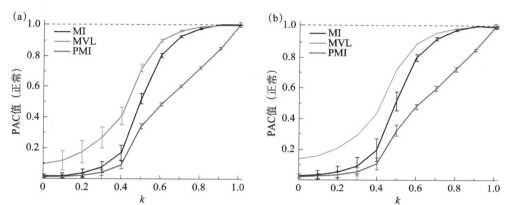

图 7-12　模拟类型 Ⅰ 下的三种 PAC 指标的表现（由 LFPs 数据产生）。（a）：从青春期大鼠 CA1 的 LFP 中滤除的干扰振荡；（b）：从成年期大鼠 CA3 的 LFP 中滤除的干扰振荡（Cheng et al.，2016）

类型 Ⅱ 的构造方式与类型 Ⅰ 不同，其快波振荡由两个 40Hz 和 44Hz 子振荡组成，其中有一个会被慢波振荡调节，另一个则不受影响。其产生方式如下：

$$raw = k \cdot low_{5\text{Hz}}(t) + (1-k)low_{4\sim6\text{Hz}}(t) + A_{\text{high}}(t) \cdot high_{40\text{Hz}}(t) \qquad (7\text{-}52)$$

同类型 Ⅰ 类似，其中 $A_{\text{high}}(t)$ 仅被 5Hz 的慢波振荡调节，而 $0<k<1$ 仍然代表耦合强度。当 40Hz 与 44Hz 的快波振荡由正弦函数产生时，3 个指标的计算性能如图 7-13 所示。

当耦合强度较弱时，3 个指标均不能很合适地反映 PAC 变化。其中只有 MVL 在耦合参数 $k>0.3$ 后表现较为理想。我们发现当耦合参数 $0.4<k<1$ 时，MVL 值的增长近似于线性。此外，MI 值在 $k<0.4$ 后始终接近于 0，而 PMI 值在 $k<0.5$ 后也一直较小。当耦合强度较大时，MI 值和 PMI 值才变得较大。

同样可以用 LFPs 的数据来产生类型 Ⅱ 的模拟信号：

$$raw = low_{5\text{Hz}}(t) + kA_{\text{high}}(t) \cdot high_{40\text{Hz}}(t) + (1-k)high_{38\sim44\text{Hz}}(t) \qquad (7\text{-}53)$$

其中，44Hz 的正弦信号被经过滤波的 LFP 信号代替，其滤波范围为 38—44Hz。

图 7-14 是由 LFP 数据导出的类型 Ⅱ 的模拟信号下，3 种 PAC 算法对耦合强度的响应曲线。结果显示在 $k<0.4$ 时，MVL 不能正确地反映 PAC 的变化情况。而当 $k>0.5$ 时，3 种 PAC 指数均能很好地反映耦合强度的变化。其中，MI 和 PMI 的表现与正弦振荡产生的模拟数据的表现相一致。

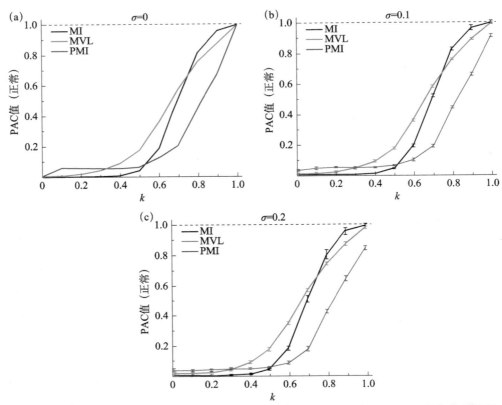

图 7-13　模拟类型 II 下三个 PAC 指标的表现。干扰振荡为正弦振荡。(a)：无噪声仿真数据；(b)：噪声水平 δ=0.1；(c)：噪声水平 δ=0.2（Cheng et al., 2016）

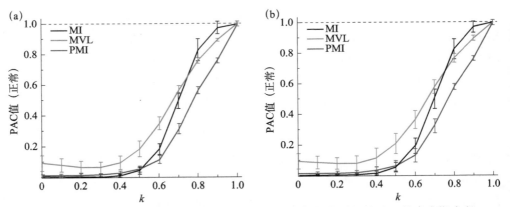

图 7-14　模拟类型 II 下三个 PAC 指标的表现（由 LFPs 数据产生）。(a)：从青春期大鼠 CA1 的 LFP 中滤除的干扰振荡；(b)：从成年期大鼠 CA3 的 LFP 中滤除的干扰振荡（Cheng et al., 2016）

模拟类型Ⅲ的模拟信号是快波振荡的幅值同时被 5 Hz 和 7 Hz 的正弦波调节的情形，参数 k 在此还是代表 PAC 强度，其信号的产生方式如下：

$$raw = low_{5Hz}(t) + [kA_{high}^{5Hz}(t) + (1-k)A_{high}^{7Hz}]high_{40Hz}(t) \qquad (7\text{-}54)$$

对应地，使用 LFPs 产生的类型Ⅲ模拟信号的方式如下：

$$raw = low_{5Hz}(t) + [kA_{high}^{5Hz}(t) + (1-k)A_{high}^{4\sim6Hz}]high_{40Hz}(t) \qquad (7\text{-}55)$$

如图 7-15 和图 7-16 所示，3 种算法的 PAC 指标均与耦合强度系数呈正比例相关。其中，MVL 方法表现出最好的稳健性，其结果和耦合系数 k 几乎呈完全线性正相关。这样的结果也说明，调节不同振荡成分的比例确实可以改变 PAC 强度。

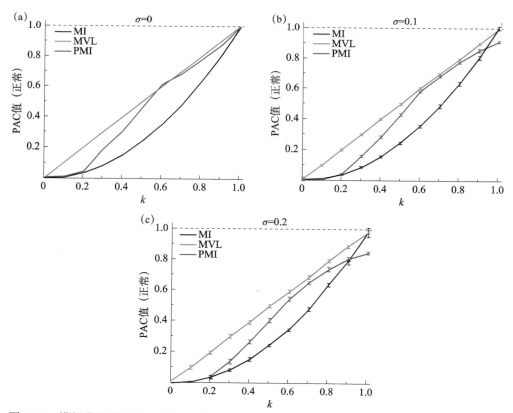

图 7-15　模拟类型Ⅲ下的 3 种 PAC 指标的表现。干扰振荡为正弦振荡。（a）：仿真数据是在没有噪声的情况下构建的；（b）：噪声水平 σ=0.1；（c）：噪声水平 σ=0.2（Cheng et al., 2016）

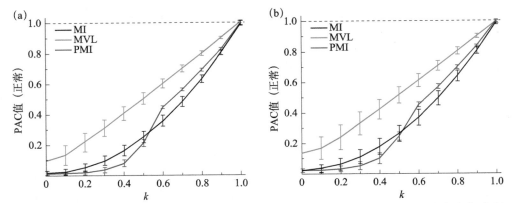

图 7-16　模拟类型 Ⅲ 下的三种 PAC 指标的表现（由 LFPs 数据产生）。（a）：从青春期大鼠 CA1 的 LFP 中滤除的干扰振荡；（b）：从成年期大鼠 CA3 的 LFP 中滤除的干扰振荡（Cheng et al.，2016）

在另一项研究中，学者（Cheng et al.，2018）还分别计算了 PMI、MI 和 MVL 的 ROC 曲线。数值模拟实验结果显示，PMI 算法对 PAC 现象有更好的辨识能力，即在假阳性率相同的情况下，PMI 的真阳性率高于另外两种算法。因此可以认为，PMI 是一种较为可靠的检测 PAC 的算法。

在脑电信号处理中，每一个算法都是从某个特定的角度来分析所关注的脑电特征，在实际应用中往往需要从不同的特征去研究脑电信号，而每个特征可能有不止一个算法可供选择，这时需根据算法与信号的特点以及所研究特征与其生理学功能相对应等原则来综合选择合适的算法。

本 章 小 结

神经振荡模式以同步性作为神经系统的重要特征，其在神经信息流传递和神经编码当中的作用不容忽视。对认知功能而言，神经振荡及其同步性反映了神经生物学的潜在机制，也是某些思维活动的重要标识。本章从神经振荡的相位锁定、同步性和耦合等多个方面，借助信号处理、神经动力学、概率论和信息论及计算科学等多种理论工具，较为全面地介绍了神经振荡计算及其同步性分析的常用算法及其应用。按照同等节律和交叉节律的分类，我们依次介绍了同等节律上的方向性分析和无方向性分析，以及交叉节律上相位-幅值、相位-相位和幅值-幅值耦合的研究现状和相关算法。

在同等节律分析中，本章介绍了 PLV 和相干性两个无方向性算法，它们都可以用于度量不同节律上的同步性。考虑到神经系统中信息传递具有方向性，为了度量不同脑区间神经振荡的模式，进一步介绍了 gPDC、CMI、PCMI 和 EMA 4 种表征方向性的同步性指标。对于同等节律分析，还介绍了 PLV 和一致性、gPDC 和 PCMI 间的算法比较的研究现状。最后，对于方向性算法 EMA、CMI、gPDC 和 PCMI，我们从模型假设、耦合强度和神经通路的性质等方面简单的分析了 4 种算法的异同，并推荐了其各自适用的应用领域和信号来源。

　　在交叉节律的分析中，围绕交叉节律耦合 CFC 的 3 种模式，本章较为全面地介绍了 PAC、PPC 和 AAC 各自的研究进展与主要的分析方法，并对研究较多的几个代表性算法进行了比较。PAC 是 CFC 中被研究最多也拥有算法最多的耦合形式，本章先后介绍了由同等节律分析拓展而来的 3 个算法（PAC-PLV、PAC-EMA 和 PAC-CMI）、两个最常被提及的算法（PAC-MVL 和 PAC-MI），以及一个较为新颖的算法 PAC-PMI。在众多 PAC 指标中，本章选取了其中一些代表性算法进行了比较。根据文献报道，PAC-EMA 和 PAC-CMI 可以和 PAC-PLV 或 PAC-MI 一致地反映 PAC 强度。在指标的平稳性上，PAC-EMA 和 PAC-CMI 均可以达到平稳但所需的数据点长度有所不同。在 PAC 变化曲线上，PAC-PLV 和 PAC-EMA 虽然基于不同的理论，但其关于耦合参数变化均表现出了线性的特点。而在 MVL、MI 和 PMI 的算法比较中，本章还介绍了在不同的仿真模型和数据来源下，3 种算法表现出的不同特征。其分析方法与结论都具有借鉴意义。通过其比较也发现，当仿真模型或数据来源不同时，不同指标的表现也可能不同，这也印证了没有什么指标是万能的，每一种分析方法都有其适用的范围。与 PAC 现象相比，PPC 和 AAC 的相关报道与算法指标较少，但这并不意味着它们就不如 PAC 重要。神经信息究竟是以何种方式进行编码的还是一个有待解决的问题，PPC 或者 AAC 可能是其中的切入点。但仅仅就目前来看，PPC 的相关指标仍然存在着假阳性的可能（Scheffer-Teixeira and Tort，2016），而 AAC 现象还没有被神经学家完全认可（Yeh，et al.，2017）。

　　对于神经振荡的算法发展，除了计算单一脑区或两个脑区上的神经信号，还需要分析整个网络上的神经振荡及其同步。这就要求能分析三导以上脑电信号的耦合，从而探讨它们之间的相互关系以及神经信息传递的模式。因此，一方面需要发掘新的算法，另一方面也需要把现有算法推广到多维（多元）领域。目前，分析大脑多元神经网络信息流耦合强度和方向的算法主要有格兰杰因果关系检验法和动态贝叶斯网络法（dynamic Bayesian network，DBN）。由于对数据点长度的临界点要求，DBN 推理法适合处理伴有噪声的短时实验数据，更适合生物信息学数据。考虑到神经电生理数据点长度一般较长，应用格兰杰因果关系检验法可能更有效，另外，格兰杰因果法可以做到节律分解，这也是在适用生物学实验数据时优于 DBN 的原因之一（Zou & Feng，2009）。除去以上算法，现有的二维算法是否也能推广到多维情形，推广后要考虑多个信号之间存在的互相影响，度量指标应当如何调整比较合理都值得探讨。思路之一是可以考虑应用两两之间度量指标的协方差阵，高维情形忽略较远脑区的微弱影响可能会出现稀疏矩阵，然后进行降维处理，结合生理学意义得到一个可以解释的关系阵结果。

　　基于格兰杰因果关系的多元分析方法被广泛用于神经振荡的研究当中。部分定向相干（PDC）曾被用于研究颅内癫痫信号的方向性关系；定向传递函数（DTF）被用于定位膜下电极的起点（Franaszczuk et al.，1994）；SDTF 被用来探究 LFP 和峰电位序列的方向性作用（Kocsis & Kaminski，2006）。尤其在基于 EEG 信号的研究中，DTF 和 PDC 有诸多应用。如 DTF 在睡眠的同步性机制（Kamiński et al.，1997）、可传导的推理任务（Brzezicka et al.，2011）和感情状态（Wyczesany et al.，2014）的研究中都被报道有不错的表现，可以很好地反映不同大脑结构间的耦合。

参 考 文 献

Axmacher, N., Henseler, M. M., Jensen, O., Weinreich, I., Elger, C. E., & Fell, J. (2010). Cross-frequency coupling supports multi-item working memory in the human hippocampus. *Proceedings of the National Academy of Sciences of the United States of America*, *107*（7），3228-3233.

Axmacher, N., Mormann, F., Fernández, G., Elger, C. E., & Fell, J.（2006）. Memory formation by neuronal synchronization. *Brain Research Reviews*，*52*（1），170-182.

Baccala, L. A., Sameshima, K., & Takahashi, D. Y.（2007）. Generalized partial directed coherence. In *2007 15th International Conference on Digital Signal Processing*（pp.163-166）.

Bandt, C., & Pompe, B.（2002）. Permutation entropy: A natural complexity measure for time series. *Physical Review Letters*，*88*（17），174102.

Belluscio, M. A., Mizuseki, K., Schmidt, R., Kempter, R., & Buzsáki, G.（2012）. Cross-frequency phase–Phase coupling between theta and gamma oscillations in the hippocampus. *Journal of Neuroscience*，*32*（2），423-435.

Berger, H.（1934）. Über das elektrenkephalogramm des menschen. *Deutsche Medizinische Wochenschrift*，*60*（51），1947-1949.

Brzezicka, A., Kamiński, M., Kamiński, J., & Blinowska, K.（2011）. Information transfer during a transitive reasoning task. *Brain Topography*，*24*（1），1-8.

Buzsaki, G.（2006）. *Rhythms of the Brain*. New York: Oxford University Press.

Buzsáki, G., & Draguhn, A.（2004）. Neuronal oscillations in cortical networks. *Science*，*304*（5679），1926-1929.

Canolty, R. T., Edwards, E., Dalal, S. S., Soltani, M., Nagarajan, S. S., Kirsch, H. E., ...& Knight, R. T. (2006). High gamma power is phase-locked to theta oscillations in human neocortex. *Science, 313* (5793), 1626-1628.

Caporale, N., & Dan, Y. (2008). Spike timing–dependent plasticity: A Hebbian learning rule. *Annual Review of Neuroscience, 31* (1), 25-46.

Cheng, N., Li, Q., Wang S., Wang, R., & Zhang, T. (2018). Permutation mutual information: A novel approach for measuring neuronal phase-amplitude coupling. *Brain Topography, 31* (2), 186-201.

Cheng, N., Li, Q., Xu, X., & Zhang, T. (2016). A precise annotation of phase-amplitude coupling intensity. *PLoS One, 11* (10), e0163940.

Cohen, M. X., Elger, C. E., & Fell, J. (2008). Oscillatory activity and phase–amplitude coupling in the human medial frontal cortex during decision making. *Journal of Cognitive Neuroscience, 21* (2), 390-402.

Colgin, L. L., Denninger, T., Fyhn, M., Hafting, T., Bonnevie, T., Jensen, O., ...& Moser, E. I. (2009). Frequency of gamma oscillations routes flow of information in the hippocampus. *Nature, 462* (7271), 353-357.

Dement, W., & Kleitman, N. (1957). Cyclic variations in EEG during sleep and their relation to eye movements, body motility, and dreaming. *Electroencephalography and Clinical Neurophysiology, 9* (4), 673-690.

Engel, A. K., & Singer, W. (2001). Temporal binding and the neural correlates of sensory awareness. *Trends in Cognitive Sciences, 5* (1), 16-25.

Fell, J., & Axmacher, N. (2011). The role of phase synchronization in memory processes. *Nature Reviews Neuroscience, 12* (2), 105-118.

Foster, B. L., & Parvizi, J. (2012). Resting oscillations and cross-frequency coupling in the human posteromedial cortex. *NeuroImage, 60* (1), 384-391.

Franaszczuk, P. J., Bergey, G. K., & Kaminski, M. J. (1994). Analysis of mesial temporal seizure onset and propagation using the directed transfer function method. *Electroencephalography and Clinical Neurophysiology, 91* (6), 413-427.

Fries, P. (2005). A mechanism for cognitive dynamics: Neuronal communication through neuronal coherence. *Trends in Cognitive Sciences, 9* (10), 474-480.

Fries, P., Womelsdorf, T., Oostenveld, R., & Desimone, R. (2008). The effects of visual stimulation and selective visual attention on rhythmic neuronal synchronization in macaque area V4. *Journal of Neuroscience, 28* (18), 4823-4835.

Friston, K. J. (1997). Another neural code? *Neuroimage, 5* (3), 213-220.

Gazzaniga, M. S. (2014). *The Cognitive Neurosciences.* Fifth Edition. Cambridge: MIT Press

Gerrard, P., & Malcolm, R. (2007). Mechanisms of modafinil: A review of current research. *Neuropsychiatric Disease and Treatment, 3* (3), 349-364.

Gersch, W. (1972). Causality or driving in electrophysiological signal analysis. *Mathematical Biosciences, 14* (1-2), 177-196.

Green, J. D., & Arduini, A. A. (1954). Hippocampal electrical activity in arousal. *Journal of Neurophysiology*, *17* (6), 533-557.

Gregoriou, G. G., Gotts, S. J., Zhou, H., & Desimone, R. (2009). High-frequency, long-range coupling between prefrontal and visual cortex during attention. *Science*, *324* (5931), 1207-1210.

Hebb, D. O. (1949). *The Organization of Behavior: A Neuropsychological Theory*. New York: Wiley; Chapman & Hall.

Hlaváčková-Schindler, K., Paluš, M., Vejmelka, M., & Bhattacharya, J. (2007). Causality detection based on information-theoretic approaches in time series analysis. *Physics Reports*, *441* (1), 1-46.

Holz, E. M., Glennon, M., Prendergast, K., & Sauseng, P. (2010). Theta-gamma phase synchronization during memory matching in visual working memory. *NeuroImage*, *52* (1), 326-335.

Huang, N. E., Shen, Z., Long, S. R., Wu, M. C., Shih, H. H., Zheng, Q., . . . & Liu, H. H. (1998). The empirical mode decomposition and the Hilbert spectrum for nonlinear and non-stationary time series analysis. *Proceedings of the Royal Society of London. Series A: Mathematical, Physical and Engineering Sciences*, *454* (1971), 903-995.

Hughes, J. R. (2008). Gamma, fast, and ultrafast waves of the brain: Their relationships with epilepsy and behavior. *Epilepsy & Behavior*, *13* (1), 25-31.

Jiang, H., Bahramisharif, A., van Gerven, M. A., & Jensen, O. (2015). Measuring directionality between neuronal oscillations of different frequencies. *NeuroImage*, *118*, 359-367.

Jung, R., & Kornmüller, A. E. (1938). Eine methodik der ableitung iokalisierter potentialschwankungen aus subcorticalen hirngebieten. *Archiv für Psychiatrie und Nervenkrankheiten*, *109* (1), 1-30.

Kamiński, M., Blinowska, K., & Szelenberger, W. (1997). Topographic analysis of coherence and propagation of EEG activity during sleep and wakefulness. *Electroencephalography and Clinical Neurophysiology*, *102* (3), 216-227.

Kocsis, B., & Kaminski, M. (2006). Dynamic changes in the direction of the theta rhythmic drive between supramammillary nucleus and the septohippocampal system. *Hippocampus*, *16* (6), 531-540.

Kramer, M. A., Tort, A. B., & Kopell, N. J. (2008). Sharp edge artifacts and spurious coupling in EEG frequency comodulation measures. *Journal of Neuroscience Methods*, *170* (2), 352-357.

Kramis, R., Vanderwolf, C. H., & Bland, B. H. (1975). Two types of hippocampal rhythmical slow activity in both the rabbit and the rat: Relations to behavior and effects of atropine, diethyl ether, urethane, and pentobarbital. *Experimental Neurology*, *49* (1), 58-85.

Kreuzer, M., Kochs, E. F., Schneider, G., & Jordan, D. (2014). Non-stationarity of EEG during wakefulness and anaesthesia: Advantages of EEG permutation entropy monitoring. *Journal of Clinical Monitoring and Computing*, *28*（6）, 573-580.

Li, Q., Zhang, X., Cheng, N., Yang, C., & Zhang, T.（2018）. Notch1 knockdown disturbed neural oscillations in the hippocampus of C57BL mice. *Progress in Neuro-Psychopharmacology and Biological Psychiatry*, *84*, 63-70.

Li, Q., Zheng, C. G., Cheng, N., Wang, Y. Y., Yin, T., & Zhang, T.（2016）. Two generalized algorithms measuring phase–Amplitude cross-frequency coupling in neuronal oscillations network. *Cognitive Neurodynamics*, *10*（3）, 235-243.

Li, X., & Ouyang, G.（2010）. Estimating coupling direction between neuronal populations with permutation conditional mutual information. *NeuroImage*, *52*（2）, 497-507.

Llinás, R. R.（2014）. Intrinsic electrical properties of mammalian neurons and CNS function: A historical perspective. *Frontiers in Cellular Neuroscience*, *8*, 320.

Lo, M. T., Hu, K., Liu, Y., Peng, C. K., & Novak, V.（2008）. Multimodal pressure-flow analysis: Application of Hilbert Huang transform in cerebral blood flow regulation. *EURASIP Journal on Advances in Signal Processing*, （1）, 785243.

Lowel, S., & Singer, W.（1992）. Selection of intrinsic horizontal connections in the visual cortex by correlated neuronal activity. *Science*, *255*（5041）, 209-212.

Lowet, E., Roberts, M. J., Bonizzi, P., Karel, J., & De Weerd, P.（2016）. Quantifying neural oscillatory synchronization: A comparison between spectral coherence and phase-locking value approaches. *PLoS One*, *11*（1）, 1-37.

Mi, X., Cheng, N., & Zhang, T.（2014）. Performance comparison between gPDC and PCMI for measuring directionality of neural information flow. *Journal of Neuroscience Methods*, *227*, 57-64.

Morabito, F. C., Labate, D., La Foresta, F., Bramanti, A., Morabito, G., & Palamara, I.（2012）. Multivariate multi-scale permutation entropy for complexity analysis of Alzheimer's disease EEG. *Entropy*, *14*（7）, 1186-1202.

Narayanan, R. T., Seidenbecher, T., Kluge, C., Bergado, J., Stork, O., & Pape, H. C.（2007）. Dissociated theta phase synchronization in amygdalo-hippocampal circuits during various stages of fear memory. *European Journal of Neuroscience*, *25*（6）, 1823-1831.

Olofsen, E., Sleigh, J. W., & Dahan, A.（2008）. Permutation entropy of the electroencephalogram: A measure of anaesthetic drug effect. *British Journal of Anaesthesia*, *101*（6）, 810-821.

Paluš, M., & Stefanovska, A.（2003）. Direction of coupling from phases of interacting oscillators: an information-theoretic approach. *Physical Review E*, *67*（5）, 5201.

Palva, J. M., Palva, S., & Kaila, K.（2005）. Phase synchrony among neuronal oscillations in the human cortex. *Journal of Neuroscience*, 25（15）, 3962-3972.

Penny, W. D., Duzel, E., Miller, K. J., & Ojemann, J. G.（2008）. Testing for nested oscillation. *Journal of Neuroscience Methods*, *174*（1）, 50-61.

Pollack, R.（1999）. *The Missing Moment: How the Unconscious Shapes Modern Science*. Boston: Houghton Mifflin Harcourt.

Quan, M., Zheng, C., Zhang, N., Han, D., Tian, Y., Zhang, T., & Yang, Z. (2011).
    Impairments of behavior, information flow between thalamus and cortex, and prefrontal
    cortical synaptic plasticity in an animal model of depression. *Brain Research Bulletin*, *85*(3-
    4), 109-116.

Rangaswamy, M., Porjesz, B., Chorlian, D. B., Wang, K., Jones, K. A., Bauer, L. O., et
    al.(2002). Beta power in the EEG of alcoholics. *Biological Psychiatry*, *52*(8), 831-842.

Revonsuo, A.(1999). Binding and the phenomenal unity of consciousness. *Consciousness and
    Cognition*, *8*(2), 173-185.

Reymann, K. G., & Frey, J. U.(2007). The late maintenance of hippocampal LTP:
    Requirements, phases, "synaptic tagging", "late-associativity" and implications.
    Neuropharmacology, *52*(1), 24-40.

Rosenblum, M. G., & Pikovsky, A. S.(2001). Detecting direction of coupling in interacting
    oscillators. *Physical Review E*, *64*(4), 5202.

Rosenblum, M. G., Cimponeriu, L., Bezerianos, A., Patzak, A., & Mrowka, R.(2002).
    Identification of coupling direction: Application to cardiorespiratory interaction. *Physical
    Review E*, *65*(4), 1909.

Rosenblum, M. G., Pikovsky, A. S., & Kurths, J.(1996). Phase synchronization of chaotic
    oscillators. *Physical Review Letters*, *76*(11), 1804-1807.

Saleh, M., Reimer, J., Penn, R., Ojakangas, C. L., & Hatsopoulos, N. G.(2010). Fast
    and slow oscillations in human primary motor cortex predict oncoming behaviorally relevant
    cues. *Neuron*, *65*(4), 461-471.

Sauseng, P., Klimesch, W., Heise, K. F., Gruber, W. R., Holz, E., Karim, A. A., et al.
    (2009). Brain oscillatory substrates of visual short-term memory capacity. *Current Biology*,
    19(21), 1846-1852.

Scheffer-Teixeira, R., & Tort, A. B.(2016). On cross-frequency phase-phase coupling between
    theta and gamma oscillations in the hippocampus. *eLife*, *5*, e20515.

Schnitzler, A., & Gross, J.(2005). Normal and pathological oscillatory communication in the
    brain. *Nature Reviews Neuroscience*, *6*(4), 285-296.

Shim, W. H., Baek, K., Kim, J. K., Chae, Y., Suh, J. Y., Rosen, B. R., et al.(2013).
    Frequency distribution of causal connectivity in rat sensorimotor network: Resting-state fMRI
    analyses. *Journal of Neurophysiology*, *109*(1), 238-248.

Shirvalkar, P. R., Rapp, P. R., & Shapiro, M. L.(2010). Bidirectional changes to hippocampal
    theta–gamma comodulation predict memory for recent spatial episodes. *Proceedings of the
    National Academy of Sciences of the United State of America*, *107*(15), 7054-7059.

Singer, W., & Gray, C. M.(1995). Visual feature integration and the temporal correlation
    hypothesis. *Annual Review of Neuroscience*, *18*(1), 555-586.

Smythies, J. R.(1994). *The Walls of Plato's Cave: The Science and Philosophy of Brain,
    Consciousness, and Perception.* Avebury: Ashgate Publishing Ltd.

Spaak, E., Bonnefond, M., Maier, A., Leopold, D. A., & Jensen, O.(2012). Layerspecific entrainment of gamma-band neural activity by the alpha rhythm in monkey visual cortex. *Current Biology*, *22*（24）, 2313-2318.

Taxidis, J., Coomber, B., Mason, R., & Owen, M.（2010）. Assessing cortico-hippocampal functional connectivity under anesthesia and kainic acid using generalized partial directed coherence. *Biological Cybernetics*, *102*（4）, 327-340.

Thomson, A. M., & West, D. C.（2003）. Presynaptic frequency filtering in the gamma frequency band: dual intracellular recordings in slices of adult rat and cat neocortex. *Cerebral Cortex*, *13*（2）, 136-143.

Tort, A. B., Komorowski, R. W., Manns, J. R., Kopell, N. J., & Eichenbaum, H.（2009）. Theta-gamma coupling increases during the learning of item-context associations. *Proceedings of the National Academy of Sciences of the United State of America*, *106*（49）, 20942-20947.

Tort, A. B., Komorowski, R., Eichenbaum, H., & Kopell, N.（2010）. Measuring phase-amplitude coupling between neuronal oscillations of different frequencies. *Journal of Neurophysiology*, *104*（2）, 1195-1210.

Tort, A. B., Kramer, M. A., Thorn, C., Gibson, D. J., Kubota, Y., Graybiel, A. M., & Kopell, N. J.（2008）. Dynamic cross-frequency couplings of local field potential oscillations in rat striatum and hippocampus during performance of a T-maze task. *Proceedings of the National Academy of Sciences*, *105*（51）, 20517-20522.

Tropini, G., Chiang, J., Wang, Z. J., & McKeown, M. J.（2009）. Partial directed coherence-based information flow in Parkinson's disease patients performing a visually-guided motor task. In *2009 Annual International Conference of the IEEE Engineering in Medicine and Biology Society*（pp. 1873-1878）.

Varela, F., Lachaux, J. P., Rodriguez, E., & Martinerie, J.（2001）. The brainweb: Phase synchronization and large-scale integration. *Nature Reviews Neuroscience*, *2*（4）, 229-239.

Voytek, B., Canolty, R. T., Shestyuk, A., Crone, N., Parvizi, J., & Knight, R. T.（2010）. Shifts in gamma phase–Amplitude coupling frequency from theta to alpha over posterior cortex during visual tasks. *Frontiers in Human Neuroscience*, *4*, 191.

Walker, P.（1999）. *Chambers Dictionary of Science and Technology*. Edinburgh: Chambers.

Wyczesany, M., Ferdek, M. A., & Grzybowski, S. J.（2014）. Cortical functional connectivity is associated with the valence of affective states. *Brain and Cognition*, *90*, 109-115.

Wyner, A. D.（1978）. A definition of conditional mutual information for arbitrary ensembles. *Information and Control*, *38*（1）, 51-59.

Xu, X., An, L., Mi, X., & Zhang, T.（2013a）. Impairment of cognitive function and synaptic plasticity associated with alteration of information flow in theta and gamma oscillations in melamine-treated rats. *PLoS One*, *8*（10）, 1-9.

Xu, X., Li, Z., Yang, Z., & Zhang, T.（2012）. Decrease of synaptic plasticity associated with alteration of information flow in a rat model of vascular dementia. *Neuroscience*, *206*, 136-143.

Xu, X., Liu, C., Li, Z., & Zhang, T.（2015）. Effects of hydrogen sulfide on modulation of theta-gamma coupling in hippocampus in vascular dementia rats. *Brain Topography*, *28*（6）,

879-894.

Xu, X., Zheng, C., & Zhang, T. (2013b). Reduction in LFP cross-frequency coupling between theta and gamma rhythms associated with impaired STP and LTP in a rat model of brain ischemia. *Frontiers in Computational Neuroscience*, *7* (1): 27.

Yeh, C. H., Lo, M. T., & Hu, K. (2016). Spurious cross-frequency amplitude–amplitude coupling in nonstationary, nonlinear signals. *Physica A: Statistical Mechanics and Its Applications*, *454*, 143-150.

Yokota, Y. (2004, September). An approximate method for Bayesian entropy estimation for a discrete random variable. In *26th Annual International Conference of the IEEE Engineering in Medicine and Biology Society* (Vol. 1, pp. 99-102).

Zhang, H., Li, Q., Shang, Y., Xiao, X., Xu, X., Zhang, J., & Zhang, T. (2019). Effect of prenatal stress on neural oscillations in developing hippocampal formation. *Progress in Neuro-Psychopharmacology and Biological Psychiatry*, *89*, 456-464.

Zhang, J., Wang, N., Kuang, H., & Wang, R. . (2014). An improved method to calculate phase locking value based on hilbert–huang transform and its application. *Neural Computing and Applications*, *24* (1), 125-132.

Zhang, M., Zheng, C., Quan, M., An, L., Yang, Z., & Zhang, T. (2011). Directional indicator on neural oscillations as a measure of synaptic plasticity in chronic unpredictable stress rats. *Neurosignals*, *19* (4), 189-197.

Zhang, T. (2011). Neural oscillations and information flow associated with synaptic plasticity. Sheng *Li Xue Bao*, *63* (5), 412-422.

Zhang, T., Xu, X., & Zheng, C. (2013). Reduction in LFP cross-frequency coupling between theta and gamma rhythms associated with impaired STP and LTP in a rat model of brain ischemia. *Frontiers in Computational Neuroscience*, *7* (1), 27.

Zheng, C., & Zhang, T. (2013). Alteration of phase–phase coupling between theta and gamma rhythms in a depression-model of rats. *Cognitive Neurodynamics*, *7* (2), 167-172.

Zheng, C., & Zhang, T. (2015). Synaptic plasticity-related neural oscillations on hippocampus–prefrontal cortex pathway in depression. *Neuroscience*, *292*, 170-180.

Zheng, C., Quan, M., & Zhang, T. (2012). Decreased thalamo-cortical connectivity by alteration of neural information flow in theta oscillation in depression-model rats. *Journal of Computational Neuroscience*, *33* (3), 547-558.

Zheng, C., Quan, M., Yang, Z., & Zhang, T. (2011). Directionality index of neural information flow as a measure of synaptic plasticity in chronic unpredictable stress rats. *Neuroscience Letters*, *490* (1), 52-56.

Zou, C., & Feng, J. (2009). *Granger Causality vs. Dynamic Bayesian Network Inference: A Comparative Study*. https://doi.org/10.1186/1471-2105-10-122.

第八章

复杂网络在神经计算中的应用

大脑的高级认知功能（如感知、运动、学习与记忆等），都是由海量神经元所构成的复杂神经网络实现的。网络中的神经元接收外部输入信息，通过突触连接相互作用，在记忆、注意、情感等因素调控下，使得网络状态发生改变，进而实现对信息的编码、存储、整合等操作。

破解神经系统的信息处理机制，不仅是阐明大脑高级认知功能的基础，也是发展人工智能的重要思想源泉。近年来，随着实验神经科学的迅猛发展，海量关于神经结构和活动的数据不断产生，如何用数理建模和计算仿真的方法来系统化、定量化地阐明神经系统的信息处理原理是当前国际研究的一大热点，受到了欧美等国家脑计划的广泛重视。

第一节　复杂网络概述

一、复杂网络的基本概念

人们把周围的许多复杂系统（例如神经网络、交通网甚至社会中人际关系网）看作网络由来已久。自 20 世纪 60 年代以来，人们一直把匈牙利数学家 Erdös 和 Rényi 所建立的随机图理论（random graph theory）作为研究网络结构的基本理论，认为网络中的各个节点之间的连接是随机的。但是，实际网络结构并不是完全随机的，例如，神经网络中的各个神经元之间的连接方式具有小世界效应和无标度特性。

直到 20 世纪末，《自然》（*Nature*）和《科学》（*Science*）相继发表了两篇文章：Collective dynamics of small-world network（Watts & Strogatz，1998）和 Scale-free network model（Barabási & Albert，1999），引发了复杂网络研究的热潮，从而开创了复杂网络研究的新局面。从 20 世纪末开始，复杂网络的研究渗透到物理学、神经生物学甚至是社会科学等众多领域，对复杂网络的定性特征以及定量特征也都有了科学的理解，开辟了"网络的新科学"。人们逐步发现，许多真实的复杂系统（例如神经系统）可以用相同的网络拓扑结构（小世界效应和无标度特性）进行描述。这些性质不同于规则网络和随机网络，而是位于"规则与随机之间的复杂性"，也就是说，真实系统是存在于有序与无序之间的复杂状态下的网络。

（一）复杂网络的图表示

一个具体的网络可以抽象为由有限非空点集 V 及其点集中的无序对 E 构成的图（graph）$G=(V, E)$，其中 V 中的元素称为节点（vertex），E 中的元素称为边（edge），E 中的每一条边都与 V 中的两个节点对应。G 中节点数和边数分别称为该图的阶 N（order）和边数 M（size）。图可以用来表达各类网络，其中，节点代表网络元素，例如神经元，或者某个脑区等；边代表神经元之间的突触连接，或者不同脑区之间的结构连接或功能连接等。

如果边集 E 中每条边都被赋予相应的权重，则称该网络为权重网络，反之则称为无权网络。根据边的有向性，我们可以分为有向网络和无向网络。另外，人们经常讨论网络的稀疏与稠密程度，网络达到最大规模时，$M=N(N-1)/2$，稀疏则意味着 $M \ll N(N-1)/2$。

下面简单介绍复杂网络中几个基本概念。

1. 度

在图 G 中，与节点 u 相连接的边的总数称为 u 的度（degree），记为 $\deg_G(u)$ 或者是 $k(u)$，网络的平均度数为 $\langle k \rangle = \frac{1}{N}\sum_{i=1}^{N}k_i$。

另外，在有向网络中，度有入度和出度之分。节点 u 的入度是指从网络中其他节点指向 u 的有向边的数目，出度是指从节点 u 指向网络中其他节点的边的总数。

2. 度分布

网络的度分布（degree distribution）是一个刻画网络全局性质的几何参量，可以用函数 $P(k)$ 来描述，从网络中任意选取一个节点 u，则它的度数是 k 的概率为 $P(k)$。比较常见的几种分布函数是 δ 分布、泊松分布 $\left[P(k)=\frac{\lambda^k}{k!}e^{-\lambda}\right]$ 和幂律分布 $[P(k) \propto k^{-\gamma}]$。其中，$\delta$ 分布意味着网络中所有节点的度数都是相同的；泊松

分布意味着 k 值在远离 k 处是呈指数下降的，并且网络中不会出现 $k \gg k$ 的节点；幂律分布意味着网络中绝大部分节点的度数很小，只有少数节点的度数是相当大的（一般称这类节点为 hub），这种网络也称非均匀网络。

3. 邻接矩阵

邻接矩阵描述的是网络中各个节点的连接关系，网络的全部拓扑性质都可以在邻接矩阵中表达出来。

邻接矩阵 J 都是一个 $N \times N$ 的矩阵，以 N 阶有向权重网络为例：

$$J_{ij} = \begin{cases} w_{ij} & \text{若存在有向边从节点 } j \text{ 出发指向节点 } i; \\ 0 & \text{其他情况。} \end{cases} \tag{8-1}$$

其中，w_{uv} 是节点 u 和 v 之间边的连接权重。

4. 平均路径长度

（1）路和圈

图 G 中的一条 u-v 链（walk）是指 G 中从节点 u 出发到 v 结束的一个顶点序列，其中序列中连续的两个节点是相连接的。若图中的一条 u-v 链没有重复的顶点，那么它就是一条 u-v 路（path）。

我们定义最短的一条 u-v 路为 u 和 v 之间的距离，记为 $d_G(u,v)$。因为 G 中不可能存在长度小于 $d_G(u,v)$ 的 u-v 路，那么长度为 $d_G(u,v)$ 的 u-v 路称为 u-v 测地线（geodesic）。

图中一条回路是一个长度至少是 3 的闭路，也就是说一条路开始和结束于同一个节点，但是没有边的重复。如果一个回路中没有重复出现的节点，那么这条回路称为圈（cycle），我们通常把圈称为环（loop）。

（2）平均路径长度计算

平均路径长度是指网络中所有节点之间测地线长度的平均值，即

$$L(G) = \frac{1}{N(N-1)} \sum_{u \neq v} d_{uv} \tag{8-2}$$

对于确定的 k，如果 $L(G)$ 与 N 的对数成正比，我们称该网络具有小世界效应。

5. 聚类系数

聚类系数是描述网络中与任意一个节点 u（度数为 k_u）相邻的两个节点 v 和 x 是否也相邻的概率，即节点 u 在网络中的紧密程度，是网络的一种内聚倾向，定义如下：

$$C = \frac{E_u}{k_u(k_u - 1)/2} \qquad (8\text{-}3)$$

其中，E_u表示这k_u个节点之间存在的边的数目，$k_u(k_u - 1)/2$表示k_u个节点之间存在的所有可能的边的总数。

网络的聚类系数是$C = \frac{1}{N}\sum_{u=1}^{N} C_u$。当$C=0$时，说明网络中所有的节点都是孤立的；当$C=1$时，意味着整个网络是全连通的。

（二）复杂网络的基本模型及其性质

1. 规则网络

一种最简单的规则网络模型，N个节点排列成一个环，并且每个节点只与其最近邻的m个节点相邻（m为偶数）。规则网络一般具有的统计性质如下：

度分布为：

$$P(k) = \begin{cases} 1 & \text{若}\, k = m \\ 0 & \text{其他情形} \end{cases} \qquad (8\text{-}4)$$

度分布是δ函数，平均度数是$\langle k \rangle = m$。

平均路径长度的计算公式为：

$$L \approx \frac{N}{2m} \to \infty \,(N \to \infty) \qquad (8\text{-}5)$$

由此可见，规则网络是很难具有小世界效应的，这是对所有规则网络都是适应的。

聚类系数为：

$$C = \frac{3(m-2)}{4(m-1)} \to \frac{3}{4}\,(m \to \infty) \qquad (8\text{-}6)$$

规则网络具有高聚类性。

2. 随机网络

一个典型的随机网络（random network）是 Erdös 和 Rényi 所建立的 ER 随机图模型。具体生成方法如下：假设网络有N个节点，每对节点以相同的概率连边$p\,(0 < p < 1)$。由此可得到一个节点个数为N，边数为$M = pN(N-1)/2$的随机网络。

网络的拓扑性质如下：平均度$\langle k \rangle = p(N-1) \approx pN$。度分布为：

$$P(k) = \binom{N}{k} p^k (1-p)^{N-k} \approx \left(\langle k \rangle^k \, e^{-\langle k \rangle} \right) / k! \qquad (8\text{-}7)$$

对于固定的$\langle k \rangle$，节点个数N充分大时，ER网络的度分布是泊松分布。人们研究发现，ER网络的许多统计性质（如连通性）会随着连接概率p的变化会突然涌现或者发生相变。

平均路径距离$L \propto \ln N$，L与N的增长是呈对数关系的，因为ER网络是具有小世界效应的。

聚类系数$C = p = \langle k \rangle / N \ll 1$，大规模的稀疏ER网络是没有聚类性质的。

3. 小世界网络

规则网络的聚类系数与N无关、平均路径距离与N成正比；随机网络的聚类系数与N成反比、平均路径距离与$\ln N$成正比，具有小世界效应，但是许多真实的网络的聚类系数等特征近似于规则网络，平均路径距离具有小世界效应，是位于规则网络与随机网络之间的复杂的网络。

有学者（Watts & Strogatz, 1998）提出的小世界网络模型正是这两种网络之间的过渡，它开辟了复杂网络研究的新纪元。小世界网络模型的生成算法如下。

1）构建一个如前面介绍的规则网络，网络的节点个数是N，每个节点的度数是m。

2）随机断边重连：以概率P将网络中的每一条边随机地断掉，再重新连接，同时需要避免自环与重连。

$P=0$对应着规则网络，$P=1$对应着ER随机网络，则$0<P<1$显示了一个介于规则网络与随机网络之间的小世界网络模型。当P从0开始增加只是随机重连几条边时，网络的平均聚类系数没有明显变化，平均路径距离却急剧下降。

度分布：

当$k \geq m/2$时，有

$$P(k) = \sum_{n=0}^{\min(k-m/2,\, m/2)} \binom{m/2}{n} (1-p)^n \, p^{m/2} \frac{(pm/2)^{k-\frac{m}{2}-n}}{\left(k - \dfrac{m}{2} - n\right)!} e^{-pk/2} \qquad (8\text{-}8)$$

当$k < m/2$时，$P(k) = 0$。度分布类似于泊松分布。

平均路径长度为：

$$L(N, p) \approx \frac{N^{1/d}}{m} f(pmN) \qquad (8\text{-}9)$$

其中：

$$f(u) = \begin{cases} \text{常数} & \text{若} u \ll 1 \\ \dfrac{4}{\sqrt{u^2 + 4u}} \arctan \dfrac{u}{\sqrt{u^2 + 4u}} & \text{若} u \approx 1 \\ \ln u / u & \text{若} u \gg 1 \end{cases} \qquad (8\text{-}10)$$

聚类系数为：

$$C(p) = \frac{3(m-2)}{4(m-1)}(1-p)^3 \qquad (8\text{-}11)$$

4. 无标度网络

随机网络与小世界网络的度分布都是泊松分布，绝大部分节点的度数落在平均值附近，呈现了某种"均匀性"，所以这两种网络也称为均匀网络。但是更多真实系统的度分布呈现幂律分布。随之而来的问题是：幂律分布是由什么机制产生的？

有学者（Barabási & Albert，1999）提出无标度网络（scale-free network）（即 BA 无标度网络模型）形成的两个重要因素：增长（growth）和偏好连接（preferential attachment）。前者强调网络是一个开放的系统，它会不断地接受新的节点的加入，即节点的数目是随着时间逐步增加的；后者强调新加入的节点更倾向于与连接度更大的节点相连，这样的现象被称为马太效应。基于网络的这两个特性，BA 无标度网络模型采用如下的生成方式：

1）增长性：原始网络的节点个数为 n_0，边数为 m_0，在每个时间步引入一个新的节点，并且这个新的节点可以与原来网络中的 m 个节点相连。

2）偏好连接：新加入的节点与原来网络中的任意一个节点 u 相连接的概率为：

$$p_u = \frac{k_u}{\sum\limits_{v} k_v} \qquad (8\text{-}12)$$

经过时间 t 之后，可以生成一个节点个数为 $N = n_0 + t$，边数为 $M = m_0 + mt$，度分布为 $P(k) \propto k^{-\gamma}$（$\gamma = 3$）的无标度网络。

平均路径长度为：

$$L \propto \log N / \log \log N \qquad (8\text{-}13)$$

聚类系数为：

$$C = \frac{m^2(m+1)^2}{4(m-1)}\left(\ln\frac{m+1}{m} - \frac{1}{m+1}\right)\frac{(\ln t)^2}{t} \tag{8-14}$$

第二节　神经系统编码长时程秒量级的时间节律信息的机制研究

　　时间节律信息的提取和编码是语音识别、音乐欣赏和节律运动产生等的重要基础。在本节中，我们将介绍一个具有无标度拓扑结构的神经网络模型（Mi et al.，2013），并考虑通过电突触连接或者传递效能随连接数目而减弱的化学突触连接来实现枢纽神经元难以被激活的特性。在该模型中，枢纽神经元能够触发网络的同步化发放，连接度相对较低的神经元形成的环路决定了同步发放周期，并且枢纽神经元难以被激活的特性避免了网络的爆炸性发放。该模型再现了实验中观察到的长时程周期性同步发放现象，证明神经系统能够通过局部网络内在的动力学特性分布式地处理时序信息。

一、背景介绍

　　20世纪下半叶以来，人们对神经系统处理外部输入中空间信息的机制已取得了长足进展，如视觉系统中神经元感受野的发现（Kandel et al.，2013）。但截至目前，人们对神经系统如何提取和处理输入中的时间信息知之甚少（Buhusi & Meck，2005；Carr，1993；Ivry & Schlerf，2008；Mauk & Buonomano，2004）。

　　与空间信息不同的是，在日常生活中，大脑接收到的时间信息跨度很大，量级从微秒到小时。大脑如何处理不同尺度的时间信息处理机制一直以来是饱受争议的话题。目前争论的焦点在于大脑处理这些时间信息是否依赖于一个统一的"时钟"，也就是专门用于记录时间的节律（pacemaker）（Gihbon，1977）；或者无须统一的时钟，而是与该任务相关的局部神经环路就可以自动地处理和表征时间信息（Carr，1993；Gihbon，1977；Ivry & Schlerf，2008）。近期研究发现，在处理数百毫秒级别的时间信息时，神经环路可以通过自身的动力学特性来表征时间（Buonomanno & Maass，2009；Karmarkar & Buonomano，2007）。这些研究基于由多种神经元随机连接构成且具有突触短时程可塑性的复杂神经网络，研究发现随时间不断变化的网络状态本身便可以存储外界输入中的时间序列信息。进一步研究表明这些记忆轨迹（memory trace）可以用于区分连续事件之间的时间差。但截至目前，神经网络内在的动力学特性是否能处理秒量级以上的时间节律信息仍不清楚。

近期实验研究发现，斑马鱼视顶盖的神经环路可以记忆秒量级的外部周期性视觉刺激的时间间隔（Sumbre et al.，2008）。实验中，对斑马鱼进行周期性视觉光栅刺激，经过数次训练并撤掉刺激后，发现斑马鱼视顶盖的神经环路可以以相同的时间节律进行自持续的同步发放，并且这种自持续的节律行为可以诱导斑马鱼的尾部进行有规律的周期摆动，这些现象表明该神经环路有可能存储节律性输入的感知记忆。神经环路所能记忆的最长时间可达到20s。

神经系统如何学习并存储如上长时程节律信息？一种最直接的假设是，大脑中可能存在一个"中央时钟"来计时，从而调控神经网络的周期性响应。然而大量的实验证据表明大脑中并不存在这样的"中央时钟"（Buhusi & Meck，2005；Ivry & Schlerf，2008）。另外，生物系统是否可以单纯地依赖神经网络的内在动力学特性就产生上述观察到的长时程的周期节律信息的记忆？单个神经元和突触的时间常数很短，一般在毫秒的量级，不足以维持这种长时间的行为，那么，具有某种特殊拓扑结构的神经网络是否可以产生如上时程的周期节律信息的记忆？回答这一问题对理解脑处理时间信息的机制具有重要的启示。近期，理论研究表明具有无标度拓扑结构的大尺度神经网络可以实现这样的功能（Mi et al.，2013），为理解神经系统编码时间节律信息的机制提供新的思路。

二、神经网络模型

构建的大尺度神经网络模型（Barabási & Albert，1999）具有无标度特性。其中，$k > k_{th}$ 的神经元称为枢纽神经元（hub），其他神经元为低连接度神经元（low-degree neuron）。任意神经元的动力学如下（Bär & Eiswirth，1993）：

$$\frac{\mathrm{d}u_i}{\mathrm{d}t} = -\frac{1}{\varepsilon} u_i \left(u_i - 1 \right) \left(u_i - \frac{v_i + b}{a} \right) + \sum_{j \neq i}^{N} F_{ij} \qquad （8\text{-}15）$$

$$\tau \frac{\mathrm{d}v_i}{\mathrm{d}t} = f\left(u_i \right) - v_i \qquad （8\text{-}16）$$

其中，u_i 和 v_i 分别为描述神经元状态的膜电位和恢复电流，τ 为时间常数，N 为神经元数目，F 为神经元之间的邻接矩阵。图 8-1（a）中，$u(t)$ 和 $v(t)$ 随时间的变化模拟了单神经元动作电位产生过程。

为了避免神经网络出现爆炸性发放活动，该模型采用了两种不同的突触连接方式，增加了枢纽神经元难以被激活的程度。突触连接方式具体如下：①电突触耦合（Bi & Poo，1998）。令 $F_{ij} = C_0 J_{ij} \left(u_j - u_i \right)$，若神经元 i 和 j 之间存在连接，则权重$J_{ij} = J_{ji} = 1$，否则$J_{ij} = J_{ji} = 0$。电突触耦合可以被视为神经元之间的连接电阻，具有平衡相邻两个神经元膜电位的功效。这一效应进而增加了枢纽神经元被激活的难度，这是因为枢纽神经元存在很多连接，其接受的兴奋性电流很容易通过电突触耦合漏到与其相连的神经元。通过选择合适的耦合强度C_0，足以使单个动作电位足以激活一个低连接度神经元［图 8-1（b）］，两个或更多个动作电位的同时激发才能激活枢纽神经元［图 8-1（c）和图 8-1（d）］。②传递效率随着突触连接度增多而降低的化学突触。令$F_{ij} = C_i J_{ij} H(u_j - \theta)$，其中当$u_j > \theta$时，$H(u_j - \theta) = u_j$，其他情况下$H(u_j - \theta) = 0$，表明神经元$i$只有在神经元$j$产生动作电位后才接受它的兴奋性输入。$J_{ij} = 1$意味着神经元$i$与$j$之间存在化学突触连接，$J_{ij} = 0$则表示无化学突触连接。神经元之间的耦合强度$C_i = C_0 / \sqrt{k_i}$会随着神经元的连接度数$k_i$增加而减小，进而增加了神经元$i$被激活的难度。

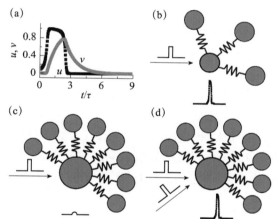

图 8-1 （a）：单个神经元的动力学行为。u为神经元膜电位，v为恢复电流，当神经元产生动作电位后，进入不应期状态，最后恢复到静息状态。（b）：具用电突触连接的低连接度神经元示例。单个动作电位可以激活低连接度神经元。（c）：具有电突触连接的枢纽神经元示例。单个动作电位不足以激活枢纽神经元。（d）：图（c）中的枢纽神经元可以被两个或者两个以上同时到达的动作电位激活（Mi et al.，2013）

三、无标度神经网络的神经活动及其神经计算机制研究

（一）无标度神经网络的周期同步发放行为

无标度神经网络模型具有维持长时程周期同步发放行为的能力。本节只以电突触连接的神经网络为例来进行说明，因为电化学突触耦合介导的网络活动是类似的。

图 8-2（a）为一个随机生成的无标度神经网络，其中 $\gamma = 3$，神经元的数目 $N = 210$，神经元平均连接度数 $k = 4$。从随机初始条件出发（u_i, v_i 为 0—1 的均匀随机数，$i = 1, 2, \cdots, N$），并根据公式 8-14 和公式 8-15 来演化网络动力学，神经网络会有大约 10% 的概率演化到周期同步发放状态，如图 8-2（b）所示。

（二）长时程周期同步发放的网络内在动力学机制

通过研究周期同步发放状态下所有神经元的活动行为，发现大多数神经元在一个周期活动中只发放一次［图 8-2（c）］（定义该类神经元为 T1 神经元）；少数神经元在一个周期内可以发放两次［图 8-2（d）］（定义为 T2 神经元）。进一步研究发现，正是这种不同的神经元活动模式揭示了网络动力学的内在机制。对网络中所有神经元的位置进行重新排列，将 T2 神经元置于中间，得到图 8-2（e）。从图 8-2（e）可以发现：所有的 T2 神经元都是低连接度神经元，而且这些低连接度神经元形成一个环状结构，即低连接度环（low-degree loop）。

网络动力学变化的过程可以被清晰地揭示：假设编号为 91 的神经元［图 8-2（e）中标记为红色的神经元］最先被激活，该神经活动信号会沿着低连接度神经元所组成的环逆时针方向传播。只有当信号传递到编号为 36 的神经元时，网络的同步发放行为可被诱发，这是因为 36 号神经元可以同时激发多条传播路径［图 8-2（e）中的红色路径］，进而激活编号为 4 的枢纽神经元；枢纽神经元可以通过其丰富的连接度诱发网络中剩余神经元的发放。同步发放之后，网络活动状态恢复到静息状态，这是由于大多数神经元在此时处于不应期（refractory period）。

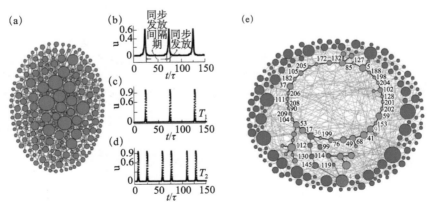

图 8-2 （a）：无标度神经网络示意图。图中神经元直径与其连接度成正比。（b）：神经网络活动状态呈现出长时程周期性同步发放行为。（c）：T1 神经元在单个周期内只发放一次。（d）：T2 神经元在单个周期内发放两次。（e）：重置 (a) 中所有神经元的位置，将 T2 神经元（绿色和橙色）置于中间位置，其余神经元置于外周。所有 T2 神经元都是低连接度神经元，并构成一个环。图中红色路径表示低连接度环中的神经信号沿该路径传递到枢纽神经元（Mi et al., 2013）

因此，无标度神经网络可以产生长时程周期同步发放活动的计算原理如下：①网络中的枢纽神经元，通过其高连接度触发整个网络的同步发放；②大量低连接度神经元构成的环在网络同步发放的间隔期间维持了网络活动，该低连接度环的长度决定了同步发放周期，即可记录时间节律信息；③电突触或传递效能随神经元连接度增大而减小的化学突触降低了枢纽神经元的发放概率，从而避免了网络的癫痫式振荡。

四、无标度神经网络的"库网络"特性

无标度神经网络模型具有维持较大范围内的节律性活动的能力。通过具有300个神经元的无标度神经网络中低连接度环的长度分布进行统计研究发现，无标度神经网络将像一个资源丰富的"库"，拥有海量具有不同长度的低连接度神经元所构成的环［图 8-3（a）］。网络所能存储的最长节律由网络中最长的低连接度环（记为 L_{max}）来决定。

进一步统计 L_{max} 与网络尺寸 N 的关系，如图 8-3（b）所示，其线性拟合结果为 $L_{max} \approx 0.12N + 0.8$。因此，当网络尺寸在 10^4—10^5 量级（斑马鱼视顶盖神经环路中神经元数目的粗略估计值）时，L_{max} 则为 1.2×10^3—1.2×10^4。同时考虑到单个神经元的时间常数大约在 10ms 的量级，神经元之间信号传递的时间延迟大约为 1ms。因此神经信号沿着最长的低连接度环传播所消耗的时间范围为 13—130s。以上结果表明，该研究所构建的无标度神经网络模型可以实现实验中所观测到的对 20s 时间节律信息的记忆。

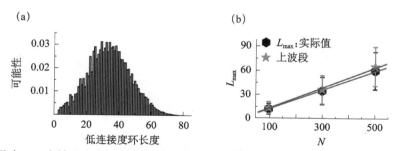

图 8-3 具有 300 个神经元的无标度网络中低连接度环的长度统计分布。（a）：图示结果为随机生成的 100 个无标度网络的平均值。（b）：低连接度环的最大长度与网络尺寸的关系。每个数据点均为随机生成的 100 个无标度网络的平均结果（Mi et al., 2013）

五、时间节律信息的提取机制

上述研究表明，若要在网络中维持长时程周期性同步发放活动，关键是需要

一个长度合适的低连接度环，以及连接在该环上的可以被该环激活的枢纽神经元。但是，神经系统如何根据外部周期性输入中获得这一必要的网络结构？神经系统可以通过学习过程习得。

采用生物学所广泛使用的赫布（Hebbian）学习律来实现这个功能（Bi & Poo，1998；Bloomfield & Völgyi，2009；Yang et al.，1990），其基本思想是：网络中丰富的环或链结构能长时间地保持输入的残余活动信息，当节律性地呈现外部输入时，网络中与输入节律相吻合的环或链就通过赫布学习律得以加强，被这种学习"挑选"出来，进而帮助网络维持了与输入相同节律的同步发放，实现对输入时间信息的提取和再现。

具体过程如下：在 $t=0$ 时刻，刺激首先呈现了网络中随机选择出的 4% 的神经元（记为神经元群 a），该群神经元被瞬间激活，网络产生同步发放。同步发放后，神经网络活动会沿着不同的路径在网络中传播，从而能有效地保留外部刺激的痕迹（memory trace）[图 8-4（a）]，这为联想记忆学习提供了重要的基石。在 $t=T$ 时刻，残余的神经网络活动传播到神经元群 b，同时新一轮的刺激会到达神经元群 a。根据赫布学习律，在每个刺激呈现的时间窗口内，神经元群 a 和神经元群 b 之间的突触连接不断增强，直至形成一个长度为 T 的闭环连接。另外，外界刺激诱发了网络的同步发放，这意味着神经元群 a 中的多个神经元可同时激发某个枢纽神经元，并且枢纽神经元在学习之后也被牢牢地连接在低连接度环上。经过上述学习过程，神经网络就产生了与外部刺激节律相匹配的周期同步发放行为 [图 8-4（b）]。

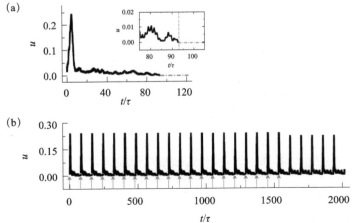

图 8-4 （a）：随机刺激无标度神经网络中 4% 的神经元，网络会产生同步发放活动，同步发放之后，网络能维持长时间刺激的记忆痕迹；（b）：刺激重复呈现 20 次之后，根据赫布学习律，网络则可以产生周期性同步化发放（Mi et al.，2013）

六、小结

本节介绍了一个产生并维持神经系统中的长时程周期性同步发放行为的简单、有效的机制。该网络模型具有无标度特殊拓扑结构，并且包含丰富的具有不同尺寸的低连接度环，这一特性保证了神经系统具有处理不同时间范围的周期性输入信息的能力。当周期性呈现一个外部输入，网络就通过简单的赫布学习律从资源库里选出和输入节律相吻合的环。

无标度的网络拓扑结构和枢纽神经元难以被激活的特性是该网络模型的重要特性。严格来讲，网络结构不必完全满足无标度特性，只需使得网络中包含少数的枢纽神经元和大量的低连接度神经元。这种连接方式可以很好地在信号通信的有效性和网络连接的经济性之间获得平衡。大量的实验研究也证明了神经系统的确具有无标度的拓扑结构。例如，发育过程中小鼠海马区的神经网络结构（Bonifazi et al.，2009）和基于 fMRI 数据得到的大脑功能连接网络的拓扑结构都具有无标度特性（Eguíluz et al.，2005）。还有实验数据显示：刺激单个或者少量皮层神经元能够显著影响知觉和运动输出（Brecht et al.，2004）以及大脑的整体状态（Morgan & Soltesz，2008），这极大地表明了枢纽神经元存在的可能性。最新实验数据揭示无标度拓扑结构极有可能广泛存在于大脑初级感觉皮层的层状结构中，即第 2/3 层是枢纽神经元，而第 5 层是低连接度神经元。我们的工作揭示这种特殊拓扑结构在神经计算中具有至关重要的作用，这极有可能是神经环路处理时间域信息的基本架构。

为了验证枢纽神经元难以被激活的特性，学者采取了两种可行机制。一种机制是神经元之间的电突触连接。实验数据已证实，电突触连接大量地存在于视网膜的神经节细胞和皮层的中间神经元。电突触是否也存在于某些皮层的兴奋性神经元之间的连接中还未可知。另一种机制是随突触后神经元连接度增加而降低的化学突触连接。如果化学突触连接强度是均匀的，枢纽神经元就会诱发高频振荡，从而使得无标度网络不能维持长时程周期性同步发放。如果化学突触连接强度与神经元连接度的平方根成反比，长时程周期节律则能够被很好地保留下来。值得注意的是，这一条件也是兴奋抑制平衡网络产生不规则网络活动发放的条件。同时，也有实验数据表明突触的传递效率随突触后神经元的连接度增加而降低（Li et al.，2013）。

本节提出的机制对研究时间信息处理机制具有深远的影响。神经系统能够利用其内在的低连接度神经元形成的环来存储外部输入信息的记忆痕迹，由此可以作为处理时序信息的基石。另外，该模型与库网络的理念相一致（Jaeger et al.，2007）。针对领域内长期争论的焦点，我们的工作支持局域神经环路可以利用其内在网络动力学特性来分布式地处理时间这一观点，同时也回答了领域内一个极具挑战性的理论难题，即如何维持长时程周期性同步发放行为。

第三节　工作记忆有限容量的神经信息处理机制

大量的心理物理实验研究表明，工作记忆的容量是非常有限的，大约为四个。有限的工作记忆容量极大地限制了很多高级认知任务的执行，但是其神经机制尚不清楚。本节将介绍基于工作记忆的突触理论所构建的具有突触短时程可塑性的神经网络模型以及工作记忆容量的理论解析等。

一、工作记忆

工作记忆（working memory，WM）指的是大脑对外部输入信息的暂时加工与存储（Baddeley，2003；Baddeley & Hitch，1974；Miller et al.，1960）。其中，对信息的暂时存储称为短时记忆，它是工作记忆的重要组成部分。视觉加工、言语理解、情景记忆等几乎所有认知任务都需要工作记忆，它是我们学习、记忆、推理、进而理解的重要环节（Cowan，2001）。大量的心理物理实验表明：工作记忆不同于具有无限容量的长时记忆，它的容量是有限的，大约为四个（Cowan，2001；Fukuda et al.，2010；Luck & Vogel，1997）。一种普遍观点认为：大脑中存在专门的"缓冲存储器"（buffer 或 focus of attention），可以短暂地存储多个记忆信息（memory item），并根据需要将其随时删除。因此，缓冲存储器的大小决定了工作记忆的容量（Cowan，2001；Oberauer，2002），但是其背后的机制一直没有得到很好的解释。

一种普遍观点认为记忆信息可存储于神经元群的持续发放活动中（Compte et al.，2000；Edin et al.，2009；Wei et al.，2012）。但是，可同时存储的记忆信息的最大数目对该模型中网络特性的依赖是非常复杂的，似乎并不存在一个记忆容量的上限（Amit et al.，2003；Rolls et al.，2013）。另外一种普遍观点认为多个记忆信息可依次存储于工作记忆中（Cowan，2010；Horn & Opher，1996；Lisman & Idiart，1995；Lundqvist et al.，2016；Raffone & Wolters，2001）。有学者（Lisman & Idiart，1995）提出：多个记忆信息可存储于嵌套的 θ-γ 频段耦合的周期振荡活动中，其中每个 θ 频段的慢波振荡是由海马区中神经元的缓慢后去极化时间常数决定的。同时，每个记忆信息可存储于 γ 频段的振荡波包中，可在

每个 θ 频段的慢波振荡中被激活一次（Siegel et al., 2009）。每个 θ 频段上可容纳的 γ 频段波包的数目决定了工作记忆的容量，约为 γ 振荡频率和 θ 振荡频率的比值，这与早期的心理物理实验的预测结果相吻合（Miller, 1956）。但是，工作记忆容量与模型参数的关系并未在上述研究中考虑，限制容量的关键因素似乎是 θ 频段的周期振荡，而这一周期与细胞的一些内禀性质相关，例如，无选择性的阳离子通道（Colgin, 2013）。

2008 年，蒙吉洛等提出了工作记忆的突触理论（Mongillo et al., 2008；Lundqvist et al., 2011），其基本思想是强调神经系统无须在整个工作记忆的任务过程中都维持耗能的持续发放状态，采用了一种更经济的编码方式，即将记忆信息存储于突触连接的短时程增强中。多个记忆信息的存储与表达可通过编码它们的相应神经元群依次产生短暂的同步发放（population spike, PS）来实现。本节将介绍通过理论解析的方式求解工作记忆中所能存储记忆信息的最大数目，即工作记忆容量。理论解析的优势在于它允许我们对工作记忆容量与不同的突触、神经元及环路参数的依赖关系做出预测，而这些预测可通过未来的基因调控等实验被检测。

本节所构建的模型中存在一个基本假设，即任意时刻有且只有一个记忆信息可被表达。该假设可通过一个全局的、无选择性的抑制性神经元群来实现，并且网络中所有的兴奋性神经元群都与该抑制性神经元群相连接 [图 8-5（a）]，这一网络结构特性与已有的实验结果相符（Fino & Yuste, 2011）。

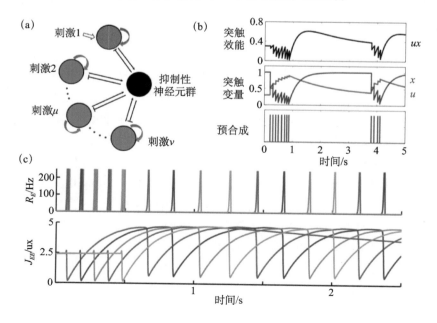

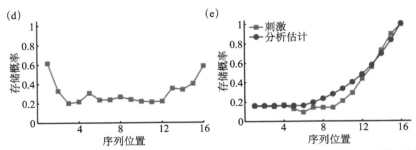

图 8-5　具有短时程突触可塑性效应工作记忆神经网络模型。(a)：神经网络模型结构示意图。不同的记忆信息存储于不同颜色的神经元群中。每群神经元内部的兴奋性互馈连接具有突触短时程可塑性效应。所有的兴奋性神经元群都与一个抑制性神经元群相连接。(b)：突触短时程可塑性效应示意图。突触前神经元每产生一个动作电位（下），神经递质释放概率u上升，可用神经递质的比例x下降，分别对应于突触短时程增强与衰减效应（中），有效的突触连接强度可表示为ux（上）。(c)：5个记忆信息依次输入神经网络的示意图。上：5个不同的、短时的外部输入信号依次刺激不同的神经元群，刺激呈现时（阴影部分），相应神经元群会产生短时同步性发放活动。刺激撤掉后，其中4群神经元会按照刺激的呈现顺序依次产生PSs，另一个记忆信息则不会再次表达。下：相应神经元群的瞬时突触连接强度变化。神经元群的突触连接强度每当达到一定阈值时会产生一个同步性发放活动。(d)：记忆信息的存储概率与其在记忆序列中位置的相关性。16个记忆信息依次呈现的频率在每秒16—66个。图中数据是450次数值模拟的统计结果。(e)：记忆信息的存储概率与其在记忆序列中位置的相关性。16个记忆信息依次呈现的频率在0.25—2个/s。红线：450次数值模拟的统计结果。蓝线：存储概率的理论预测结果，与数值模拟结果相吻合。图中所用参数如下：$J_{EE}=8$，$\tau_f=1.5\text{s}$，$\tau_d=0.3\text{s}$，$U=0.3$，$\tau=8\text{ms}$，$J_{IE}=1.75$，$J_{EI}=1.1$，$\alpha=1.5$，$P=16$，$I_b=3.0\text{Hz(C)}$或$I_b=8\text{Hz(D, E)}$（Mi et al.，2017）

二、工作记忆的神经网络模型

为了理论求解工作记忆的工作容量，需要对神经网络模型做极大的简化，只保留与工作记忆功能相关的必要因素。我们忽略了不同神经元群之间的连接与交叠，每个神经元群编码不同的记忆信息，神经元群内部具有兴奋性互馈连接（这是长时记忆中编码同一个记忆信息时神经元之间突触连接增强效果的体现），并具有突触短时程可塑性效应（short-term plasticity，STP）（Mongillo et al.，2008）。

根据马克拉姆等（Markram et al.，1998）提出的STP数学模型，互馈的兴奋性连接可由三个变量表示："绝对突触效能"（absolute synaptic efficacy）J_{EE}、神经递质释放概率u和可用神经递质的比例x［图8-5(b)］。受STP调控的瞬时突触效能由$J_{EE}ux$表示。突触前神经元每产生一个动作电位，释放概率u上升，产生突触短时程增强效应（short-term facilitation，STF）；同时，可用神经递质的比例x下降，产生突触短时程衰减效应（short-term depression，STD）。动作电位产生之后，u在τ_f时间内衰减至U，而x在τ_d时间内恢复至$x=1$。

在神经网络模型中，每个兴奋性神经元群μ的由三个不同的动力学变量来描述，即突触电流h_μ和两个 STP 变量u_μ和x_μ（$\mu=1,\cdots,P$)，抑制性神经元群的突触电流为h_I。它们的动力学公式如下所示：

$$\tau\frac{\mathrm{d}h_\mu}{\mathrm{d}t}=-h_\mu+J_{EE}u_\mu x_\mu R_\mu-J_{EI}R_I+I_b+I_e \tag{8-17}$$

$$\frac{\mathrm{d}u_\mu}{\mathrm{d}t}=\frac{U-u_\mu}{\tau_f}+U\left(1-u_\mu\right)R_\mu \tag{8-18}$$

$$\frac{\mathrm{d}x_\mu}{\mathrm{d}t}=\frac{1-x_\mu}{\tau_d}-u_\mu x_\mu R_\mu \tag{8-19}$$

$$\tau\frac{\mathrm{d}h_I}{\mathrm{d}t}=-h_I+J_{EI}\sum_v R_v \tag{8-20}$$

其中，τ是神经元的时间常数，为了简化系统的动力学，兴奋性和抑制性神经元群都采用相同的τ；I_b为背景电流输入，表征神经系统的注意力水平（Zhang et al.，2014）；I_e是加载到网络中的外部输入信号。神经元的突触电流与发放率之间的数学形式采用过阈值线性的增益函数，即$R(h)=\alpha\ln\left[1+\exp(h/\alpha)\right]$。为了阐明我们所提出的机制，我们选择了与实验测得的前额叶皮层兴奋性神经元之间动态突触连接相吻合的参数（Wang et al.，2006），并借鉴了马克拉姆等（Markram et al.，2008）所采用短时增强效应主导的参数，即$\tau_f\gg\tau_d$。

我们依次将 5 个不同的记忆信息加载到神经网络中，其中，记忆信号采用了短暂的、兴奋性输入电流的形式。当记忆信号呈现时，相应神经元群会产生快速同步发放。记忆信号撤掉后，只有 4 个神经元群会按照加载时的顺序依次产生 PS［图 8-5（c）］，以此来保存记忆信息，这也意味着在当前参数条件下的神经网络记忆容量为 4。为了进一步研究模型的计算特性，我们以不同的呈现频率在神经网络中载入更长的记忆信息序列，并计算了"保存概率曲线"（retention curve）。对于高频呈现的记忆序列，保存概率曲线与记忆信息呈现的次序是非单调的关系，最初和最后呈现的记忆信息以更高的概率被保存［图 8-5（d）］，分别对应着首因效应（primary effect）和近因效应（recency effect）；对于低频呈现的记忆序列，近因效应显著［图 8-5（e）］，同时，我们可以理论预测该保存概率曲线，并与数值模拟结果相吻合。理论计算的规则为：每当一个新的记忆信息呈现时，神经网络会等概率地随机清除一个已存储于工作记忆中的信息。

如图 8-5（c）所示，多个记忆信息可以周期性振荡活动存储于工作记忆中，即相应的神经元群以固定的顺序、周期性地产生 PS（对应"极限环动力学状态"）。作为一个动力系统，本节所构建的神经网络模型可呈现丰富的多稳态，即不同数目的极限环并存的状态。理论求解如上多稳态是非常棘手的，但是可以通过数值模拟的方式来分析工作记忆的容量问题，即在不同的参数条件下从大量的不同的随机初始状态出发演化至不同的多稳态解（具体数值模拟方法见本章附）。

表 8-1 展示了不同背景输入 I_b 下神经网络由不同初始状态演化至 i 个极限环并存的多稳态的存在概率 P_i，P_0 对应所有神经元群都处于静息状态的概率。如上结果表明：①只有当背景输入电流足够大时，多个记忆信息才能存储于工作记忆中；②背景输入电流增加时，网络可存储的记忆信息容量也随之增加。基于我们所选择的网络参数，最大工作记忆容量为 6，因为背景输入电流的进一步增大会导致网络的自发状态失稳。

表 8-1　在不同背景输入电流 I_b 条件下，神经网络可同时存储 i 个记忆信息的概率 (P_i)
（ Mi et al.，2017 ）

I_b	P_0	P_1	P_2	P_3	P_4	P_5	P_6	P_7
2.4	1	0	0	0	0	0	0	0
2.45	0.9998	0.0002	0	0	0	0	0	0
2.5	0.9991	0.0008	0.0001	0	0	0	0	0
2.56	0.9950	0.0039	0.0010	0.0001	0	0	0	0
3.0	0.5668	0.1129	0.1420	0.1772	0.0011	0	0	0
3.7	0.0026	0.0151	0.0701	0.2872	0.6238	0.0012	0	0
5.5	0.0003	0.0008	0.0013	0.0242	0.2351	0.7015	0.0368	0
7	0.0002	0.0007	0.0008	0.0066	0.1187	0.6906	0.1842	0
14	0.0001	0.0004	0.0006	0.001	0.1387	0.8506	0.0086	0

三、工作记忆有限容量的神经计算机制

即使对神经网络模型进行了简化，也仍有诸多参量，包括 STP 参数、神经元的增益函数、突触连接强度等。因此，若想研究工作记忆容量的神经计算机制，采用暴力搜索的数值模拟方法是不切实际的。本部分将介绍如何采用理论解析方法来揭示工作记忆容量的神经信息处理机制。

神经网络所能存储记忆信息的最大数目由两个因素的比值决定：①网络的极限环状态的最大周期 T_{max}，即同一神经元群产生连续两次 PS 之间的最大时间间隔；②两次连续 PS 之间的时间间隔 t_s。工作记忆容量则为一个极限环周期内能容纳的 PS 最大数目，即

$$N_C = T_{\max}/t_s \tag{8-21}$$

针对 $T_{\max}$ 的求解，我们注意到 PS 的产生是由神经元群内兴奋性互馈连接强度增强诱导系统动力学失稳所引发的。因此，当神经元群内突触连接强度 $J_{EE}ux$ 达到最大值时可诱发 PS 的产生，也就是说，任意神经元群处于极限环状态的最大周期 $T_{\max}$ 为 $J_{EE}ux$ 由最小值演化至其峰值所需的时间（具体计算过程见附录）为：

$$T_{\max} \approx \tau_d \ln \frac{\tau_f/\tau_d}{1-U} \tag{8-22}$$

$T_{\max}$ 主要由短时程突触衰减的时间常数 τ_d 决定，并微弱地依赖于其他的 STP 参数。

针对 t_s 的求解，我们注意到 t_s 主要由三部分组成 [图 8-6（a）]：前一个记忆信息 PS 的宽度、由前一个记忆信息 PS 引发的抑制性神经元群所产生 PS 的时间延迟及其脉冲宽度、另一个兴奋性神经元群从被抑制状态恢复并产生新的 PS 所需的时间。其中，前部分所需时间与 τ 成比例，第三个占主导地位的部分可由求解公式 8-16—公式 8-19 得出。由于 t_s 显著小于 $T_{\max}$，我们可将 $J_{EE}ux$ 简化为其最大值 $J_{\max}$。另外，两个 PS 之间的抑制性演化过程也可忽略为 $I_{inh} = J_{EI}R_I$，那么神经元群的突触电流的动力学可简化为一维微分公式：

$$\tau \frac{\mathrm{d}h}{\mathrm{d}t} = F(h) \tag{8-23}$$

$$F(h) = -h + J_{\max}R(h) + (I_b - I_{inh}) \tag{8-24}$$

决定突触电流动力学的 $F(h)$ 函数由两段近似线性的分支组成，如图 8-6（b）所示。初始负电流 h_0 是由上一个记忆信息产生的 PS 所引发的强大抑制效果所决定的。由公式 8-22 所描述的突触电流的动力学由两部分组成：①逐步缓慢地从抑制性恢复直至到达 $F(h)$ 的最小值 $h_{\min}$ 的过程；②快速累积产生 PS 的过程 [图 8-6（b），红色箭头）]。因此，一个兴奋性神经元群产生 PS 的时间等于突触电流到达 $h_{\min}$ 的时间，t_s 的解析估计值为：

$$t_s \approx \tau \left(\ln \frac{|h_0|}{I_b - I_{crit}} \right) + C \tag{8-25}$$

其中，C 反映了 PS 宽度及抑制性持续时长的贡献，而 $I_{crit} \approx I_{inh} - \alpha \ln(J_{\max} - 1)$ 是系统可存储记忆信息时所需的背景电流临界值。综上，工作记忆容量可表示如下：

$$N_c \approx \frac{\tau_d}{\tau} \frac{\ln \dfrac{\dfrac{\tau_f}{\tau_d}}{1-U}}{\ln \dfrac{|h_0|}{I_b - I_{crit}} + C} \tag{8-26}$$

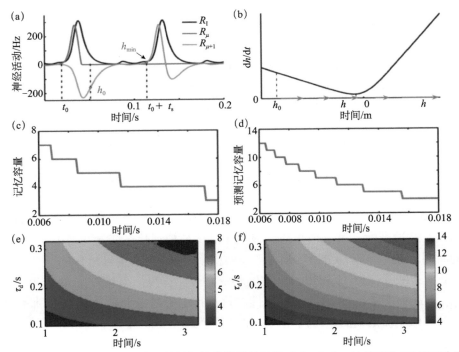

图 8-6　工作记忆容量：理论分析结果与数值模拟结果的对比。（a）：连续产生 PS 的两个兴奋性神经元群 μ 和 $\mu+1$ 以及抑制性神经元群的神经活动。神经元群 μ 在 t_0 时刻产生的 PS 可引发抑制性神经元群的发放活动（黑色实线），抑制性神经元群的活动可抑制神经元群 $\mu+1$ 使其突触电流为负（紫色实线）。神经元群 $\mu+1$ 随后从被抑制的状态恢复直至其突触电流达到产生 PS 的阈值。（b）：公式 8-22 中决定突触电流动力学变化的函数 $F(h)$ 示意图。突触电流从最初的超极化水平 h_0 恢复直至到 $h_{\min}$ 后快速增长进而产生 PS。突触电流的变化速度由图中红色箭头表示。(c)：工作记忆容量与 τ 的关系，由对模型的数值模拟所得。τ_d 和 τ_f 与图 8-5 中一致。（d）：（d）与（c）类似，由公式 8-20、公式 8-21 和公式 8-24 理论求解所得。在公式 8-24 中，我们忽略了 C、h_0、I_{crit} 对突触参数的依赖，并代之以常数值 $C=4$，$h_0=-200\text{Hz}$，$I_{\text{crit}}=2.45\text{Hz}$。细节请参见本章附。$\tau_d$ 和 τ_f 与图 8-5 中一致。（e）：工作记忆容量与 τ_d 和 τ_f 的关系，由对模型的数值模拟所得。（f）：理论预测的结果。模型参数 J_{EE}、J_{IE}、J_{EI}、U、α、P 和 I_b 与图 8-5（d）一致（Mi et al.，2013）

　　由此，我们可得到如下结论：①工作记忆容量与突触短时程衰减和突触电流的时间常数的比值，即 τ_d/τ，成正比，并且以对数的形式微弱地随着短时程突触增强的时间常数增大而增加；②只有当背景电流大于临界值 I_{crit} 时工作记忆容量为有限值，否则为零。第二个结论已被上述模拟结果验证。为了验证第一个结论的有效性，我们采用不同的 STP 时间常数 τ_f、τ_d 和突触时间常数 τ 的组合（模拟细节见附录）。数值模拟结果表明以上理论分析定性地抓住了工作记忆有限容量的计算特性：记忆容量随着 τ 的增大而减少；记忆容量随着 STP 时间常数 τ_f、τ_d 的增大而增加［图 8-6（c）—（f）］。模拟结果与公式 8-10 得出的理论估计值大致吻合［比较图 8-6（c）、（e）与（d）、（f）］，理论估计值略高于实际的工作记忆容量。

为了理论分析网络的工作记忆容量，上述神经网络模型已做了极大简化。因此，我们构建了生物学更合理的脉冲神经网络模来进一步探索上述结果的普适性（模型细节见附录）。脉冲神经网络由 16 000 个兴奋性神经元和 4000 个抑制性神经元构成，并考虑了噪声的背景输入及稀疏、随机的突触连接结构。其中，任意一个记忆信息都由 640 个兴奋性神经元通过互馈连接所组成的神经元群来编码。图 8-7（a）展示了神经网络存储 4 个记忆信息的示例，与简化模型不同的是，相应的神经元群未必以一个固定的频率来产生 PS，并且神经元群在记忆保存阶段也未必按照加载的顺序来依次产生 PS。但是，总体而言，脉冲神经网络所存储的工作记忆容量也会随着背景输入电流的增加而增加，这与简化模型的结果相吻合。同时，工作记忆的容量随着 STP 时间常数 τ_f、τ_d 的增大而增加，随着突触电流时间常数 τ 的增大而减少［图 8-7（b）和（c）］。另外，编码不同记忆信息的神经元群之间的连接和交叠也不会影响工作记忆容量对神经元和突触相关参数的依赖关系。

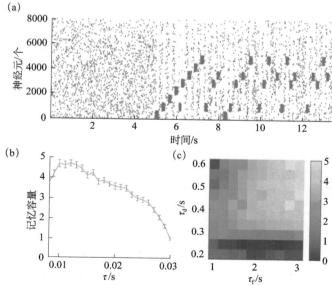

图 8-7　脉冲神经网络模型。(a)：工作记忆的脉冲神经网络示例。初始阶段（0—5s），网络中神经元处于自发活动状态；当 8 个记忆信息加载到神经网络后，最终只有其中 4 个记忆信息可被保存。图中展示了 8000 个兴奋性神经元的活动状态，图中圆点表示神经元所产生的脉冲序列。图中神经元按顺序依次排列，每 640 个神经元可编码一个不同的记忆信息。模型参数如下：τ=20ms，τ_f=3s，τ_d=0.6s，U=0.2。(b)：工作记忆容量与神经元时间常数 τ 的关系。(c)：工作记忆容量与 STP 时间常数 τ_f、τ_d 的关系。脉冲神经网络模型的具体参数见附录（Mi et al.，2013）

　　工作记忆容量对背景输入电流（即注意力水平）的依赖特性使网络具备了可有效调控记忆容量至其所期望水平的能力。大脑可根据认知任务提高注意水平以便存储多个工作记忆，也可根据需求降低注意水平将它们删除。注意调控也可将一串信息序列分割、形成少量记忆组块（Gilbert et al.，2014），以方便记忆（图8-8）。其中，记忆组块是指增强多个记忆信息之间的关联，进而形成一个新的组块记忆信息的策略。

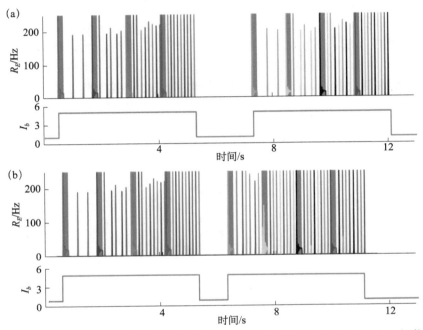

图8-8　调控背景输入电流可将一系列记忆信息分割为不同的组块。（a）：8个记忆信息依次加载到网络中。通过调控注意力水平，可将其分割为两个不同的记忆组块。（b）：8个记忆信息依次加载到网络中。若注意力水平调控的时间间隔太小，则无法成功将记忆序列分割成2个不同的记忆组块（Mi et al.，2017）

本 章 小 结

　　在本节的研究中，基于马克拉姆等（Mongillo et al.，2008）提出的工作记忆的突触理论，揭示了工作记忆有限容量的神经机制，并解析得到工作记忆有限容量与网络中突触短时程可塑性等相关参数的数学表达。虽然工作记忆是存储于神经元突触连接的短时程增强中，但是理论与数值模拟结果表明工作记忆的有限容量则主要受突触短时程衰减效应的影响，并呈线性正相关，同时工作记忆有限容量与网络中神经元动力学的时间常数呈负相关。如上理论预测可通过基因调控等相关实验所验证。此外，本节的研究结果表明，可通过调控兴奋性的背景输入电流来调控工作记忆使其达到预期的容量，这一调控对工作记忆而言是至关重要的，这是因为工作记忆不仅需要暂时地加工和存储信息，而且也需要适时地擦除某些已有记忆为新的信息提供空间。我们推断对工作记忆的调控在很大程度上反映了相关脑区上的注意力水平。另外，脑成像研究也表明大脑只执行工作记忆的任务时会引发额叶（工作记忆的相关脑区）和顶叶（注意力水平的相关脑区）脑区之间的协同，它们的协同能力会随着工作记忆加载而增强（Honey et al.，2002）。另外，脉冲神经网络模型也验证了如上理论分析预测的普适性。

　　本节的研究结果引起的一个有趣的问题：是什么因素决定了大脑中突触短时程可塑性的参数，进而使得大多数人的工作记忆容量约为 4 个？为了探究这个问题，我们对模型进行了更加细致的研究，发现当突触短时程衰减的时间常数持续增加并超过一个特定值后神经网络将无法再产生 PS，即网络不再具备存储记忆信息的能力。事实上，神经网络参数几乎是不可能进入状态的。然而，无论是简化的发放率模型还是脉冲神经网络模型，工作记忆的最大容量虽为有限值，但也都超过 4 个。另外一个可能的原因是某些认知功能之间的权衡（functional tradeoff）决定了工作记忆的容量为 4 个，而这些权衡是很难探究清楚的。其中一种可能性可从图 8-8 中推测到：为了将一串记忆信息分割成不同的组块，不同组块之间的时间间隔需要超过一定时间才可以使得前一个组块信息的记忆痕迹消失而不对后一个组块的表征产生影响，同时，组块之间的时间间隔与决定了工作记忆容量的 STP 时间常数是在同一时间量级。如果 STP 参数增加，那么对记忆序列的分割只可能在较低的刺激呈现频率时实现。

　　除了对理解工作记忆及其有限容量的神经机制有重要意义之外，本节的研究可能给与神经系统疾病相关的记忆障碍的临床研究带来新的方向（Alloway，2007；Kenworthy et al.，2008；Levy & Farrow，2001）。

参 考 文 献

何大韧，刘宗华，汪秉宏.（2009）.*复杂系统与复杂网络*.北京：高等教育出版社.

汪小帆，李翔，陈关荣.（2006）.*复杂网络理论及其应用*.北京：清华大学出版社.

Alloway，T. P.（2007）. Working memory，reading，and mathematical skills in children with developmental coordination disorder. *Journal of Experimental Child Psychology*，96（1），20-36.

Amit, D. J., Bernacchia, A., & Yakovlev, V. (2003). Multiple-object working memory: A model for behavioral performance. *Cerebral Cortex*, *13* (5), 435-443.

Baddeley, A. D. (2003). Working memory: Looking back and looking forward. *Nature Reviews Neuroscience*, *4* (10), 829-839.

Baddeley, A. D., & Hitch, G. J. (1974). Working memory. In G. H. Bower, (ed), *The Psychology of Learning and Motivation* (pp.47-89). New York: Academic Press.

Bär, M., & Eiswirth, M. (1993). Turbulence due to spiral breakup in a continuous excitable medium. *Physical Review E*, *48*, R1635-R1637.

Barabási, A. L., & Albert, R. (1999). Emergence of scaling in random networks. *Science*, *286*, 509-512.

Bi, G. Q., & Poo, M M. (1998). Synaptic modifications in cultured hippocampal neurons: Dependence on spike timing, synaptic strength, and postsynaptic cell type. *The Journal of Neuroscience*, *18* (24), 10464-10472.

Bloomfield, S. A., & Völgyi, B. (2009). The diverse functional roles and regulation of neuronal gap junctions in the retina. *Nature Reviews Neuroscience*, *10* (7), 495-506.

Bonifazi, P., Goldin, M., Picardo, M. A., Jorquera, I., Cattani, A., . . . & Cossart, R. (2009). GABAergic hub neurons orchestrate synchrony in developing hippocampal networks. *Science*, *326* (5958), 1419-1424.

Brecht, M., Schneider, M., Sakmann, B., & Margrie, T. W. (2004). Whisker movements evoked by stimulation of single pyramidal cells in rat motor cortex. *Nature*, *427* (6976), 704-710.

Buhusi, C. V., & Meck, W. H. (2005). What makes us tick? Functional and neural mechanisms of interval timing. *Nature Reviews Neuroscience*, *6* (10), 755–765.

Buonomano, D. V., & Maass, W. (2009). State-dependent computations: Spatiotemporal processing in cortical networks. *Nature Reviews Neuroscience*, *10* (2), 113-125.

Carr, C. E. (1993). Processing of temporal information in the brain. *Annual Review of Neuroscience*, *16*, 223-243.

Colgin, L. L. (2013). Mechanisms and functions of theta rhythms. *Annual Review of Neuroscience*, *36*, 295-312.

Compte, A., Brunel, N., Goldman-Rakic, P. S., & Wang, X. J. (2000). Synaptic mechanisms and network dynamics underlying spatial working memory in a cortical network model. *Cerebral Cortex*, *10* (9), 910-923.

Cowan, N. (2001). The magical number 4 in short-term memory: A reconsideration of mental storage capacity. *Behavioral and Brain Sciences*, *24* (1), 87-114.

Cowan, N. (2010). The magical mystery four: How is working memory capacity limited, and why? *Current Directions in Psychological Science*, *19* (1), 51-57.

Edin, F., Klingberg, T., Johansson, P., McNab, F., Tegne'r, J., & Compte, A. (2009). Mechanism for top-down control of working memory capacity. *Proceedings of the National Academy of Sciences of the United States of America*, *106* (16), 6802-6807.

Eguíluz, V. M., Chialvo, D. R., Cecchi, G. A., Baliki, M., & Apkarian, A. V. (2005). Scale-free brain functional networks. *Physical Review Letters*, *94* (1), 18102.

Fino, E., & Yuste, R. (2011). Dense inhibitory connectivity in neocortex. *Neuron*, *69* (6), 1188-1203.

Fukuda, K., Awh, E., & Vogel, E. K. (2010). Discrete capacity limits in visual working memory. *Current Opinion in Neurobiology*, *20* (2), 177-182.

Fuster, J., & Alexander, G. (1971). Neuron activity related to short-term memor. *Science*, *173* (3997), 652-654.

Gihbon, J. (1977). Scalar expectancy theory and Weber's law in animal timing. *Psychological Review*, *84* (3), 279-325.

Gilbert, A. C., Boucher, V. J., & Jemel, B. (2014). Perceptual chunking and its effect on memory in speech processing: ERP and behavioral evidence. *Frontiners in Psychology*, *5*, 220.

Honey, G. D., Fu, C. H., Kim, J., Brammer, M. J., Croudace, T. J., Suckling, J., et al. (2002). Effects of verbal working memory load on corticocortical connectivity modeled by path analysis of functional magnetic resonance imaging data. *NeuroImage*, *17* (2), 573-582.

Hopfield, J. (1984). Neurons with graded responses have collective computational properties like those of two-state neurons. *Proceedings of the National Academy of Sciences of the United Stated of Ametrica*, *81* (10), 3088-3092.

Horn, D., & Opher, I. (1996). Temporal segmentation in a neural dynamic system. *Neural Computation*, *8* (2), 373-389.

Ivry, R. B., & Schlerf, J. E. (2008). Dedicated and intrinsic models of time perception. *Trends in Cognitive Sciences*, *12* (7), 273-280.

Jaeger, H., Maass, W., & Principe, J. (2007). Special issues on echo state networks and liquid state machines. *Neural Networks*, *20* (3), 287-289.

Kandel, E., Schwartz, J., Jessell, T., Siegebaum S., & Hudspeth A. (2013). *Principles of Neural Science*. Fifth Edition. Toronto: McGraw-Hill Ryerson.

Karmarkar, U. R., & Buonomano, D. V. (2007). Timing in the absence of clocks: Encoding time in neural network states. *Neuron*, *53* (3), 427-438.

Kenworthy, L., Yerys, B. E., Anthony, L.G., & Wallace, G. L. (2008). Understanding executive control in autism spectrum disorders in the lab andin the real world. *Neuropsychology Review*, *18* (4), 320-338.

Levy, F., & Farrow, M. (2001). Working memory in ADHD: Prefrontal/parietal connections. *Current Drug Targets*, *2* (4), 347-352.

Li, H., Li, Y. M., Lei, Z. C., Wang, K. Y., & Guo, A. K. (2013). Transformation of odor selectivity from projection neurons to single mushroom body neurons mapped with dual-color calcium imaging. *Proceedings of the National Academy of Sciences of the United Stated of Ametrica*, *110* (29), 12084-12089.

Lisman, J. E., & Idiart, M. A. (1995). Storage of 7 +/- 2 short-term memories in oscillatory subcycles. *Science*, *267*（5203）, 1512-1515.

Luck, S. J., & Vogel, E. K.（1997）. The capacity of visual working memory for features and conjunctions. *Nature*, *390*（6657）, 279-281.

Lundqvist, M., Herman, P., & Lansner, A.（2011）. Theta and gamma power increases and alpha/beta power decreases with memory load in an attractor network model. *Journal of Cognitive Neuroscience*, *23*（10）, 3008-3020.

Lundqvist, M., Rose, J., Herman, P., Brincat, S. L., Buschman, T. J., & Miller, E. K.（2016）. Gamma and beta bursts underlie working memory. *Neuron*, *90*（1）, 152-164.

Markram, H., Wang, Y., & Tsodyks, M.（1998）. Differential signaling via the same axon of neocortical pyramidal neurons. *Proceedings of the National Academy of Sciences of the United States of America*, *95*（9）, 5323-5328.

Mauk, M. D., & Buonomano, D. V.（2004）. The neural basis of temporal processing. *Annual Review of Neuroscience*, *27*（1）, 307-340.

Mi, Y. Y., Liao, X. H., Huang, X. H., Zhang, L. S., Gu, W. F., Hu, G., et al.（2013）. Long-period rhythmic synchronous firing in a scale-free network. *Proceedings of the National Academy of Sciences of the United Stated of Ametrica*, *110*（50）, E4931-E4936.

Miller, G. A.（1956）. The magical number seven plus or minus two: Some limits on our capacity for processing information. *Psychological Review*, *63*（2）, 81-97.

Miller, G. A., Galanter, E., & Pribram, K. H.（1960）. Plans and the structure of behavior. *American Anthropologist*, *62*（6）, 1065-1067.

Mongillo, G., Barak, O., & Tsodyks, M.（2008）. Synaptic theory of working memory. *Science*, *319*（5869）, 1543-1546.

Morgan, R. J., & Soltesz, I.（2008）. Nonrandom connectivity of the epileptic dentate gyrus predicts a major role for neuronal hubs in seizures. *Proceedings of the National Academy of Sciences of the United Stated of Ametrica*, *105*（16）, 6179-6184.

Oberauer, K.（2002）. Access to information in working memory: Exploring the focus of attention. *Journal of Experimental Psychology. Learning, Memory and Cognition*, *28*（3）, 411-421.

Raffone, A., & Wolters, G.（2001）. A cortical mechanism for binding in visual working memory. *Journal of Cognitive Neuroscience*, *13*（6）, 766-785.

Rolls, E. T., Dempere-Marco, L., & Deco, G.（2013）. Holding multiple items in short term memory: A neural mechanism. *PLoS One*, *8*（4）, e61078.

Siegel, M., Warden, M. R., & Miller, E. K.（2009）. Phase-dependent neuronal coding of objects in short-term memory. *Proceedings of the National Academy of Sciences of the United States of America*, *106*（50）, 21341-21346.

Sumbre, G., Muto, A., Baier, H., & Poo, M. M.（2008）. Entrained rhythmic activities of neuronal ensembles as perceptual memory of time interval. *Nature*, *456*（7218）, 102-106.

Wang, Y., Markram, H., Goodman, P. H., Berger, T. K., Ma, J. Y., & Goldman-Rakic, P. S.（2006）. Heterogeneity in the pyramidal network of the medial prefrontal cortex. *Nature Neuroscience*, *9*（4）, 534-542.

Watts, D. J. & Strongatz, S. H.（1998）. Collective dynamics of "small-world" networks. *Nature*, *393*（6684）, 440-442.

Wei, Z., Wang, X. J., & Wang, D. H.（2012）. From distributed resources to limited slots in multiple-item working memory: A spiking network model with normalization. *Journal of Neuroscience*, *32*（33）, 11228-11240.

Yang, X. D., Korn, H., & Faber, D. S.（1990）. Long-term potentiation of electrotonic coupling at mixed synapses. *Nature*, *348*（6301）, 542-545.

Zhang, M. S., Wang, X. L., & Goldberg, M. E.（2014）. A spatially nonselective baseline signal in parietal cortex reflects the probability of a monkey's success on the current trial. *Proceedings of the National Academy of Sciences of the United States of America*, *111*（24）, 8967-8972.

本 章 附

（一）首因效应和近因效应

为了进一步研究神经网络模型的计算特性，将包含16个不同记忆信息的序列以不同的呈现频率依次加载到网络中，计算记忆序列撤掉后每个记忆信息的存储概率与其在序列中位置的关系。其中，每个记忆信息的呈现时间固定，为$t_{dur}=0.01s$，相邻两个记忆信息之间的时间间隔为t_{int}。

在图8-5（d）中，选择了450个不同的呈现频率，t_{int}在［0.005s,0.05s］的范围内等间隔取值。背景输入电流为$I_b=8Hz$，其余参数与图8-5（c）一致。在高频呈现条件下，我们观察到了首因效应和近因效应，即最开始和最后加载的记忆信息能够以较高的概率存储在工作记忆中［参见图8-5（d）中红线］。

在图8-5（e）中，选择了450个不同的刺激呈现频率，t_{int}在［0.5s,4s］的范围内等间隔取值，其余参数与图8-5（d）一致。在低频呈现条件下，我们观察到了近因效应，即最后加载的记忆信息以较高概率存储于工作记忆中［参见图8-5（e）中红线］。

在低频呈现条件下，第γ个呈现的记忆信息被存储的概率可由下述方法计算：假定工作记忆容量为N_C，且当第N_C+1个记忆信息载入时，之前存储在工作记忆中的任意一个记忆信息会以等概率被清除；由此可推断，每当一个新的记忆信息载入时，之前存储于工作记忆中的记忆信息都会以等概率的形式被擦除。因此，记忆序列中的任意一个记忆信息能够被存储的概率可由下式估计得出［图8-5（e）中蓝线］：

$$P_\gamma = \begin{cases} \left(1 - \dfrac{1}{N_C}\right)^{N_S - N_C}, & 0 < \gamma \ll N_C \\[3mm] \left(1 - \dfrac{1}{N_C}\right)^{N_S - \gamma}, & N_C < \gamma \ll N_S \end{cases} \qquad (8\text{-}27)$$

其中，N_S 是所加载的记忆信息总数。研究发现模拟结果与理论预测结果相吻合 [图 8-5（e）]。

（二）工作记忆容量的数值仿真结果

1. 不同背景输入电流条件下工作记忆容量的数值仿真结果

采用数值仿真的方法来计算工作记忆的容量。在每个背景输入电流 I_b 条件下，选取 20 万个随机初始条件，即 $\{u_\mu, x_\mu, h_\mu, R_\mu, h_I, R_I, \mu \in [1, P]\}$，根据正文中公式 8-16—公式 8-17 进行演化，直至网络到达稳定状态，并计算网络能保存 i 个不同记忆信息的概率 P_i（表 8-1）。其中，u_μ 和 x_μ 分别在 $u \in [U, 1]$ 和 $x \in [0, 1]$ 范围内均匀分布，神经元群的活动状态（h, R）初始化为 0。

2. 图 8-6 中不同参数对工作记忆容量的数值仿真

在图 8-6（c）中，我们选取了 121 个等间隔分布于 $[0.006s, 0.018s]$ 中的 τ 值进行数值仿真。背景输入电流为 $I_b = 8\text{Hz}$，其余参数与图 8-5 一致。

在图 8-6（e）中，我们选取了 111 个等间隔分布于 $[0.10s, 0.32s]$ 中的 τ_d 和 111 个等间隔分布于 $[1.0s, 3.2s]$ 中的 τ_f 进行数值模拟。背景输入电流为 $I_b = 8\text{Hz}$，其余参数与图 8-5 一致。

由于计算资源的限制，我们没有采用表 8-1 中所用的密集搜索方法，而是采用一种更简化的方法来计算工作记忆容量。具体如下：①求解正文中的公式 8-20、公式 8-21、公式 8-24 得到工作记忆容量的理论预测值 $N_{\text{Cestimated}}$。②将 $m = N_{\text{Cestimated}}$ 个不同的记忆信息依次加载到神经网络中 [图 8-5（c）]，其中加载的记忆信息采取短时的强电流信号，即 $I_e = 565\text{Hz}$，持续时间 $t_{\text{dur}} = 0.015s$，连续两个刺激之间的时间间距 t_{int} 满足 $m(t_{\text{dur}} + t_{\text{int}}) \ll T_{\text{max}}$。这些短时的强刺激信号可以将相应的兴奋性神经元群驱动至极限环状态。③撤去刺激后，若是这 m 个神经元群能时序地持续产生 PS，我们则将 m 增加 1 并重复上述过程；否则将 m 减少 1 并重复上述过程。记忆容量由这个系统在撤去刺激之后所能保留的记忆信息的最大 m 值决定。

为了验证上述方法的有效性，我们随机选取 20 组不同的参数组合，同时采用表 8-1 中的密集搜索方法以计算记忆容量，发现显示两种方法的结果一致。

3. STP 时间常数的限制

为了展示工作记忆的参数区域，我们将短时程突触可塑性的时间常数 τ_f 和 τ_d 增加至较大数值。由于计算资源的限制，我们采用了类似 2. 中介绍的方法来估计工作记忆的容量：采用强刺激信号（$I_e = 365\text{Hz}$，持续时间 $t_{\text{dur}} = 0.015\text{s}$）依次激发网络中所有的神经元群 [图 8-5（c ）]，连续两个刺激之间的时间间距 $t_{\text{int}} = 0.05\text{s}$，撤掉外界刺激后统计可存储的记忆信息的数目，结果如图 8-9 所示。结果显示：工作记忆只能在（τ_f, τ_d）一定的参数区域内工作，尤其是当 τ_d 取值很大时系统则无法存储任何记忆信息。在图 8-9 中，我们选择了 191 个等间隔分布于 [1s,20s] 中的 τ_f 和 191 个等间隔分布于 [1s,2s] 中的 τ_d 用于数值仿真。其余参数与图 8-6（e ）中一致。

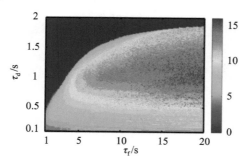

图 8-9 （与图 8-6 相关）工作记忆容量与短时程突触可塑性的时间常数 τ_f 和 τ_d 的关系。在某些参数区域，网络无法存储任何记忆信息（Mi et al.，2013）

（三）工作记忆容量的理论预测

1. 单个神经元群的连续两个 PS 之间的最大时间间隔（$T_{\max}$）（与公式 8-19 相关）

我们分析了网络动力学，尤其是 STP 的内在动力学特性，如何限制工作记忆的容量。

（1）有效突触强度在 PS 后的动力学演化过程

兴奋性神经元群产生 PS 之后处于静息状态，直至其有效突触强度恢复至一定数值后该神经元群才能再次产生 PS。在连续两次 PS 之间，有效突触强度将按照其自身动力学特性进行演化。

假设 $t = 0$ 是第一个 PS 终止的时刻，且在这个 PS 之后，状态变量将依据其自身动力学特性恢复到如下数值：$u = u_0$，$x = x_0$，$R = 0$。其中，u 和 x 的动力学由下述两个独立的线性公式决定：

$$\frac{\mathrm{d}u_\mu}{\mathrm{d}t} = \frac{U - u_\mu}{\tau_f} \tag{8-28}$$

$$\frac{\mathrm{d}x_\mu}{\mathrm{d}t} = \frac{1 - x_\mu}{\tau_d} \tag{8-29}$$

求解上述公式，我们可得到有效突触强度随着时间演化的曲线，如图 8-10 所示：

$$Jux(t) = J_{EE}\left[U + (u_0 - U)\exp\left(-\frac{t}{\tau_f}\right)\right]\left[1 - (1 - x_0)\exp\left(-\frac{t}{\tau_d}\right)\right] \tag{8-30}$$

该曲线只与 STP 的参数有关。

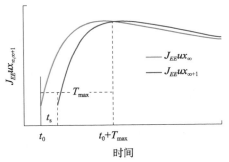

图 8-10　（与图 8-5 相关）兴奋性神经元群在其相继的两个 PSs（时间间隔为 t_s）之间的有效突触强度随时间变化曲线。$t_0 + T_{\max}$ 是相继产生 PSs 的两群神经元的有效突触强度随时间变化过程的交点。记忆信息可被存储的必要条件是神经元群 μ 的有效突触强度在 $t_0 + t_s < t < t_0 + T_{\max}$ 时间段内一直大于神经元群 $\mu + 1$ 的有效突触强度

（2）极限环的最大周期

在神经网络模型中，编码记忆信息的相应的兴奋性神经元群可依次、周期性地产生 PS；所有兴奋性神经元群与抑制性神经元群相连，抑制性神经元群可带来全局竞争使得任意时刻只有有效突触连接强度最大的那个记忆信息可被表达。因此，任意神经元群产生下个 PS 的最长周期便是当它的有效突触强度下降至与下一个相继产生 PS 的神经元群的有效突触强度一致的时刻［参见图 8-10 及正文中图 8-5（c）］。由于连续两个 PS 之间的时间间隔远小于其最大周期，因此我们可将神经元群的有效突触强度达到其最大值的时间间隔作为最大周期 $T_{\max}$。$T_{\max}$ 可由下式求得：

$$\left.\frac{dJux(t)}{dt}\right|_{t=T_{\max}} = 0 \tag{8-31}$$

在 $\tau_d / \tau_f \ll 1$ 的条件下，上述公式的理论解为：

$$T_{\max} \approx \tau_d \ln\left[\frac{\tau_f}{\tau_d}\frac{u_0(1-x_0)}{u_0-U}\right] \qquad (8\text{-}32)$$

初始值 u_0 和 x_0，可近似为 $u_0=1$，$x_0=0$，这在 PS 足够强的条件下是成立的。

2. 两群神经元相继产生 PSs 的时间间隔 t_s（与公式 8-24 相关）

在本节中，我们将分析网络动力学如何影响连续两次 PSs 之间的时间间隔 t_s。考虑两个相继产生 PSs 的神经元群为 μ 和 $\mu+1$。如图 8-11 所示，t_s 可以被分解为 3 个部分，即区间 A、区间 B 和区间 C。

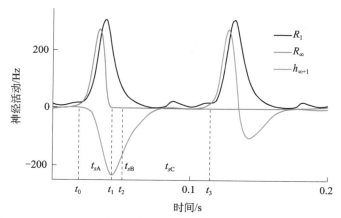

图 8-11 （与图 8-6 相关）两群神经元相继产生 PS 之间的时间间隔 t_s 可分为 3 个部分。区间 A：神经元群 μ 产生 PS；区间 B：抑制性神经元群的 PS 终止；区间 C：神经元群 $\mu+1$ 的突触电流逐步上升至一个阈值并开始产生 PS（Mi et al.，2017）

区间 A：从神经元群 μ 开始产生 PS 直至 PS 终止，即图 8-11 中从 t_0 到 t_1 的时间段。在该时间段内，抑制性神经元群接收到神经元群 μ 的兴奋性输入进而产生 PS，并对神经元群 $\mu+1$ 进行抑制。

区间 B：从 t_1 到抑制性神经元群 PS 终止 t_2。在该段时间内，神经元群 $\mu+1$ 持续地接收源于抑制性神经元群的负电流输入。

区间 C：从 t_2 到神经元群 $\mu+1$ 接收的突触输入增加至使其产生新 PS 的时刻 t_3。

下面将逐一分析这些时间间隔与网络参数的关联。

（1）区间 A

一个 PS 的持续时长主要由突触电流动力学过程的时间常数 τ 决定，且比 STP 的时间常数 τ_f 和 τ_d 小很多。

（2）区间 B

主要由兴奋性神经元群传递到抑制性神经元群的时间延迟来决定，即 $t_{sB} \approx \tau$ 和 $t_2 \approx t_1 + \tau$。

（3）区间 C

区间 C 内的突触连接强度 $J_{EE}u_{\mu+1}x_{\mu+1}$ 近似为 J_{max} [图 8-5（c）]，忽略连续两个 PS 之间抑制性电流的时间演化过程，即 $I_{inh} = J_{EI}R_I$，那么神经元群 $\mu+1$ 的突触电流的动力学可近似如下：

$$\tau \frac{dh}{dt} = -h + J_{max}R(h) + (I_b - I_{inh}) \equiv F(h) \tag{8-33}$$

函数 $F(h)$ 有两个分支：h 取负值时 $F(h) = -h + (I_b - I_{inh})$；$h$ 取正值时，$F(h) = (J_{max}-1)R(h) + (I_b - I_{inh})$。整个函数是 V 字型的，其最小值为 $h_{min} = -\alpha\ln(J_{max}-1)$。突触电流 $h_{\mu+1}$ 朝着 h_{min} 增加是一个缓慢的过程，而后加速引发新的 PS 产生。区间 C 的时间 t_{sC} 主要由 $h_{\mu+1}$ 从 t_2 时刻的初始值 h_0 增加至阈值 h_{min} 所用的时间决定，这可以由求解公式 8-14（将 $F(h)$ 由其负值部分替代）给出：

$$t_{sC} = t_3 - t_2 \approx \tau\ln\left(\frac{|h_0|}{I_b - I_{crit}}\right) \tag{8-34}$$

其中，$I_{crit} = I_{inh} - \alpha\ln(J_{max}-1)$。

综上，连续两个 PS 之间的时间间隔 t_s 可近似为

$$t_s = t_{sA} + t_{sB} + t_{sC} \approx \tau\ln\left(\frac{|h_0|}{I_b - I_{crit}} + C\right) \tag{8-35}$$

式中，$t_{sA} + t_{sB}$ 的贡献由常数值 $C\tau$ 包含。

在公式 8-35 中，I_{crit}，h_0 和 C 三个参量依赖于模型参数，但这些依赖性相比于对 τ 的主要依赖性是非常微弱的。为了产生图 8-6，我们将这些因子近似为常数进而获得工作记忆容量的理论估计值

$$N_c = \frac{T_{max}}{t_s} \approx \frac{\tau_d}{\tau}\frac{\ln\frac{\tau_f/\tau_d}{1-U}}{\ln\frac{|h_0|}{I_b - I_{crit}} + C} \tag{8-36}$$

其中，$C = 4$，$h_0 = -200\text{Hz}$，$I_{crit} = 2.45\text{Hz}$。